**10
18**

12, AVENUE D'ITALIE. PARIS XIII$^e$

## Sur l'auteur

Anne Birkefeldt Ragde est née en Norvège en 1957. Auréolée dans son pays d'origine des très prestigieux prix Riksmål (équivalent du Goncourt français), prix des Libraires et prix des Lecteurs pour sa « Trilogie des Neshov » (*La Terre des mensonges*, *La Ferme des Neshov* et *L'Héritage impossible*), Anne B. Ragde est une romancière à succès, déjà traduite en 20 langues, qui a vendu à ce jour des millions d'exemplaires. Après plusieurs romans dont *Un jour glacé en enfer*, *Zona frigida* et *La Tour d'arsenic*, son dernier roman, *Je ferai de toi un homme heureux*, a paru aux éditions Balland.

# ANNE B. RAGDE

## L'HÉRITAGE IMPOSSIBLE

Traduit du norvégien
par Jean Renaud

**10/18**

BALLAND

Ouvrage traduit avec le concours de NORLA

Titre original :
*Ligge i grønne enger*

*Elle était au milieu de la cour lorsqu'il arriva. Les bras ballants, elle le regarda garer sa voiture comme d'habitude, entre la grange et la remise. À peine avait-il ouvert la portière qu'il lança :*

*– Désolé, je suis un peu en retard. On a passé une bonne soirée, hier soir, hein !*

*Elle entendit ses paroles, vit les contours de son corps, ses gestes, dans la lueur gris sale du matin. Mais elle vit surtout qu'il venait vers elle, et c'était indispensable, avant qu'elle ne s'écroule, une question de secondes.*

*– Kai…*

*– J'arrive ! cria-t-il.*

*– Kai Roger.*

*Il avait soudain entendu quelque chose dans sa voix, peut-être un sanglot, une façon de geindre, elle l'ignorait, mais son corps se figea un court instant, avant qu'il ne s'élance jusqu'à elle.*

*– Qu'est-ce qui se passe ?*

*– Mon père. Il… Je l'ai tiré dans l'allée centrale et j'ai refermé la porte de la loge, hors de portée de Siri.*

*– Mais qu'est-ce que…*

*– Il s'est suicidé. J'ai trouvé le flacon de comprimés. Ceux qu'on lui avait prescrits pour sa*

*jambe. Et des bouteilles de bière, je crois. Je n'ai pas vraiment réussi à... Il est mort en tout cas. Et Siri, sa truie, a... je ne sais pas... le nez et plusieurs doigts...*

*Il passa les bras autour d'elle.*

– *Mon Dieu, Torunn.*

*Elle sentit le poids de ses bras, ferma les yeux et pensa à celui des chevilles de son père entre ses mains, à la botte qui avait glissé quand elle s'était mise à le traîner, au regard excité de Siri, au sang qui commençait à sécher autour de sa gueule, aux cris des autres porcs.*

– *C'est ma faute, dit-elle.*

– *Torunn.*

– *Il a abandonné et c'est ma faute.*

*Kai Roger relâcha son étreinte, tout en la prenant par les épaules et en l'écartant de lui.*

– *Regardez-moi !*

– *Non.*

– *Écoutez-moi, alors ! Je vais à la porcherie et je le ramène dans la buanderie.*

*Pleurait-elle ? Elle ne le pensait pas. Elle essayait seulement de sentir ses propres larmes, mais elle n'avait aucune sensation. Ses larmes avaient une odeur particulière. La seule chose qu'elle percevait nettement, c'était des images. Le sang noir sur les énormes oreilles pendantes, le col élimé de la chemise de flanelle dont se détachaient de petits fils laineux, le talon couvert d'une chaussette grise qui était retombé dans la paille imbibée d'urine, au moment où son pied était sorti de la botte qu'elle tirait, les orbites pleines du sang qui coulait de l'arête de son nez. Le trou qu'il y avait là.*

– *Retournez à la cuisine maintenant et téléphonez à Margido ! Je m'occupe de la porcherie.*

– *Je n'ai pas la force.*

– *Il le faut. Appelez Margido ! Moi je prends la porcherie.*

– *« Prends la porcherie ? »*

*Prendre la porcherie. Ces mots lui paraissaient bizarres.*

– *Oui. Je n'ai pas le choix. Les porcs doivent être nourris, ils ne se rendent pas compte. Il faut les soigner de toute façon.*

– *Je n'y arriverai pas, murmura-t-elle.*

*Il la prit à nouveau dans ses bras, la serra contre lui, lui envoya un souffle chaud dans les cheveux.*

– *Je n'y arriverai pas.*

– *Mais si, dit-il. Je vais vous aider. Je vais vous aider, Torunn.*

*Par-dessus son épaule, elle apercevait la fenêtre de la cuisine. La cuisine de Neshov. Elle était là, et il était mort.*

– *Rentrez, maintenant ! Téléphonez ! Et faites du café ! J'en aurai besoin après ça, on en aura besoin tous les deux.*

– *Il faut faire abattre Siri. Aujourd'hui même.*

– *Ce n'est pas la faute de la truie. Les porcs sont…*

– *Il faut la faire abattre. ET C'EST MA FAUTE !*

*Kai Roger la repoussa les bras tendus, en la tenant fermement par les épaules.*

– *Vous ne devez pas vous dire ça, Torunn !*

– *MAIS C'EST LA VÉRITÉ !*

*Et elle sentit que tout s'écroulait en elle, elle sentit monter un lourd sanglot, au point de croire qu'elle allait vomir, un sanglot qui se transforma en un soupir infiniment long, suivi d'un faible hurlement. Elle renversa la tête en arrière, il la tenait encore, mais quelques secondes plus tard elle s'affaissa par terre, Kai Roger s'accroupit à côté d'elle. Elle était incapable de cesser de gémir, se rendait compte elle-*

*même qu'on aurait dit un petit animal, elle s'écouta et entendit aussi la voix de Kai Roger, qui semblait venir de très loin, mais elle ne saisit pas le sens de ses paroles, pas avant qu'il ne lui pince durement les joues en criant :*

*– REGARDEZ-MOI, TORUNN !*

*Elle ne dit rien, sentait l'odeur des larmes.*

*– Regardez-moi... ma belle petite Torunn.*

*– Non.*

*– Ce n'était pas votre faute.*

*– Si. Et il faut faire abattre la truie.*

*– D'accord. Relevez-vous ! Et venez ! Vous allez rentrer et faire du café. Je vais me dépêcher. Je me charge du reste. Et puis je vous rejoindrai.*

*Elle resta longtemps à la porte, la main sur la poignée, avant de l'abaisser. Elle était froide. Elle avait l'impression que c'était depuis toujours. En tout cas, depuis bien avant elle. C'était la main de son père qui abaissait quotidiennement cette poignée. Au fond, elle n'était ici qu'une invitée.*

PREMIÈRE PARTIE

Elle trouva une place libre presque tout en haut de la rue Søndregate, s'y enfila et coupa le contact. Elle resta assise, le regard fixe. Un vieux monsieur entra dans son champ de vision. Il avançait sur le trottoir, son manteau déboutonné, en poussant à grand-peine, par à-coups, un déambulateur. Il longea la vitrine d'une banque. Une affiche gigantesque montrait un homme et une femme devant une très vieille caravane remorquée par une minuscule voiture toute rouillée. Le couple regardait droit dans l'objectif d'un air découragé et impuissant, et sous la photo on pouvait lire : « Pourquoi attendre de gagner au Loto ? Laissez-nous vous donner un coup de pouce ! »

Le vieillard derrière son déambulateur haletait sous l'effort, la bouche ouverte, il ne jeta pas le moindre coup d'œil à l'affiche dans la vitrine. Chaque nouveau pas lui coûtait suffisamment, tandis qu'il traînait ses chaussures, qui avaient l'air de savates, dans la poussière du trottoir.

Ça lui faisait du bien d'être assise. Elle posa les avant-bras sur le volant, appuya doucement la tête et ferma les yeux. Elle sentait sûrement le lisier, ils en avaient épandu dans les champs la semaine précédente. Même si elle venait de prendre une douche, ce serait à tous les coups la première remarque que ferait sa mère, cette odeur l'emportait sur toutes les autres. Elle se redressa, examina ses ongles. Ils étaient usés, avec des marques brunes au niveau des cuticules. Elle tourna les paumes vers elle, observa les lignes de vie, de chance, de cœur, et toutes les autres, ces lignes que certains croyaient capables de révéler la personnalité et l'avenir. Elles étaient légèrement marron, ce qui ne serait sûrement pas considéré de bon augure dans les milieux de la chiromancie. Elle ne se donnait presque plus jamais la peine d'enfiler des gants, à moins qu'ils ne se trouvent juste sous son nez lorsqu'elle en avait besoin.

Elle reposa ses avant-bras sur le volant, y appuya son front, ferma les yeux et écouta les voitures qui passaient. Le vieillard avait probablement disparu maintenant, mais elle n'eut pas le courage d'ouvrir les yeux pour vérifier. Il vivait sans doute seul, changeait de caleçon au mieux une fois par semaine, et mangeait du pain rassis avec du maquereau à la sauce tomate tous les jours, tout en mentant à sa fille qui lui téléphonait d'un endroit très éloigné du pays, et en lui assurant qu'il se mijotait de bons petits plats, avec des pommes de terre, au moins quatre fois par semaine.

La voiture derrière la sienne démarra. Les yeux fermés, elle l'entendit manœuvrer, passer de marche arrière à marche avant, et finalement accélérer. Puis le vrombissement s'estompa. À peine quelques secondes plus tard, les bruits se répétèrent, mais c'était une nouvelle voiture qui se garait à la place laissée libre. Elle aurait pu se retourner et regarder le conducteur. Il y avait quelqu'un dans la voiture juste derrière elle, quelqu'un dont la vie était à coup sûr différente de la sienne, quelqu'un qui, à coup sûr, ne commençait pas la journée en allant à la porcherie, le ventre creux, à sept heures du matin, retrouver des cochons qui hurlaient de faim. Mais au fond, elle n'en savait rien. Après tout, la rue entière était peut-être à cet instant peuplée de voitures de paysans. Des gens de Fosen, de Skaun, de Bynes et de Ranheim. Elle entendit une portière claquer. On aurait dit le bruit d'un couvercle qu'on refermait brutalement sur une boîte ouverte.

– Bonjour ! *Bonjour !*

– Quoi… ?

Elle se redressa en sursautant. Un visage s'encadrait dans la vitre. Une femme coiffée d'un drôle de béret d'uniforme. Elle avait levé l'index droit replié pour frapper au carreau. Elle laissa retomber son bras. Torunn baissa la vitre, ses yeux lui brûlaient comme si on lui avait jeté du sel. Elle dut se forcer à garder les paupières ouvertes et ses yeux avaient peine à se focaliser sur ce visage de femme.

La dame lorgna à l'intérieur de la voiture.

– Excusez-moi, mais… vous dormiez ?

– Oui, probablement.

– Bon, je n'ai rien contre, mais…

– Je n'ai pas bu, si c'est ça que vous croyez.

– Vous devez payer pour stationner ici. C'est tout ce que je voulais dire.

– Je me suis endormie avant de le faire.

– Exactement. Mais faites-le maintenant ! Après, vous pourrez continuer à dormir, si vous en avez envie.

– Il ne faut pas que je dorme. J'ai rendez-vous avec ma mère au *Palmier*.

– Allez payer ! Le parcmètre le plus proche est juste là. Si vous n'avez pas de monnaie, il accepte aussi les cartes.

Elle ne vit pas sa mère aussitôt. Et dans le courant d'air de la porte à tambour, elle sentit nettement l'odeur de lisier qu'elle dégageait. Elle aperçut sa mère assise à une des petites tables sur la droite et, en l'espace de quelques secondes, elle put l'observer avant qu'elle ne lève les yeux et que leurs regards ne se croisent. Sa mère s'accordait parfaitement au cadre, vêtue d'un élégant pull blanc à col roulé, de l'or aux oreilles, les cheveux laborieusement arrangés, un sac à main en cuir bourgogne patiné posé contre le pied de la chaise. Elle était très exactement en train de reposer avec soin la passoire à thé dans une coupelle en porcelaine blanche, elle lui avait paru fatiguée pendant ce court instant où elle ne croyait pas être vue.

– Bonjour maman !
– Te voilà enfin ! Mais… comment es-tu accoutrée, Torunn ?
– Accoutrée ? Je…
– Allez, viens que je t'embrasse ! Ne t'en fais pas ! Je sais bien que l'habillement a toujours été le cadet de tes soucis. Ah, Torunn, ma chérie, comme tu m'as manqué…

Elle laissa sa mère l'embrasser, en fit autant par devoir, sentit les relents de l'argent, du bon moment passé dans la baignoire, de l'attention portée à sa propre apparence. Quand elles desserrèrent leur étreinte, elle vit sa mère écarter les narines, tordre rapidement le nez d'un bord et de l'autre, comme un lapin, mais elle ne dit rien. Elle se rassit simplement, rajusta son pull à la taille, releva son col roulé en respectant la symétrie de ses clavicules, et lui fit un sourire maternel exubérant.

– Torunn…

– Je ne comprends pas pourquoi tu es venue, en fait. Au téléphone tu as dit que tu voulais me voir ?

– On va d'abord aller se servir au buffet, et on discutera ensuite, ma chérie.

– Je n'ai pas tellement faim.

– Qu'est-ce que tu racontes ? Regarde-moi un peu ces tartines garnies ! Moi, je vais prendre le tartare avec le tas de câpres, l'oignon haché et les betteraves marinées. Dieu merci, on peut manger à nouveau les jaunes d'œufs crus ! Cette histoire de salmonelle était bien pénible. Mais maintenant on n'en entend plus parler du tout, alors le danger doit être passé. Qu'est-ce que tu veux boire ? Je vais d'abord commander ça.

– Je peux prendre du thé, moi aussi.

– Bon, alors on va se servir. Mais tu aurais quand même pu trouver une chemise dont le tissu n'était pas complètement passé. Hein ?

Elle prit une tartine sur le premier plat venu. Fine tranche de rosbif en accordéon posée sur une montagne de rémoulade. Debout devant le buffet, sa mère organisait le contenu de son assiette, avec des gestes vifs et précis. Un homme s'assit au piano et entama une musique d'ambiance enjouée.

La salle était à moitié pleine, presque uniquement des femmes d'un certain âge, toutes pomponnées un peu plus que de raison. Un monsieur était assis à une table avec une pile de journaux devant lui, il ressemblait à l'un des deux peintres qui portaient le même prénom. Mais elle ne suivait pas l'actualité, évitait d'acheter des journaux, ils ne lui disaient plus rien, tout ce qui s'y trouvait était si éloigné de son quotidien, et elle ne parvenait plus à se concentrer suffisamment longtemps pour qu'ils captent son intérêt.

Alors elle ne savait évidemment pas le nom des artistes célèbres. Le grand-père se plaignait tous les jours du fait que *La Nation* n'arrivait plus dans la boîte aux lettres. Mais elle ne parvenait même plus à s'en émouvoir. Ils avaient reçu deux enveloppes à entête de *La Nation*. La première contenait bien sûr la facture de l'abonnement, la seconde un avis par lequel le journal cesserait d'être d'envoyé si la facture n'était pas réglée immédiatement.

– Ça fait tout drôle d'être ici ! déclara sa mère d'un ton enthousiaste.

Elle s'assit à la table et disposa sa serviette sur ses genoux.

– Je n'avais encore jamais logé au *Britannia*, ni mangé au *Palmier*, poursuivit-elle. Seulement lu des articles dans la presse et vu des photos. C'est l'équivalent, à Trondheim, du *Grand Hôtel* d'Oslo, tu sais. Wenche Foss adore le *Palmier* et c'est Håkon Bleken qui est assis là-bas. Autrefois il y avait un bassin à poissons rouges au milieu, là où est le buffet maintenant. Mais les gens jetaient leurs mégots dans l'eau, alors ils ont dû supprimer les poissons. C'est lamentable. Jeter des cigarettes dans un bassin. Ça ne serait jamais arrivé à Oslo. Mange, Torunn ! Tu as maigri, ça ne te va pas. Dis-moi, as-tu complètement cessé de te maquiller ? Tu ne mettais pas un peu de mascara avant, au moins ?

– Je sors fumer une cigarette, moi. On ne m'a pas encore apporté mon thé.

– Mais… tu vas fumer avant de manger ? C'est à ce point-là ? Bon, bon…

Un enfant qui hurlait se faisait tirer par le bras sur le trottoir lorsqu'elle sortit et ouvrit son paquet de cigarettes. La mère lui secouait rudement le bras à chaque pas, elle portait de l'autre main des sacs plastique bourrés à craquer. Il y avait des voitures et des gens partout, des gens légèrement vêtus par ces douces températures du mois de mai. Devant le fleuriste un peu plus loin, le trottoir était encombré de décorations d'un style épuré et d'une longue table garnie de bougies et de serviettes aux couleurs assorties. Elle aspira la fumée au plus profond de ses poumons et dut s'appuyer au mur, soudain prise de vertiges. Qu'avait-elle mangé aujourd'hui, au fond ? Pas grand-chose en tout cas. Mais elle pourrait tout simplement retourner à la voiture, démarrer et regagner Neshov, voir où en était Kai Roger de passer la herse. Il fallait bien enterrer l'épandage avant le dimanche suivant, ce serait la confirmation à l'église de Bynes et il n'était pas question que ça sente le lisier partout. Torunn n'avait reçu que la veille au soir un coup de fil de sa mère lui donnant rendez-vous pour le déjeuner. Kai Roger avait dit que ça ne lui posait pas de problèmes. Mais comment était-ce possible ? Ce n'était pas sa ferme. Ni sa responsabilité. Et il y avait quantité de choses à faire. Ils devaient, ce jour-là aussi, marquer les porcs à abattre, il ne restait plus que deux semaines avant de les envoyer.

– Ton thé est arrivé ! Ce tartare était vraiment délicieux, tu sais !

– Qu'est-ce que tu fais au juste à Trondheim, maman ?

– Je suis venue discuter avec toi.

– Mais on a toutes les deux le téléphone.

Sa mère secoua la tête et sourit vaguement, un sourire que Torunn connaissait, le sourire indulgent et apitoyé, qui signifiait que c'était elle, et elle seule, qui faisait les demandes et les réponses.

— Nos conversations téléphoniques ne sont pas très enrichissantes, Torunn. Tu trouves toujours une excuse pour raccrocher avant qu'on parle sérieusement, quelque chose de soudain très urgent. J'ai compris que tu veux me tenir à l'écart. Voilà pourquoi j'ai décidé de faire le voyage, et de t'avoir en tête à tête.

— Tu es venue d'Oslo jusqu'à Trondheim uniquement pour me parler en tête à tête ?

— Je n'ai pas d'autre enfant que toi, ma chérie. Quand c'est important, je peux bien faire une heure d'avion pour te rencontrer.

— Ça n'a pas été le cas pour l'enterrement. Tu n'es pas venue à ce moment-là.

— Je croyais que tu n'allais pas tarder à rentrer à Oslo, tu comprends ? Vu le peu de contacts que tu avais avec ton père, je ne pouvais pas imaginer que tu serais marquée à ce point-là. Je ne veux pas paraître insensible, mais franchement…

— Il n'est pas mort naturellement. Il s'est suicidé.

— Mange maintenant ! Il faut que tu manges un peu, Torunn.

— Et c'est ma faute.

— Qu'est-ce que tu racontes ? Je n'ai jamais rien entendu d'aussi stupide !

Sa mère versa du thé dans les deux tasses tout en soufflant par le nez. Ses boucles d'oreilles avaient l'air beaucoup trop lourdes, les trous percés dans ses lobes s'étiraient vers le bas telles de minces fentes.

— Il a cru que je n'allais pas reprendre après lui. C'est pour ça qu'il s'est suicidé. Ça ne servait plus à rien, voilà ce qu'il m'a dit.

— Mais Torunn, enfin !

Sa mère se pencha vers elle et murmura à voix basse, une miette lui vola de la bouche et atterrit sur la nappe.

– Il est évident que tu n'as pas à reprendre quoi que ce soit. Ce n'est pas de ta responsabilité. Il va falloir que ça s'arrête, cette histoire de fous ! Voilà ce que tu dois te mettre dans la tête ! Il est mort depuis six semaines et tu traînes encore dans cette vieille ferme pourrie. J'ai parlé avec Margido…

– Hein ? Toi ? De quoi ?

Elle se renversa en arrière sur sa chaise, aussi loin qu'elle pouvait.

– De… de la raison de ta présence ici. Lui aussi s'en est étonné. Mais il t'a aidée, si j'ai bien compris.

– Comment Margido m'a-t-il aidée ? Je ne l'ai pas vu souvent depuis que mon père…

– Il t'a aidée pour la question du remplaçant, apparemment. Il a parlé avec qui de droit pour que tu puisses le garder à la ferme en attendant de savoir ce que tu veux faire.

– Kai Roger ne m'en a rien dit du tout.

– Non, ils veulent sans doute tous t'épargner. Ce qui est un bien mauvais service à te rendre. Mais j'ai clairement dit à Margido ce que tu voulais faire.

– Et c'est quoi, maman ?

– Abattre ou vendre ces porcs et retrouver ta vie à Oslo.

– Qu'est-ce qu'il a répondu ?

– Qu'il voulait te l'entendre dire toi-même. Il s'agit de ne plus tarder maintenant !

– Je ne suis pas seule là-bas. Il y a aussi mon grand-père. Il ne peut pas se débrouiller tout seul.

– Ce n'est pas ton grand-père. C'est ton oncle, exactement comme Margido. Et depuis quand une nièce est-elle responsable d'un oncle de quatre-vingts ans qu'elle n'a jamais rencontré avant d'en avoir elle-même trente-sept ? Tu peux me le dire ?

– C'est bien triste pour lui.

– Je vais chercher une part de gâteau pendant que tu réfléchis un peu.

Elle coupa un morceau de sa tartine garnie et se concentra pour le mastiquer lentement des deux côtés de la bouche, penser le moins possible, ne pas fondre en larmes au beau milieu des belles dames et des peintres célèbres. Elle devait s'accrocher à sa colère et à son agacement, c'était sa meilleure protection. Le pull blanc de sa mère n'était plus qu'un point se déplaçant au bord de son champ de vision, elle mit trois cuillerées de sucre dans sa tasse, qu'elle sentit trembler quand elle la porta à ses lèvres.

– Ta vie est à Oslo, déclara sa mère avant même de se rasseoir à sa place.

Une part de gâteau décorée avec soin était posée sur une immense assiette blanche devant elle. Celle de tartare avait déjà été ôtée.

– J'ai besoin de toi. Tu es ma seule enfant. J'ai davantage besoin de toi qu'un vieillard de Bynes.

– C'est bien triste pour lui. Mais pas pour toi, maman.

– Gunnar va être papa, murmura-t-elle sans toucher à sa fourchette à dessert au bord de l'assiette.

– Ah bon ? Tant mieux pour lui. C'est ça qui est triste pour toi ?

– Inutile d'être sarcastique ! Il est évident que c'est une terrible épreuve pour moi ! On a quand même été mariés pendant trente-trois ans, l'aurais-tu oublié ?

– Mais vous ne l'êtes plus maintenant. Et la maison est vendue.

– Oh, ne me parle pas de ça, s'il te plaît ! Sinon je vais me mettre à pleurer. Mon Dieu, comme cette maison me manque… Tu sais, je n'approche de Røa sous aucun prétexte, je n'ai pas le courage de revoir une seule de ces rues, une seule de ces boutiques qui me sont familières.

– Je croyais que tu te plaisais dans ton nouvel appartement.

– Oui, bien sûr. Mais quatre-vingts mètres carrés au quatrième étage à Sandvika, ce n'est pas tout à fait pareil qu'une maison à Røa. Je n'ai pas voulu prendre le risque de mettre toutes mes billes dans mon logement, il faut aussi que j'aie de quoi vivre. Je commence à être à peu près installée maintenant, mais ça n'a rien à voir avec ce que c'était à Røa.

– Quatre-vingts mètres carrés avec ascenseur et toit-terrasse. Pas si mal, quand même !

Sa mère se redressa sur sa chaise et poussa ostensiblement un profond soupir, tout en jetant un coup d'œil au peintre pour voir s'il la regardait.

– Tu sais, Torunn, je n'ai pas envie de me disputer avec toi. Si je dois venir jusqu'à Trondheim uniquement pour nous disputer…

– Je ne t'ai pas demandé de venir.

– Et toutes tes vieilles affaires qui étaient au grenier. On m'a prêté la cave d'un appartement pas encore terminé et j'y ai tout mis. Mais ça ne durera pas éternellement, il y aura sans doute bientôt des gens qui vont emménager. Et je n'ai même pas la clé de ton appartement ! Dis-moi, tu n'as pas des plantes qu'il faut arroser ? Quelque chose en train de moisir dans le frigo ? Tout quitter de cette façon-là ! Tu fais suivre ton courrier, au moins ?

Torunn hocha la tête. Sa mère soupira encore une fois, puis elle lui sourit comme à une enfant malade et ajouta :

– Et si je commandais une bouteille de vin, hein ? Qu'en dis-tu, ma chérie ?

– Je conduis. Tu sais bien, maman.

– Mais j'avais pensé... Oui, en fait, j'ai déjà réservé une chambre pour toi. Ici au *Britannia* ! Une belle chambre avec une grande baignoire. Une petite surprise, en quelque sorte, un petit cadeau ! Ce n'est pas une bonne idée ? J'ai pensé qu'on pourrait dîner ensemble et...

Torunn posa brutalement ses couverts sur la nappe et replia sa serviette en tissu blanche d'un geste brusque.

– Je ne peux évidemment pas ! Mon Dieu, mais qu'est-ce que tu crois ? J'ai la responsabilité d'animaux vivants, tu as oublié ça ?

– Calme-toi ! On nous regarde. Tu as un remplaçant, Torunn. Je croyais que c'était prévu pour ça. Pour te remplacer.

– Pas comme ça, au pied levé ! Tu veux que je lui demande de faire à manger à mon grand-père aussi ? Après avoir passé la herse toute la journée. Hein ? Tu ne sais pas de quoi tu parles. Il faut que je parte, maintenant. Merci pour le déjeuner.

– Reste assise ! ordonna sa mère avant de se mettre à pleurer sans bruit dans sa serviette.

L'orchestre reprit, entonnant une nouvelle mélodie, langoureuse et extrêmement romantique.

– On ne peut pas passer un petit moment agréable ensemble, malgré tout ? Parler d'autre chose peut-être ? reprit-elle.

Elle sortit de son sac une serviette en papier avec laquelle elle se moucha tout doucement. Torunn eut envie d'éclater de rire, bien qu'elle n'eût même pas la force de sourire. Jamais sa mère ne supporterait qu'on la voie en train de se moucher dans une serviette de table. Elle avait beau venir d'un trou perdu près de Tromsø, et son arbre généalogique regorger de paysans et de paysans-pêcheurs, elle affichait de bonnes manières.

– Comment vont-ils, ceux de Copenhague, ma chérie ?

– En fait, c'est moi l'héritière principale, maman. Vendre une ferme, ce n'est pas une chose qui se fait du jour au lendemain. Il y a obligation d'exploitation à Neshov.

– Oh là là ! Tous ces… grands mots avec lesquels tu jongles… Bien sûr qu'on vend, si la personne qui hérite refuse l'héritage.

– Mais je ne sais pas encore ! C'est ma faute si mon père s'est suicidé, et j'ai le sentiment de lui être redevable. Et aux porcs aussi.

– Seigneur Dieu, Torunn, comment peut-on être redevable de quoi que ce soit à des cochons ?

Sa mère éclata d'un rire forcé, Torunn attendit qu'elle se calme pour déclarer :

– Il les aimait. Ils étaient toute sa vie. Moi aussi, je les aime.

Sa mère avait fait une petite boule de sa serviette en papier, elle baissa la tête et la contempla en silence. Torunn se demanda depuis combien de temps elle n'avait pas dit ce genre de choses à sa mère, qu'elle l'aimait, et voilà qu'elle lui parlait de ce qu'elle éprouvait à l'égard des porcs. La raie de sa mère laissait apparaître quelques millimètres de repousses grises au milieu de la coloration blonde.

– Maman, dit-elle.

Elle tendit la main par-dessus la table, mais sa mère ne s'en aperçut pas. Elle la retira aussitôt et ajouta :

– Erlend et Krumme vont bien, au fait. Jytte et Lizzi en sont à la neuvième semaine et tout est normal. Erlend m'envoie des SMS sans arrêt.

– Tu ne veux manifestement pas comprendre, Torunn. Que tu dois…

– Erlend compte les jours avant la première échographie, début juillet.

Torunn enfonça sa fourchette dans la rémoulade et observa les tout petits dés de cornichon qui s'échappaient de la masse jaune. Le jus sanguinolent du rosbif s'imbibait dans la tartine et coulait sur l'assiette en porcelaine blanche. Le pain était devenu rose et ressemblait à du chewing-gum.

– Tiens, puisque tu en parles, je peux te dire que je trouve ça d'un comique dont tu n'as pas idée ! Toutes mes amies sont du même avis ! Tu te rends compte, imaginer une chose pareille ! Et avec deux femmes en même temps ! s'exclama sa mère.

Elle coupa un gros morceau avec sa fourchette, une petite rose en chocolat fut tranchée net au beau milieu. Torunn ne dirait pas un seul mot des projets de grande envergure d'Erlend et de Krumme qui envisageaient de restaurer la ferme, d'aménager le silo, de faire de Neshov un lieu de villégiature. Ces projets présupposaient naturellement qu'elle reste, ce qui ne ferait qu'apporter de l'eau au moulin de sa mère.

– Je prendrai bien un café avec le gâteau, moi. Et un verre de cognac. Ils ont certainement du Bache XO ici. Tu es sûre que tu ne veux pas de cognac, ma chérie ? Ou du vin ?

Torunn se dit soudain que c'était heureux, au fond, que sa mère ne soit pas venue aux obsèques, car elle aurait tout appris des projets d'Erlend et en aurait tiré les conclusions. Krumme venait tout juste d'aborder le sujet avec elle au téléphone et lui avait demandé franchement si elle trouvait que c'était une bonne idée. Il était conscient du choix que ça impliquait pour elle, il connaissait apparemment la portée de cette obligation d'exploitation et de résidence, alors qu'Erlend ne doutait pas une seconde qu'elle allait rester.

Erlend qui, avant la mort de Tor, n'arrivait pas à comprendre qu'elle ait le courage d'être là de son plein gré. Elle lui avait dit et répété quantité de fois qu'elle ne pouvait pas abandonner son père au moment où il avait besoin d'elle. Mais maintenant qu'elle n'avait même plus de père à honorer, Erlend avait complètement tourné casaque en découvrant soudain le potentiel de cet endroit. Cela dénotait un égoïsme qu'elle ne pouvait pas s'empêcher elle-même de constater, en dépit de son affection pour son oncle de fraîche date.

— Une ferme entière *gratis pro Deo*, ma petite nièce, et des millions de couronnes danoises sur un plateau d'argent ! Bon sang ! Ça sera superbe ! Et tu vas avoir le plaisir de rencontrer Neufeldt, l'architecte ! On va l'emmener, lui et son carnet de croquis. Il faut d'abord qu'il finisse de mettre au point la construction d'un hôtel de luxe en Thaïlande, c'est au moins un hôtel vingt étoiles, mais ensuite il sera disponible pour se consacrer uniquement à une vieille longère norvégienne qui menace ruine. Tu parles d'un contraste, hein ! Mais Krumme le connaît et il a dit oui tout de suite ! D'ailleurs il sera grassement rémunéré, tu peux me croire… et payé à l'heure, oui ! On aurait pu s'offrir toute une équipe de foot anglaise pour le même prix ! Mais le foot, on s'en fout, hein ?

Bon, Elton John, peut-être… il a effectivement acheté une équipe. Et David Beckham est tout simplement à croquer, jusqu'à ce qu'il ouvre la bouche, bien sûr, et qu'on réalise que ce doit être un castrat. Comment ces deux-là ont-ils fait des enfants ? Voilà qui met l'imagination à rude épreuve. Elle, je l'appelle la petite Mme Bosch, comme ma brosse à dents électrique, elle a exactement la même forme…

– Torunn ? Tu étais partie loin, ma chérie. Fatiguée… ?

– Oui, vraiment. Je dois me lever tôt le matin, tu sais. J'ai beaucoup de travail, très physique.

– Oh ! Ça doit être mauvais pour la santé.

– Non, en fait je crois que la plupart des médecins s'accordent pour dire que le travail physique est sain.

– Pas sur ce ton-là, s'il te plaît ! Je ne veux que ton bien, et tu en es parfaitement consciente.

Torunn pria le serveur de débarrasser son assiette avant que sa mère n'ait eu le temps de lui reprocher qu'elle n'avait presque pas mangé. Il apporta le café et le cognac, sa mère avala la moitié du verre d'un seul trait.

– Quand repars-tu ?

– Demain. Je vais profiter d'être ici pour faire un peu de shopping. Tu connais quelques bonnes boutiques ?

– Je ne vais pratiquement jamais en ville. Je continue à penser que c'est complètement fou que tu aies fait ce long voyage uniquement pour parler avec moi.

– Pour te faire entendre raison, ma chérie. Mais en réalité, je suis encore plus inquiète. Pour être tout à fait franche !

Elle poussa un soupir théâtral, tout en jetant un regard en direction du peintre. Torunn suivit son regard, le peintre était parti. Elle éprouva un petit brin de tendresse pour sa mère.

– Tu ne veux pas venir avec moi à la ferme ? C'est magnifique en ce moment. Les pommiers sont en fleur. Et tu as toi-même parlé de la vue formidable.

– Tu ne m'as pas dit que vous étiez en plein épandage ?

– Si.

– Alors merci bien ! C'est vrai que j'ai les moyens depuis qu'on a vendu la maison, mais de là à sacrifier toute une garde-robe, il ne faut pas exagérer. On ne se débarrasse jamais de cette odeur. Tu crois que je ne la sens pas de ce côté de la table ? Et tes mains, Torunn… tu as vu comment elles sont ? Bon, je suppose qu'elles sont propres. Évidemment. Les mains deviennent comme ça quand on… Mais comment y arrives-tu, financièrement ? Tu n'es plus en congé de maladie ?

– Non. En congé sans solde.

– Le vieux, à la ferme, doit encore toucher sa pension ?

– Oui. Et mon père avait aussi une sorte d'assurance, grâce à la Guilde des agriculteurs. Je puise dans cet argent-là pour vivre.

– Mon Dieu, il faut que tu remettes les pieds sur terre !

– Je dois y aller, maintenant.

Elle se leva.

– Je ne vais donc pas te revoir ? Mais, Torunn… Pense à la belle chambre dans laquelle tu pourrais te détendre ! Juste une nuit ?

– Non, je te remercie. Et merci pour le déjeuner.

– Mais tu pourrais quand même revenir en ville ce soir afin qu'on dîne toutes les deux ensemble ? Ça serait la moindre des…

– Je mange à trois heures, et le soir je suis à la porcherie. Je me couche à neuf heures et demie.

– Là, tu dépasses les bornes ! Tu fais exprès pour être désagréable ! Les paysans norvégiens ne vivent pas comme ça. Évidemment qu'ils peuvent se permettre de dîner en ville un soir.

– Je ne suis pas les paysans norvégiens. Je suis moi. Et ce genre de choses se prévoit à l'avance. Et puis il y a énormément à faire en ce moment. Ce n'est pas possible… Maintenant il faut que je parte.

Elle laissa sa mère la prendre dans ses bras, appuya ses propres mains sur son pull moelleux et craignit aussitôt de le tacher. Elle sentit le dos de sa mère trembler, comme si elle allait se remettre à pleurer.

– Non, maman ! Ne pleure pas ! Je vais m'en sortir. Sois tranquille ! Je suis adulte, j'y arriverai moi-même.

– En tout cas ce n'était pas ta faute, ma chérie ! Promets-moi de te mettre ça dans la tête ! murmura sa mère qui continuait de la serrer contre elle.

Torunn hocha la tête.

– Prends soin de toi, maman ! Et bon retour ! Salue bien tes amies de ma part !

Elle dut se forcer à marcher sans se presser pour franchir la porte à tambour. Puis elle traversa la réception en courant, mais s'arrêta net sur le trottoir pour ne pas attirer l'attention. Elle alluma une cigarette, obligée de tenir le briquet à deux mains. Elle sortit son portable et appela Kai Roger. Il répondit dès la première sonnerie.

– Je m'apprête à rentrer. Comment ça va ?

Il avait la même voix que d'habitude, tout était normal, sa mère était à l'intérieur et elle dehors. Il prenait une pause café, et sinon il passait la herse. Il avait remarqué des éboulements dans le bas d'un champ, il leur faudrait remblayer avec du gravier. Et puis il s'était rendu compte qu'ils avaient besoin d'un nouveau tampon pour marquer les porcs, le vieux était tellement usé que les chiffres étaient illisibles. Si elle pouvait passer par les abattoirs Eidsmo pour s'en procurer un neuf…

– Bien sûr. Est-ce qu'il manque autre chose ? Pendant que je suis en ville…

Il était inutile qu'elle se dépêche en tout cas, ça devait lui faire du bien de passer quelques heures loin de la ferme. Et comment se faisait-il que sa mère soit venue à Trondheim ? Est-ce qu'elle allait l'accompagner ?

– Non, elle devait rencontrer des amies qu'elle avait connues lors d'un voyage. Et faire du shopping. Elle a bien senti l'odeur que je dégageais, et elle n'a pas eu envie d'un séjour à la ferme…

Alors elle devait être très différente de sa fille.

– Ça, on peut le dire. Mais c'était chouette au *Palmier*. Au fait, j'ignorais que Margido et vous, vous vous étiez arrangés pour que vous puissiez continuer. Qu'il y avait un problème… en quelque sorte. Je n'y avais… pas du tout pensé.

Ce n'était pas la peine non plus. Il existait certaines dispositions particulières en rapport avec les décès, etc. Un régime de transition.

Transition ? Vers quoi ? Elle n'avait pas eu d'amende, bien qu'elle eût dépassé de neuf minutes son temps de stationnement. Elle commença déjà à pleurer en approchant d'Ila et ne cessa pas avant que le district verdoyant de Bynes ne s'ouvre franchement devant elle, une fois passé Rye, avec sa mosaïque de champs aux diverses nuances de brun, nettement délimités, en fonction du degré d'avancement, pour chaque ferme, des travaux d'épandage, de labourage et de semis. Elle sentait encore le parfum de luxe de sa mère, mêlé à une vague odeur de cognac, lorsqu'elle lui avait murmuré que ce n'était pas sa faute.

Mais bien sûr que c'était sa faute. Son père ne pouvait pas savoir qu'en fait elle avait envisagé de prendre la relève à plus long terme. Il voulait une réponse immédiate, et elle avait été incapable de la lui donner, ce vendredi soir où il s'était endormi dans la loge de Siri, sa truie préférée, après avoir ingurgité de la bière, de l'aquavit et quatre-vingt-seize comprimés d'un puissant antalgique.

La morve lui coulait du nez, elle l'essuya avec la manche de sa chemise.

Son père avait dû en être conscient.

Il avait dit un nombre incalculable de fois que les porcs, en réalité, étaient des carnassiers, il l'avait dit avec fierté, comme pour prouver qu'il les maîtrisait, que c'était une question de respect mutuel. Il avait dû être conscient que ce serait elle qui le trouverait dans cet état-là. Avait-il voulu en faire une sorte de punition ? Elle renifla un bon coup, elle ne voulait pas se présenter devant Kai Roger avec les yeux rouges, de telle sorte qu'il ait encore davantage pitié d'elle. Elle allait passer par la coopérative de Spongdal pour faire des courses, songer à donner l'impression qu'elle était forte, qu'elle avait la situation en main. De quoi manger ce soir. Une nouvelle brosse à vaisselle. Du déodorant. Du lait. Il n'y avait presque plus de lait. Elle pourrait demander à Kai Roger s'il voulait dîner avec eux. Des crêpes, peut-être, avec des myrtilles et du lard fumé.

Ce n'est qu'au moment de se garer devant la boutique qu'elle repensa au tampon. Rien que l'idée de devoir maintenant faire la route jusqu'à l'abattoir, à Melhus… Si seulement elle y avait pensé plus tôt, si elle était passée directement par Heimdal au lieu de chialer comme une idiote. Pourquoi était-elle tout le temps aussi crevée ? Elle se couchait le soir à neuf heures et demie, et se levait à sept heures moins le quart. Elle s'endormait toujours aussitôt, ça lui faisait plus de neuf heures de sommeil, n'était-ce pas suffisant ? Et qu'est-ce qu'elle faisait là, bon sang, au milieu de la Norvège, alors que pendant trente-sept ans elle avait vécu à un tout autre endroit ? C'étaient des porcs, des bêtes. Ce n'était pas à eux qu'elle était redevable, pas à proprement parler. Elle vit soudain en pensée la main tremblante du grand-père qui promenait la loupe au-dessus des photos de ses livres sur la guerre, son dos saillant sous ses vêtements usés, les poils de barbe hirsutes hérissant ses bajoues qui remuaient au rythme de ses mâchoires, comme s'il se parlait à lui-même, psalmodiant quelque chose qu'il ne voulait pas partager avec elle. Impuissant dans son malheur. Elle ne pouvait évidemment pas l'abandonner. Elle ferma les yeux. Un tampon. Elle avait promis.

Elle prit une cigarette à tâtons dans le paquet posé sur le siège passager. Baissa la vitre et alluma son briquet. Il y avait des nuages d'un noir d'encre au-dessus de Skaun. Tant mieux. Elle avait envie de pluie et de jours sombres. Tout ce soleil, toute cette floraison lui tapaient sur les nerfs. Elle en avait assez de faire l'apologie du beau temps et de la chaleur, d'un ton plein d'enthousiasme, tout en faisant la queue à la caisse de la coopérative, assez de prétendre qu'il était d'une importance capitale que les bouleaux aient leurs feuilles pour le 17 mai.

Elle mit le moteur en marche, quitta le parking de la coopérative et prit la direction de Melhus.

Il arracha une feuille de papier essuie-tout au dérouleur près de l'évier, l'entortilla pour obtenir un bout pointu et essuya avec soin le trou où il avait l'habitude de visser la croix blanche. S'il y restait de l'eau pendant assez longtemps, la carrosserie risquait de rouiller. Dès qu'il fut certain que c'était bien sec, il bourra une nouvelle feuille dans le trou et sortit un rouleau de ruban adhésif d'emballage brun de sa poche. Il en coupa un petit bout avec les dents et le fixa au-dessus de la boule de papier chiffonné. Il pourrait pleuvoir, on ne savait jamais, même si pour l'instant le soleil brillait. Le monde était imprévisible.

Il adorait cette voiture et en prenait grand soin. Et il se rappelait la première fois où il avait découvert cet endroit, pas très longtemps après qu'ils eurent ouvert. Avant cela, il changeait lui-même ses pneus et conservait les huit qu'il n'utilisait pas à son dépôt de Fossegrenda, avec les cercueils. Il redoutait toujours l'opération, à l'automne et au printemps, dure besogne du fait de la taille relativement importante des véhicules, mais il mettait un point d'honneur à ne pas la confier à quiconque. Jusqu'à ce qu'il enterre le gendre du propriétaire, Stein-Ove, qui, désespérément en quête d'une conversation futile tout en attendant que l'église se remplisse, lui avait donné tous les détails de l'offre qu'il faisait aux automobilistes. Depuis lors, il était devenu un client attitré. Non seulement pour le changement et l'entreposage des pneus, mais aussi pour le lustrage en profondeur, avant tout de la Chevrolet. Une Caprice, année 1984, toujours impeccable et qui, espérait-il, le resterait encore longtemps.

Il fallait qu'un corbillard soit propre et rutilant par n'importe quel temps. Les taxis aussi devaient être impeccables, ils emmenaient des gens qui payaient leur course, mais s'il faisait un temps épouvantable, pas un client ne lèverait le sourcil en remarquant un peu de boue sur le bas des portières. Un corbillard, en revanche, qui transportait un défunt et devait rouler à très faible allure sur l'allée en gravier d'une chapelle ou d'une église, sous le regard insistant de gens en deuil, se devait d'être immaculé. Bien des fois il s'était garé devant une église et avait constaté les salissures survenues en chemin : une bouteille d'eau et un chiffon de flanelle à la main, il nettoyait alors soigneusement les bas de caisse. D'où l'importance d'un lustrage en profondeur, la saleté accrochait moins.

L'avantage de cet endroit, c'était d'offrir des box de lavage en self-service, il avait horreur des portiques qui agressaient les véhicules. De l'eau et un jet, c'était tout ce qu'il fallait, et non de gigantesques brosses qui n'épargnaient pas la voiture en dessous. Moins on y touchait, et plus c'était propre. Ils en étaient bien conscients ici, où même les portiques de lavage étaient les plus doux de la ville.

Son téléphone sonna. Il glissa la main sous le tablier jetable en plastique transparent qu'il avait mis pour se prémunir des éclaboussures, en le nouant derrière les reins et la nuque. Les employés riaient toujours de lui quand il s'en affublait, sachant fort bien que sa véritable fonction était de le protéger lors de la toilette et de la préparation des morts. Mais tellement de gens avaient vu *Six Feet Under*, en tout cas ceux qui travaillaient là et connaissaient sa profession, que le traitement d'un cadavre leur paraissait aussi familier qu'une émission de cuisine à la télé avec Ingrid Espelid Hovig. Ils tenaient toujours à en discuter avec lui, même s'il précisait chaque fois que dans une entreprise de pompes funèbres norvégienne, on était comme sur une autre planète, comparé aux États-Unis.

– Margido Neshov.

C'était Mme Marstad qui appelait du bureau. Elle se demandait s'il aurait le temps de se mettre au travail avec son neveu aujourd'hui. Il s'agissait de ce site Internet.

– Aujourd'hui ? Je lave les voitures. Je n'ai même pas encore commencé la CX, j'en suis seulement à la Caprice. Et il faut aussi que je nettoie l'intérieur des deux.

Il pourrait peut-être confier la tâche aux employés ? N'était-ce pas le but ?

– Si, mais ils ont des box de lavage en self-service ici, et c'est bien de faire les choses soi-même. Comme ça, on est sûr que c'est fait correctement.

Mais pour le site Internet, c'était urgent, on repoussait toujours. Et son neveu était disponible aujourd'hui. Il avait uniquement besoin d'un certain *input*, après quoi il ferait une proposition.

– Vous ne pouvez pas lui donner vous-même cet… « imput » ?

Elle pourrait, évidemment.

– C'est vous qui vous y connaissez en informatique.

Ce n'était pas une question d'informatique, mais de données. Il n'avait qu'à imaginer ça sous la forme d'une brochure. Dont les pages s'affichaient à l'écran.

Cela l'agaçait terriblement lorsqu'elle lui parlait comme à un enfant. Il surfait sur Internet au bureau et allait sur les sites de ses concurrents, il savait bien de quoi il s'agissait. Mme Marstad remettait ça sur le tapis depuis une éternité, non sans raison, bien sûr. Il savait bien aussi ce qui le retenait, la peur de s'agrandir et d'avoir plus de demandes que celles auxquelles Mme Marstad, Mme Gabrielsen et lui-même pouvaient faire face. Il serait alors obligé d'embaucher et cette idée lui répugnait. Elles en avaient d'ailleurs discuté pendant le déjeuner, mais il s'était contenté de hocher la tête. Il faudrait soit un nouvel ordonnateur qui pourrait commencer comme apprenti, soit un décorateur floral attitré qui libérerait les deux dames et leur permettrait ainsi d'exécuter d'autres tâches. La seule éventualité qu'il ne voyait pas d'un trop mauvais œil, c'était de prendre un jeune venant d'une des entreprises familiales plus importantes. Il savait que le fils cadet de Lars Bovin avait travaillé un peu dans la société de son père, mais qu'ils étaient déjà au complet, il avait trois frères plus âgés. C'était Mme Gabrielsen qui l'avait indiqué, elle se tenait bien informée sur la profession et ne cessait d'insister sur la nécessité d'embaucher encore. Mais comment s'y prendre ? Téléphoner d'abord directement à Bovin pour sonder les possibilités ? Savoir quel genre de garçon c'était ?

– Bon. Si on disait quatre heures ? Votre neveu aura alors son « imput ».

Il s'appelait Ola, Margido ne l'ignorait pas, lui fit-elle remarquer. Et l'heure conviendrait sûrement, Ola n'avait pas grand-chose à faire ces temps-ci, il ne prenait que de petits travaux en free-lance.

– Entendu ! Vous vous occupez du programme de demain ?

Naturellement, pourquoi demandait-il ça ?

– Pour rien. Je…

Maintenant il fallait qu'il lave les voitures et qu'elles soient nickel pour le lendemain. La Caprice servirait deux fois, il ne devait pas l'oublier.

La pique était envoyée. Il savait bien qu'il les agaçait toutes les deux en leur rappelant constamment l'évidence. Elles ne négligeaient jamais un seul détail, néanmoins les petits rappels de ce genre lui échappaient toujours. Et un quatrième larron viendrait peut-être se joindre à cette solide trinité, auquel cas il devrait, outre ses propres tâches, surveiller discrètement les siennes. Ce fut avec soulagement qu'il remit son téléphone dans sa poche et retrouva la peau de chamois et le chiffon siliconé, qu'il laissa ses mains courir le long des lignes élégantes de la Caprice, les jantes étincelantes, les chromes, le capot qui brillait au point de refléter sa propre silhouette. Maintenant il ne manquerait plus que les deux dames se mettent à réclamer un nouveau corbillard, en plus d'Internet et des nouvelles embauches. Et la justesse de leurs arguments l'exaspérait : ils rataient les obsèques de personnes décédées lors d'un séjour à l'étranger, dont le corps était rapatrié par avion à Værnes. Les compagnies aériennes exigeaient un cercueil en zinc placé dans un autre en bois, celui-ci étant recouvert d'un emballage supplémentaire. De ce fait, les cercueils pesaient parfois plus de deux cents kilos et dépassaient deux mètres cinquante de long, et ni la Caprice ni la Citroën CX ne pouvaient les trans-porter. Il aurait besoin d'une Mercedes carrossée spé-cialement, mais elle lui reviendrait sans doute à plus d'un million de couronnes. Il faudrait une belle flopée de touristes morts aux quatre coins du globe pour ren-tabiliser un tel véhicule, avait-il coutume d'objecter, en dépit de l'absence de taxes sur les corbillards et du remboursement d'une partie du prix d'achat par l'État après trois ans. C'était un peu bête de devoir dire non quand on était contacté pour des rapatriements funé-raires, uniquement parce que le parc automobile n'était pas à la hauteur.

Il venait tout juste de sortir la Caprice du box de lavage et d'y rentrer la CX, lorsque Torunn l'appela. Il était toujours embarrassé quand il voyait le numéro s'afficher sur l'écran de son portable. Il craignait que quelque chose soit arrivé au vieux, ou à elle-même. Ou bien… il ne savait pas exactement. La situation restait assez confuse. Juste avant la mort de Tor, il avait pensé proposer de transférer son stock de cer-cueils de Fossegrenda dans la grange de Neshov. Cela améliorerait sensiblement les finances de la ferme, il payait cinq mille couronnes par mois pour le local qu'il louait actuellement. Il n'en faudrait pas plus de dix ou quinze mille pour aménager la grange, il avait besoin d'une pièce propre, avec de profondes éta-gères. Les placards étanches à la poussière pour ranger linceuls, mouchoirs et autres accessoires, il les avait déjà et n'aurait qu'à les déménager à Neshov. La pièce ne nécessitait pas beaucoup de chauffage, le bois des cercueils supportait mieux une température modérée, un simple radiateur électrique suffirait. Une fois l'aménagement réalisé, il pourrait contribuer à hauteur de trois mille couronnes par mois directement à l'exploitation agricole, avait-il calculé, le reste couvrirait entièrement l'assurance de la grange contre l'incendie. Il n'avait aucune idée du budget de la ferme, mais il pensait que cette somme serait la bienvenue. Cependant il ne posait pas de questions. Il demeurait en dehors. Et attendait. Il ne voulait influencer Torunn ni dans un sens ni dans un autre. C'était peut-être parce qu'il se demandait s'il avait choisi la bonne stratégie qu'il s'inquiétait chaque fois qu'elle téléphonait.

– Bonjour, Torunn, comment ça va ?

Elle ne répondit pas à cela, mais raconta de but en blanc qu'elle avait rencontré sa mère la veille.

– Rencontré ? Elle est allée à Neshov ?

Ça lui paraissait curieux, vu qu'elle n'avait même pas assisté aux obsèques du père de sa fille. Mais elle n'était pas venue à Neshov, seulement au *Britannia*, pour discuter avec elle, expliqua Torunn. Et elle savait que Margido avait lui aussi été en contact avec sa mère.

– C'est vrai. Elle a appelé un jour. Elle n'aime apparemment pas que tu…

Il était hors de question qu'il parle à sa mère derrière son dos.

– Ce n'était pas du tout derrière ton dos. Elle voulait avant tout t'éviter des tracas. Ta mère a des idées bien arrêtées. Je n'avais pas grand-chose à ajouter, pour être tout à fait franc.

Alors qu'est-ce que c'était que cette histoire de régime de transition concernant Kai Roger ?

– Pour ça, on se contente de suivre la législation, tu n'as pas à t'en soucier. Tu as besoin d'aide.

Mais, BON DIEU ! – il ferma les yeux – elle ne pouvait pas compter sur Kai Roger *ad vitam æternam* ! Si elle n'était pas capable de faire tourner la ferme, qu'est-ce qu'elle allait faire, merde alors ?

– Voyons, Torunn, je ne sais pas. C'est à toi de prendre une décision. On devrait examiner ensemble, en détail, les problèmes économiques et autres. Les fabuleux projets d'Erlend, par exemple, on ne sait pas s'il les envisage réellement, mais si c'était sérieux, ta situation en serait considérablement améliorée... Je voulais simplement t'allouer un peu de temps. Et c'est sans doute aussi ce que fait Erlend.

Il s'était déjà passé un mois et demi, et elle n'avait pas vraiment eu l'impression d'avoir deux oncles, dit-elle presque à tue-tête. Il ferma les yeux et inspira profondément avant de répondre :

– Les jours filent, je suis désolé, tu sais comment c'est. On est débordés. Mais je passerai quand tu voudras, bien sûr. Je voulais seulement te donner le temps dont tu avais besoin.

Elle se tut un instant. Puis s'excusa d'avoir juré. Elle se sentait frustrée. Combien de temps pourrait-elle garder Kai Roger ?

– Tout l'été, en tout cas, mentit-il.

Si jamais l'administration ne couvrait pas une aussi longue période, et il en doutait fort, il prendrait lui-même contact avec Kai Roger Sivertsen et ils se mettraient d'accord entre eux sans que Torunn n'en sache quoi que ce soit. Elle était apparemment complètement désorientée. Elle avait beau ne pas s'en rendre compte, elle avait besoin de temps, il en était convaincu.

– Quand veux-tu que je vienne, alors ? reprit-il.

Il se mit aussitôt à espérer qu'elle allait proposer : aujourd'hui, à quatre heures.

Mais la réponse fut loin d'être aussi précise, ce n'était pas urgent. Elle trahit soudain une grande lassitude. Torunn parlait tout bas, d'une voix sourde. Ça lui avait peut-être fait du bien de jurer comme un charretier.

– Comment ça va à Copenhague ? demanda-t-il sans réfléchir.

Les filles en étaient à la neuvième semaine et tout avait l'air normal.

C'était un sujet qu'il tenait à tout prix à éviter. Il était toujours mal à l'aise en songeant à leurs relations absolument non conventionnelles. Il serait obligé d'y mettre beaucoup du sien avant de considérer comme allant de soi la façon dont la famille s'agrandissait à Copenhague.

– Mais il n'a rien dit de plus sur ses projets pour Neshov ? s'empressa-t-il d'ajouter.

Pas concrètement, répondit-elle. Il n'était question que de bavardages d'enfants à la ferme, du développement de l'embryon semaine après semaine, elle n'en pouvait presque plus d'entendre tous les détails.

Il éclata d'un rire prudent et approbateur.

– Je te comprends, Torunn.

Elle accordait probablement plus d'importance aux porcelets qu'aux bébés, mais il se retint sagement de le dire.

– Appelle-moi quand tu veux que je passe ! D'accord ?

Il avait cru tomber dans les pommes quand Erlend leur avait annoncé qu'il allait être papa. Cela se passait dans la cuisine à Neshov, le jour même où Tor avait été trouvé mort. Ce jour-là resterait gravé dans sa mémoire comme le plus absurde et le plus surréaliste de toute sa vie. Non seulement le suicide de Tor, mais aussi le coup de fil de Torunn et, à peine quelques heures plus tard, le spectacle d'Erlend et de

Krumme debout au milieu de la cour, arborant tous les deux un large sourire, tandis que le taxi tournait pour repartir et qu'Erlend criait, tout excité :

– Surprise ! Surprise !

Torunn était allongée sur le canapé du petit salon, les yeux fixés au plafond, elle ne pleurait pas, ne parlait pas. Le vieux était assis en silence dans le fauteuil de l'autre côté de la table basse, il se tournait les pouces, regardait par terre, frottait ses chaussons contre le tapis usé. Kai Roger allait et venait, tandis que Margido avait demandé une ambulance à l'hôpital Saint-Olav. Les ambulanciers avaient sans doute vu pire à de nombreuses reprises, lors d'accidents de la route par exemple, mais Margido était persuadé que c'était la première fois qu'ils étaient venus chercher, dans la buanderie d'une porcherie, un cadavre dont le nez et les doigts avaient été dévorés. Il avait peine à y croire lui-même. Il avait lu dans le journal l'histoire d'un meurtrier en série qui avait nourri ses porcs avec les femmes qu'il avait tuées, mais il s'était dit que ce devait être une autre espèce, pas les mêmes que ceux dont Tor s'occupait. Par la suite, ayant appris que tous les porcs étaient au fond des carnassiers, il était reconnaissant, en définitive, que Tor n'ait pas été davantage esquinté.

Il avait d'abord cru que Torunn était au courant de la visite d'Erlend et de Krumme, mais il s'avéra que ce n'était pas le cas. Ils voulaient faire une surprise à tout le monde, et Erlend fut le premier à entrer dans la cuisine, jacassant à propos de ses projets grandioses pour Neshov, d'un super-architecte qui ferait du double silo une perle du design. Les silos. Tout cela était incroyable. Ce fut Krumme qui se rendit compte qu'il y avait quelque chose qui clochait, lorsqu'en jetant un coup d'œil dans le salon il aperçut Torunn, le visage impassible, qui s'était dressée sur ses coudes et les dévisageait sans chercher à se lever, ni à venir à leur rencontre. Margido les entraîna tous deux dans l'entrée, ferma la porte de la cuisine et expliqua ce qui s'était passé. Du moins, apparemment. Erlend resta figé, le visage dans ses mains.

– Dire que ça aurait dû être un jour de liesse ! dit Erlend, secoué par les premiers sanglots. Et voilà que mon grand frère se suicide ! Ce n'est pas vrai ! C'est un cauchemar ! Je veux me réveiller ! KRUMME !

Krumme l'emmena jusque dans la cour, où ils firent plusieurs fois le tour de l'arbre, Krumme tenant Erlend solidement par la taille. Margido les observa par la fenêtre, comme si c'étaient des étrangers, en un endroit inconnu. Seulement quelques heures auparavant, il lisait le journal du samedi chez lui, sur sa table de cuisine, dans son appartement de Flatåsen, en espérant que le week-end serait tranquille, sans aucune sorte d'accidents, et qu'il passerait une bonne heure dans son sauna le soir venu. Il avait aussi prévu de faire un tour jusqu'à Neshov au cours du week-end et de faire part de son idée d'entreposer les cercueils dans la grange. Et maintenant il regardait son petit frère par-dessus le rideau, et son grand frère était sans doute à la morgue de Saint-Olav. Torunn venait d'entrer tout doucement dans la cuisine.

– Je ne comprends pas, déclara-t-elle d'une voix sourde. Qu'est-ce qui s'est passé ?

Il crut tout d'abord qu'elle pensait à Tor, qu'elle était sous le choc et qu'elle avait refoulé ce qu'elle avait vécu dans la porcherie.

– Il ne s'est rien passé. Je crois. Ils sont arrivés comme ça, répondit-il. Ils parlent de rénover les silos.

C'est alors qu'ils réapparurent dans la cuisine. Erlend passa ses bras autour de Torunn et dit tout de go :

– Je vais être papa. Krumme aussi.

Margido eut l'impression que la pièce et leurs visages vacillaient, d'abord comme au travers d'une loupe, puis s'éloignant de plus en plus, avant qu'il ne s'écroule sur la chaise aux pieds chromés en se retenant fermement au bord de la table en formica.

– Évidemment, tu dois trouver cette nouvelle absolument horrible, lui dit Erlend.

– Quoi ?

– Que des homos aient des enfants ! Mais ne t'inquiète pas, nos enfants auront des mamans aussi ! Ils en auront même deux !

Par miracle, il ne s'évanouit pas. Bien que cela ne lui fût jamais arrivé de sa vie, il pensa que ce devait être ce qu'on ressentait juste avant de perdre connaissance.

Krumme avait fait du café et déballé le contenu de deux grands sacs en plastique sur la paillasse. Du vin et du cognac, des fromages, un jambon tout rond conservé sous vide, du Toblerone, et quantité d'autres choses que Margido ne parvenait pas à identifier mais qui lui paraissaient entrer dans la catégorie des produits de luxe.

Ce fut Krumme qui noua les fils de l'histoire et raconta posément comment on avait abouti à cette situation, tandis qu'Erlend serrait la main de Torunn et acquiesçait à tout ce qu'il disait. Le vieux était resté assis dans le même fauteuil du salon, seul Krumme s'était adressé à lui, mais de sa place il entendait tout. Krumme expliqua qu'ils avaient projeté d'avoir des enfants, qu'ils connaissaient un couple lesbien, Jytte et Lizzi, dont le désir d'enfant était aussi fort que le leur. Un couple *lesbien*. Ce mot, prononcé de manière anodine comme n'importe quel autre, Margido l'avait gardé à l'esprit le restant de la journée. Un couple lesbien. Deux lesbiennes. Pourquoi les appelait-on ainsi ? C'était un vilain mot, on devrait en trouver un nouveau. Il comprenait bien qu'il s'agissait tout bonnement de deux femmes qui vivaient ensemble et qui s'aimaient très vraisemblablement, mais ce mot lui déplaisait, lui répugnait carrément. C'était une désignation bien trop intime, trop personnelle.

La façon dont Krumme racontait les choses donnait l'impression que c'était tout simple, que ça allait de soi. Il n'était pas question de donneurs anonymes de sperme ou d'ovule, les enfants seraient choyés par leur mère et leur père, doublement qui plus est. Margido avait hoché la tête et fait « hum », mais Torunn déclara la première :

– Félicitations !

Et Erlend se mit à pleurer pour de bon.


Absolument le pire jour de sa vie, où tout était hors de contrôle, de son contrôle à lui. Rien ne collait, tout se défilait. Il ne pouvait plus rien faire pour Tor, hormis se charger de l'avis de décès qui paraîtrait mardi, c'était évident.

Krumme avait servi le café dans des tasses dépareillées, disposé les friandises des sacs duty-free sur une assiette, sorti du pain et du beurre et coupé le jambon, et, petit à petit, ils s'étaient mis à parler de Tor, de ce qui s'était passé. Au bout d'un moment Torunn monta dans sa chambre, personne ne l'accompagna. Et le mardi suivant, Tor fut enterré aux côtés de sa mère. La pierre tombale était en place depuis peu, Margido veillerait à ce que le nom de Tor soit gravé sur la même pierre, bien que ce fût inhabituel pour une mère et son fils. C'était l'idée de Torunn.

– Ça lui aurait fait plaisir, avait-elle dit.

L'autre idée de Torunn fut de chanter, tout comme aux obsèques de la mère après Noël, « Le premier chant que j'ai entendu », et de reprendre la même photo de la ferme sur la couverture du livret que la fois précédente. Lui-même avait bien peu de souvenirs de ces journées-là, entre le samedi matin et le moment où il avait reçu les condoléances devant l'église de Bynes. Mme Gabrielsen et Mme Marstad l'avaient déchargé d'une partie de son travail.

Et là, en train de frotter la CX avec une éponge pleine de mousse, il avait honte d'avoir laissé le temps filer, laissé Torunn bien trop en paix, de ne pas avoir été présent à ses côtés.

Il jeta son tablier à usage unique dans la poubelle et entra commander une tasse de café et un sandwich jambon-fromage. Les voitures étaient garées côte à côte, elles reluisaient, l'une noire, l'autre d'un blanc éclatant. Elles allaient bien ensemble, il aimait les voir ainsi, l'une à côté de l'autre, cela lui rappelait toujours comment la vie pouvait être : lumineuse et facile un instant, sombre comme les ténèbres l'instant d'après. Ou inversement, de préférence.

Il était assis à la petite table réservée aux clients et feuilletait un journal oublié. Il avait mal dans les bras et les épaules. Stein-Ove le rejoignit d'un pas tranquille avec sa propre tasse de café, pour discuter. Ils avaient toujours envie de parler de son travail, les gens ne s'en lassaient jamais, ils avaient sans cesse d'étranges questions à poser. Mais il en avait l'habitude, c'était une profession fermée, et naturellement les gens étaient curieux. C'était la série télévisée qui avait aiguisé leur curiosité, lui-même ne la regardait pas au début, les épisodes étant diffusés beaucoup trop tard le soir, vu l'heure à laquelle il avait l'habitude de se coucher. Mais il se rendit vite compte que c'était une grossière erreur. Un mois plus tôt, il avait eu l'extravagance de s'acheter un lecteur DVD et tous les épisodes de *Six Feet Under*. Comme il ne recevait jamais de visites, personne ne le saurait. Cela aurait paru un peu pervers. Mais il avait l'avantage de connaître la série par cœur lorsque les gens lui posaient des questions très pointues. Il disait toujours qu'il était ravi de travailler en Norvège, et pas aux États-Unis. Les autres n'étaient pas toujours d'accord, ça ne les dérangerait pas que leurs proches, décédés, soient plus beaux morts que vivants. Heureusement, on ne laissait le cercueil ouvert qu'au moment de présenter la dépouille mortelle dans la chapelle. Ici la réfrigération était de règle, tandis qu'aux États-Unis on vidait le corps de tous les liquides qui accéléraient ou provoquaient la putréfaction, à commencer par le sang, qu'on remplaçait par une solution conservatrice, puis on désinfectait très soigneusement toutes les cavités. Globes oculaires et narines, conduits auditifs, bouche et gorge. Et bien sûr, le canal anal et les organes sexuels. Avec des brosses, des chiffons et des sprays. Pour finir, on maquillait et on habillait le corps, qu'on plaçait dans un somptueux cercueil. Le défunt pouvait y rester des heures, voire des jours, à température ambiante, et paraître beau et endormi.

Il considérait cela comme une négation de la mort. On éloignait la mort. Tout ça n'était qu'une façade, une illusion de vie. Il n'imaginait pas d'avoir pour tâche de rendre présentables absolument tous les cadavres ! Les victimes de la route, par exemple.

Avec un intérêt morbide associé à une réelle curiosité professionnelle, penché en avant sur son fauteuil Stressless, il avait observé la façon dont ils remodelaient les visages et les crânes, bourraient et remplissaient, recouvraient de perruques, égalisaient, peignaient et fardaient. À Saint-Olav, une personne travaillait selon ces techniques-là. Une seule personne dans tout Trondheim ! Aux États-Unis chaque entreprise de pompes funèbres employait un tel spécialiste, ou plusieurs. Ils y étaient forcés. On allait regarder le corps de près, pendant des heures, avant la crémation ou l'inhumation. Tandis qu'en Norvège le remodelage n'était pratiqué que dans certains cas extrêmement rares. Il s'agissait en général de jeunes gens morts accidentellement, et c'était pour permettre aux parents de revoir leur enfant une toute dernière fois. Cela, Margido le comprenait. On faisait bien sûr le maximum, pour leur travail de deuil et leur tranquillité d'esprit.

– Alors, les véhicules sont en *shipshape condition* ?

Stein-Ove avait toujours recours à l'anglais pour s'exprimer, sans doute regardait-il beaucoup trop de séries télévisées américaines. Ici il n'était pas question de lustrage, mais de *polish*, de *deep polish* et de *full treatment*. Margido avala un morceau de baguette en acquiesçant :

– Oui, ils sont prêts à reprendre la route.

Il s'attendit à ce que Stein-Ove place un « *On the road again* », mais au lieu de ça, il n'hésita pas à dire :

– Je roulais derrière un convoi funèbre hier, du côté de Lade. Et il y a des gens qui dépassent les bornes ! Figurez-vous qu'un *stupid idiot* qui ne supportait pas l'allure s'est mis à doubler ! Il s'est inter-calé entre le corbillard et la voiture juste derrière ! Aucun respect, vous savez !

– Je sais, répondit Margido. Aucun respect.

– Un beau jour, ce sera lui qui suivra un de ses proches. Ça lui fera les pieds ! Beaucoup à faire en ce moment ?

– Ça va… moyennement. J'ai deux enterrements demain.

– Ils sont morts comment ?

Margido marqua un temps d'hésitation avant de répondre, il aurait préféré feuilleter tranquillement le journal, finir de manger son sandwich et se reposer un peu avant de reconduire la Caprice au garage et de revenir à pied chercher la Citroën.

– Cancer, une femme, et crise cardiaque.

– Un homme alors. La crise cardiaque.

– En fait, non. Une femme de cinquante et un ans.

– Ah, ça me rassure ! Ma bergère insiste pour que j'arrête de fumer.

– Vous devriez quand même ! dit Margido.

– Pas si simple. *Just quit*, hein ? Non, il faut bien des petits plaisirs dans la vie.

Lorsqu'une demi-heure plus tard il se rendait à son bureau au volant de la Citroën, il commença à ima-giner le site Internet. Il faudrait qu'il soit clair et sobre. Concis et dépouillé. Il croisa les doigts pour que ce neveu n'ait jamais vu un seul épisode de *Six Feet Under*.

– Krumme ! Réveille-toi ! Tu entends ce que j'entends ?

Erlend secoua plusieurs fois l'épaule de Krumme jusqu'à ce qu'il ouvre les yeux.

– Seigneur ! C'est dimanche matin. Ce n'est pas dimanche matin… ?

– Bien sûr que si, répondit Erlend.

– Alors je peux faire la grasse matinée. Je suis d'astreinte ce soir, as-tu oublié ? Et j'ai une de ces gueules de bois, je me demande bien pourquoi…

– Mais tu n'entends pas, Krumme ? Écoute !

Krumme avait les yeux rouges et tout rabougris.

Ils prêtèrent l'oreille ensemble quelques secondes.

– Je n'entends rien du tout, dit Krumme.

Il referma les yeux, ramena la couette double vers lui et se tourna sur le côté. Erlend tira brutalement la couette dans l'autre sens.

– Eh bien, c'est ça le problème, Krumme ! On n'entend pas un bruit ! Pas un seul bruit !

– Alors on dort.

– Krumme. Il est neuf heures et demie.

– Doux Jésus ! Et tu me réveilles !

– … et Birte devait venir à neuf heures ! C'est ce qui était convenu ! On aurait déjà dû entendre l'aspirateur ! Et les lave-vaisselle ! Le bruit de l'eau qui coule ! Le frottement des gants en caoutchouc ! Les sacs de bouteilles vides et d'ordures emportés dans l'entrée ! Ces bruits au son desquels j'adore dormir un dimanche matin ! Je me flingue si elle ne vient pas.

– Dieu merci, je suis d'astreinte ce soir. Je reste au lit jusqu'au moment de quitter les lieux.

– Alors je te flingue aussi.

– Mais pense un peu au travail supplémentaire pour la police. Ils sont déjà assez surchargés comme ça. Je suppose que l'appartement a l'air d'un véritable capharnaüm. Ils auront besoin de troupes spécialement entraînées, capables de surmonter les pires horreurs.

Au départ, la soirée devait consister en de simples tapas du samedi pour dix, mais, avant minuit, deux autres joyeuses compagnies s'étaient jointes à eux et, à un moment donné, quand Erlend compta ceux qui voulaient du cognac, il recensa plus de quarante personnes. Certes, c'étaient tous des gens qu'il connaissait, à l'exception de sept ou huit. Mais ça se terminait souvent ainsi. Tout le monde savait qu'ici l'accueil était chaleureux, le bar bien rempli et l'appartement bien isolé phoniquement.

– Mais il faut que je pisse ! s'écria-t-il.

– Eh bien, va pisser, grand bêta !

– Je n'ose pas ouvrir la porte.

– Vas-y en fermant les yeux ! Tu réussiras bien à trouver tes propres toilettes ! À quelle heure les derniers sont-ils partis ?

– Aucune idée ! En fait, il est possible qu'ils soient encore là. Quelle idiote, cette Birte ! Je lui téléphone si je trouve son numéro.

Erlend traversa l'entrée tout nu, tête baissée, pour atteindre les toilettes. Il aperçut malgré tout un tire-bouchon sur la tige duquel il restait un bouchon mais aussi un bout de gâteau à la pâte d'amandes embroché à la pointe, et cette ridicule sculpture était posée sur un des fauteuils Empire. Il s'empara vivement du tire-bouchon, si bien que le bout de gâteau tomba par terre, et il examina attentivement l'assise en velours pour voir si le bouchon n'avait pas fait de taches. Il y en avait une, mais elle était si petite qu'il renonça à la crise d'hystérie. Il la réservait pour le reste de l'appartement. Il se doutait bien qu'il ne pourrait pas se retenir pendant qu'il chercherait un téléphone.

Il jeta un regard découragé vers la porte de l'ascenseur. Celui-ci était au premier, pas de Birte qui montait. Ils avaient promis de la payer triple et de lui donner les bons restes à emporter. Ils avaient fort bien mangé, peut-être devraient-ils faire appel au traiteur plus souvent ? Krumme bossait comme un fou et n'avait pas eu le temps de faire la cuisine. Lui-même n'était pas assez concentré pour préparer du finger-food en ce moment, il n'avait en tête que l'évolution du fœtus, à tel point que son travail s'en ressentait. Sauf si la vitrine qu'il devait décorer avait un rapport quelconque avec les bébés, auquel cas il savait qu'il aurait son lot habituel d'idées géniales. Mais la seule occasion qui se soit présentée jusque-là avait été la présentation des derniers modèles de poussettes Teutonia. Celles-ci étaient malheureusement horribles, elles avaient dû être imaginées par un créateur profondément dérangé. Il n'arrivait pas à comprendre qu'on puisse écarter toute notion d'esthétisme sous couvert de fonctionnalité ou de sécurité. Des poussettes qui permettaient de courir dans la forêt ! Mais, bon sang, qu'est-ce qu'on allait faire en forêt avec une poussette ?!

Il s'assit sur la lunette des toilettes pour pisser, c'est ce qu'il faisait toujours le matin, c'était un excellent principe qu'il avait depuis longtemps enjoint Krumme de respecter. Les taches d'urine par terre, c'était si primitif ! Il était persuadé que s'il inspectait le sol autour de la cuvette à la seconde même, il en découvrirait des quantités. Des taches à forte concentration d'alcool. Sur un luxueux parquet de chêne. Heureusement qu'on y avait passé cinq couches de laque ultra-brillante pour bateau. Et dire qu'on avait donné à une poussette un nom proche de celui d'un navire naufragé ! Pourquoi n'avaient-ils pas installé un téléphone fixe ici, dans les toilettes ? Il aurait pu téléphoner à Birte, puis retourner en sécurité sous la couette ! Tous ces téléphones sans fil qu'on ne retrouvait pas ! Ils en avaient quatre, qui n'étaient jamais à l'endroit où ils auraient dû être, et soudain on les découvrait tous les quatre dans un rayon d'un mètre. Quant à son portable, il n'avait pas la moindre idée de ce qu'il en avait fait, il avait le vague souvenir d'une conversation pour le moins animée avec quelqu'un pendant la nuit, mais il ne se rappelait ni qui, ni pourquoi. Il serait obligé de vérifier le journal d'appels et les messages envoyés, et il n'y avait rien de pire à faire le lendemain selon lui, il redoutait d'avoir dépassé les bornes. Il ne comptait plus les fois où, ces derniers temps, il avait demandé à Krumme de lui cacher son portable avant une soirée, puis, l'ivresse aidant, l'avait supplié à genoux et menacé d'huissiers impitoyables pour le récupérer ; dans le pire des cas, il avait recours au chantage du refus de faire l'amour. Et dire que Krumme était

55

suffisamment naïf pour le croire, alors qu'il en souffrirait autant lui-même.

Il sentait monter en lui un besoin inexorable de champagne frappé. Mais évidemment c'était exclu, il ne s'aventurerait pas dans la cuisine. Il en trouverait peut-être une bouteille dans le frigo de la salle de bains ? Il sortit des toilettes des invités, se précipita vers la porte de la salle de bains, l'ouvrit et poussa un cri. Le jacuzzi était rempli d'eau, il y flottait des bouts de fromage et des biscottes mouillées, un verre était brisé par terre mais, heureusement, pas de traces de sang. Il compta les bouteilles de champagne vides, il y en avait quatre, et les restes d'un plateau de fromages à l'origine somptueux avaient été glissés à moitié sous le tapis Esti Barnes fait main. Des olives noires étaient aplaties sur le motif psychédélique sans pour autant en supprimer l'effet d'optique. La porte du frigo était grande ouverte et il était aussi dégarni que la liste des invités d'une vieille fille. La partie réfrigérante ruisselait d'humidité. Il alla chercher une serviette, l'essuya avec soin et referma la porte.

S'il avait de la chance dans son malheur, le thermostat serait sans doute hors d'usage pour de bon et il pourrait immédiatement remplacer l'appareil par un superbe réfrigérateur rétro, ultra-silencieux, qu'il avait vu dans *Elle Décoration*. C'était insupportable et lassant, en effet, d'entendre un frigo s'arrêter et reprendre quand on était plongé dans un bain chaud et qu'on s'efforçait de remettre de l'ordre dans son chaos intérieur.

Dans l'énorme aquarium d'eau de mer qui garnissait le plus long mur de la salle de bains, les poissons nageaient avec indolence, la bouche ouverte, en remuant paresseusement leurs nageoires et leur queue.

– Bon sang, vous pouvez vous estimer heureux de vivre en vase clos ! murmura-t-il. Sinon vous auriez eu droit à du fromage et à du Bollinger cette nuit.

Les gicleurs du jacuzzi ne toléraient pas d'éléments étrangers, on serait obligé de repêcher tous les restes de nourriture avant de vider l'eau. *On* serait obligé. Pas lui ! C'était à Birte de le faire ! Et s'il y en avait qui avaient fait l'amour là-dedans !? Alors il faudrait récupérer les restes à la passoire en touillant les sécrétions intimes ! Il aperçut soudain un des combinés du téléphone sans fil abandonné sur le fauteuil dans l'angle. La touche 8 correspondait au numéro de Birte, et il appuya si fort sur le 8 qu'il sentit le bout de son pouce se vider de son sang.

Elle décrocha à la première sonnerie.

Elle s'était cassé la cheville en descendant d'un taxi dans le courant de la nuit, elle était allongée chez elle sur son divan, bourrée d'antalgiques, voilà pourquoi elle avait malheureusement oublié de téléphoner.

– Mais que diable faisiez-vous dans un taxi en pleine nuit, sachant que vous deviez venir ici à neuf heures pour remettre tout en ordre après un tsunami ? Hein ? Vous l'avez fait exprès ?

Elle revenait de fêter l'anniversaire de sa sœur. Et elle ne s'était pas éclipsée plus tôt, même à l'idée d'un salaire triple. *Et* de bons restes.

– Savez-vous s'il existe un numéro qu'on puisse appeler en cas d'urgence ? Un SOS ménage ? Qui envoie quelqu'un aussitôt quand on se trouve en situation de crise ?

Elle allait raccrocher maintenant. Elle voulait dormir.

– J'aimerais bien, moi aussi. Bon rétablissement !
Quand serez-vous de nouveau sur pied ?

– Ils enlèveront le plâtre dans six semaines.

– Six semaines ? Mais vous êtes toute jeune ! Ça
doit sûrement se remettre en moins de six semaines à
votre âge ! Est-ce que Krumme et moi, on…

Elle raccrocha. Ni plus ni moins. Il courut jusqu'à
la cuisine en mettant la main devant ses yeux, regarda
simplement par la fente entre deux doigts, attrapa une
bouteille de Bollinger dans le frigo, regagna la sécurité de sa chambre muni du champagne et du téléphone, et claqua la porte derrière lui. Les ronflements
de Krumme ne changèrent même pas de rythme.

– Krumme ! Où est le pistolet ? KRUMME !

– Hein ? Quoi… ?

– Le pistolet ! On a bien un pistolet ici ?!

– Non, bien sûr que non…

– Elle s'est cassé la cheville. C'est tout notre
univers qui s'écroule ! Tu peux goûter, mais moi j'ai
l'intention de boire au goulot. Et il y a des idiots de
première qui ont dégueulassé le jacuzzi.

– C'était nous deux, petit mulot.

Après avoir bu la moitié de la bouteille, assis dans
le lit, adossé au mur, et après avoir roté avec un sentiment incroyable de satisfaction, son pouls redescendit à un rythme normal. Et il pensa : « Bon sang,
comment vais-je me débrouiller avec deux enfants si
je ne supporte même pas l'idée de remettre en ordre
quelques centaines de mètres carrés après l'anarchie
d'une soirée ? » Il se sentit soudain mûr et adulte
parce qu'il était capable de se donner une telle base
de comparaison. Il allait bien y arriver.

Heureusement qu'ils avaient fermé à clé le bureau,
l'arrière-cuisine et sa propre chambre. Le gardien de

l'immeuble avait peut-être des garnements en pleine puberté et désespérément fauchés qui feraient n'importe quoi pour une somme rondelette ? Qui feraient le sale boulot, pendant que lui exécuterait les tâches plus délicates, comme par exemple trier le tas de CD qui s'amoncelaient, il s'en doutait, devant la chaîne B&O. Il n'irait pas travailler avant midi lundi, il devait pouvoir y parvenir sans se tuer. D'ailleurs il allait être papa, il ne fallait pas qu'il meure. Il porta la bouteille à sa bouche et le champagne lui dégoulina sur le menton en buvant ; des gouttes froides lui glacèrent la poitrine. Il était incroyablement veinard, au fond. Et incroyablement heureux. Le problème, c'était qu'il avait sans cesse l'impression que tout allait à une vitesse folle ! Pour Jytte et Lizzi, l'échéance n'était pas avant début décembre, mais il savait par expérience que le temps filait toujours à l'approche de Noël. Or, ils n'en étaient qu'au mois de mai. Mais il venait d'avoir quarante ans, et regardez comme ça avait passé vite ! Ils devaient se dépêcher de vivre intensément avant de traîner dans les rues avec des poussettes qui ressemblaient à de gigantesques baguettes tendues de cuir aux couleurs préférées des sociologues. Pour sa part, il jetterait plutôt son dévolu sur les Italiens, chez qui il trouverait sans doute des articles sur roues d'un design raffiné. Ou sur New York. Il se demanda tout à coup quel genre de poussette Mme Bosch-Beckham avait utilisé pour ses trois petits, il réussirait sûrement à trouver. Dieu merci, il était impossible d'imaginer Bosch en train de courir avec une poussette en forêt, avec des talons de quinze centimètres et des jupes si étroites au niveau des genoux qu'elle se mettait probablement des pansements adhésifs sur les ménisques pour éviter les ampoules.

Il vida la bouteille et regarda Krumme qui n'était plus qu'une boule toute ronde sous la couette, du bord de laquelle ne dépassait qu'une mèche hirsute, seul signe de vie intelligente. Son Krumme chéri, adorable petite peluche dont il ne pouvait pas se passer pour vivre. Pauvre Krumme qui hésitait à annoncer à son père et à la famille de sa sœur, à Klampenborg, qu'un nouveau petit Thomsen était attendu pour Noël cette année. Ils l'appelleraient peut-être Petit Carl. Si c'était un garçon.

Il se pencha et déposa mollement un baiser sur les cheveux de Krumme. Il était évident qu'il avait besoin de sommeil. Maintenant il fallait vraiment qu'il rappelle Birte, qu'il se comporte en homme civilisé. Alors que l'alcool pétillant et vivifiant lui parcourait doucement le corps, il appuya avec précaution sur le chiffre 8 et attendit sa voix.

Il n'obtint que le répondeur, mais au fond c'était très bien.

– Ma chère petite Birte, pardon pour toutes les vilaines choses que j'ai dites. Pauvre, pauvre de vous, quelle expérience douloureuse vous avez vécue ! J'ai entendu dire que les chevilles sont particulièrement sensibles si on les casse. Et un dimanche, en plus ! Je m'excuse d'avoir perdu la tête, j'ai un peu paniqué, vous comprenez. Pour la simple raison que nous avons toute confiance en vous, que vous êtes la meilleure femme de ménage que nous ayons jamais eue depuis toutes ces années que nous habitons ici. Vous connaissez l'appartement, tout bonnement, ce qui n'est pas une mince affaire, ma chère. Vous êtes une merveille, un ange de Dieu sur terre pour Krumme et pour moi. Lorsque vos mains vives et soigneuses courent sur tous les objets et les laissent immaculés et rangés, éclatants de propreté, eh bien… oui… vous n'imaginez pas…

Elle décrocha soudain. Elle ne supportait plus d'entendre ses âneries ! Elle allait appeler une de ses amies qui faisait aussi le ménage dans des appartements de grand standing, afin de savoir si elle pourrait venir chez eux rapidement. Pour des heures payées au quadruple. *Et* d'excellents restes. Et si elle avait besoin de savoir quoi que ce soit, Birte elle-même serait joignable au téléphone. Pour un salaire double.

– Vous êtes un ange.

Elle rappellerait après avoir eu Susy au bout du fil.

*Susy ?* Une inconnue qui portait un nom de setter anglais norvégien allait prendre en main un appartement d'une valeur marchande de vingt millions de couronnes, cette pensée le mit un tant soit peu mal à l'aise. Mais maintenant il devait faire confiance à Birte. Et demain il lui enverrait un gigantesque panier plein de jambon, de vin rouge, de raisin, de pain aux olives et de bocaux de câpres et de tomates séchées dans la meilleure huile, le tout surmonté d'un gros bouquet de bleuets d'un bleu lumineux, c'était la saison en ce moment.

Le téléphone sonna, il s'empressa de répondre. *Susy* était en route. Elle passerait d'abord chez Birte, où elle aurait la clé et un petit briefing. Birte avait à la seconde même un carnet entre les mains et notait les points importants. Il ajouterait au panier une bouteille de vinaigre balsamique millésimé, décida-t-il. Il remercia, raccrocha et secoua légèrement Krumme.

– Retourne-toi !

Krumme renversa sa forme de boule sur le dos, Erlend lui prit le bras et souleva celui-ci en l'air, avant de placer sa propre tête au creux de l'aisselle de Krumme. Il sentait la sueur nocturne, douce et chaude.

— On est sauvés, murmura-t-il. Juste au bord du gouffre. Tu peux remercier ma fabuleuse force de persuasion, mon approche psychologique absolument remarquable de l'essence même de la flatterie. De même que nos finances, qui nous permettent de nous laisser exploiter par des jeunes femmes entièrement dépourvues de fierté et d'amour de leur prochain. Tu peux dormir maintenant. On va passer un bon dimanche quand même. On n'aura qu'à penser à nos beaux enfants et à leurs talentueuses mères. Tu sais, Krumme, mon chéri, qu'on entre dans la dixième semaine. On parle désormais de fœtus, la période embio… embryonnaire est terminée. Excuse-moi, j'ai bu la bouteille entière tout seul. Et cette semaine la queue disparaît ! Tu imagines ? Nos enfants avaient une queue jusqu'à maintenant. C'est un peu vulgaire, non ? Je suis hyper content que cette mode-là soit passée. On va bientôt voir des doigts et des orteils, et presque des yeux et des oreilles. Mais pense à cette queue qui disparaît ! Je me demande bien ce qu'elle devient. Est-ce le même phénomène que chez les salamandres ? Ou peut-être chez les lézards ? Elle tombe tout simplement. Je dois avouer que ça me tracasse un peu, une queue qui nage dans le liquide amniotique. Et si elle arrive dans la bouche du petit et que ça l'étouffe ? Ou si elle se fixe à un autre endroit du corps ? Sur le front, par exemple ?

— Dors maintenant !

— On leur demandera cet après-midi.

— Cet après-midi… ? fit Krumme.

– Oui, tu as oublié ? On doit aller prendre le thé dans le jardin des mamans à Amager, avant ta soirée d'astreinte.

– Je ne me rappelle pas avoir convenu…

– Tu oublies tout, Krumme. J'ai l'impression que tu ne supportes pas l'alcool. Au fait, j'y pense… as-tu vu mon portable ?

– Tu as essayé de te le dissimuler à toi-même. Cette nuit. Je crois qu'il est dans le bac à légumes du frigo.

– Ah oui ! Je m'en souviens. Tu te rappelles peut-être aussi avec qui… j'ai parlé ?

– Tu as appelé mon père. Et tu l'as traité de ballon de barrage gonflé à l'hélium.

Erlend ravala un soudain reflux gastrique.

– Est-ce que je lui ai dit aussi que tu… que nous… on va… ?

– Oui, petit mulot. Tu lui as dit.

– Et qu'est-ce qu'il a répondu ?

– Je n'en ai aucune idée, c'est toi qui l'avais au bout du fil. Maintenant, on dort !

– Oui, déclara Erlend. J'en ai bien envie. Et tu peux me donner un bon coup de marteau sur le crâne pendant que tu y es. J'apprécierai au plus haut point.

Si Erlend fut capable de rester correctement assis sur la chaise de jardin à Amager cet après-midi-là, ce fut grâce à ses lunettes de soleil Porsche très foncées et à une bonne dose de calvados. Krumme avait refusé de téléphoner à son père pour calmer la mer en filant de l'huile :

– Il appellera lui-même s'il songe à quoi que ce soit !

Erlend était loin d'en être sûr. À cet instant, le vieux Thomsen était sans doute entouré d'une armée d'avocats bien payés qui cherchaient à tout prix le moyen de déshériter Krumme. Existait-il un moyen ? Il n'osait pas interroger Krumme. Il avait déjà reçu depuis longtemps l'héritage de sa mère, qui à lui seul s'élevait à plusieurs millions, mais il était également prévu que Thomsen lui-même, le jour où il mourrait enfin, alimenterait le compte en banque de Krumme d'un montant en millions de plusieurs chiffres. En dépit du fait que sa maudite sœur hériterait de la moitié.

Le setter anglais s'affairait dans l'appartement en écoutant les détails pratiques de Birte dans son oreillette. Elle avait curieusement glissé le portable entre ses seins. En tout cas elle pouvait travailler des deux mains, ce qui s'avérait absolument indispensable. Une fois son arrivée confirmée, et après trois heures de sommeil, Erlend s'était risqué à parcourir lentement les pièces. L'ange salvateur était encore en train dans la cuisine et n'avait toujours pas commencé à s'occuper des salons. Rien n'était cassé, Dieu merci ! Mais quelle porcherie ! Le toit-terrasse également, où quelqu'un avait allumé le barbecue au gaz pendant la nuit. Erlend examina de près les restes calcinés minces comme des allumettes, cassa un bout en deux, et en conclut qu'il devait s'agir d'asperges. C'étaient pour le moins des créations nouvelles.

Il y avait même des traces de doigts gras sur la vitrine des figurines Swarovski ! Alors que tout le monde savait que c'était zone interdite. Probablement celles de la dernière conquête de Jorges, une jeune bimbo allemande qui s'appelait Ute, aux jambes si longues qu'elles lui arrivaient jusqu'entre les omoplates, et qui éprouvait le besoin insupportable d'écouter Eva Cassidy en boucle. C'était sans doute cette Ute qui avait tripoté la vitrine avant que Jorges n'intervienne. Elle était fermée à clé en tout cas. Pas de manière inesthétique, entre les deux portes, mais grâce à une serrure magnétique dissimulée en haut et en bas.

Il se pencha en arrière et ferma les yeux, l'odeur du lilas était entêtante, et il se trouvait précisément à l'endroit où, juste après le lit avec Krumme, allait sa préférence, autrement dit à proximité de son enfant encore à naître. Leurs enfants encore à naître.

Jytte apporta des petits pains blancs tout chauds, les posa sur la table et lui caressa la joue.

– Fatigué, mon ami ?

– J'ai l'impression. Et toi, ça va ? Tu ne sens pas une petite queue qui se promène dans ton ventre ?

– Ne t'inquiète pas, Erlend ! Elle ne tombe pas. Elle se résorbe pour devenir la partie inférieure de la colonne vertébrale.

Jytte et Lizzi étaient en pleine forme, à ce qu'elles disaient, une fois surmonté le retour à l'envoyeur au-dessus de la cuvette des toilettes chaque matin. Le contraire l'aurait étonné, pensait-il, elles ne buvaient jamais plus une goutte d'alcool. C'était satisfaisant d'un point de vue médical. Mais faire la fête jusqu'au petit matin en compagnie de deux personnes absolument sobres, c'était toujours déstabilisant.

– Tu dois penser que je suis un père indigne !

– Tu as le temps ! D'être père ! Éclate-toi ! Profites-en !

– J'ai appelé le père de Krumme et je lui ai appris la nouvelle. Je n'aurais jamais dû.

– Ne t'en fais pas ! Lizzi a discuté aussi un peu avec lui.

– Hein ?! C'est vrai ?

Il se leva de sa chaise et passa les bras autour de ses épaules.

– C'est vrai ? reprit-il. Krumme est au courant ?

– Je n'en sais rien. Il n'a pas quitté le siège des toilettes depuis que vous êtes arrivés.

– Mais de quoi ont-ils parlé, Jytte ?

– Du cours de la Bourse. Du réchauffement climatique. De la fonte des pôles. Je suppose.

– LIZZI ! OÙ ES-TU ?

Il franchit la porte du jardin en courant et tomba sur elle. Elle apportait sur un plateau des tasses à café, du fromage coupé en tranches et des rondelles de kiwi. La vue du fromage lui rappela aussitôt l'eau mate du jacuzzi et les restes de nourriture qui y flottaient. Susy était probablement à la pêche dans leur sperme, et si elle ne se lavait pas les mains avant de s'essuyer le bas, elle risquait d'avoir des sextuplés. Il eut subitement un haut-le-cœur et continua sa course jusque dans la salle de bains, où Krumme était en train de se passer de l'eau froide sur le visage. Il s'agenouilla devant la cuvette et vomit violemment, en se forçant à penser que la salle de bains de Jytte et Lizzi serait charmante carrelée de noir du sol au plafond, avec la série œufs de chez Alessi comme lavabo, cuvette de W.-C., voire bidet. Il s'agissait de mettre les choses en perspective, et il était persuadé qu'il se sentirait beaucoup mieux ensuite. Après s'être rincé la bouche et mouché, tandis que Krumme avait assisté, médusé, à toute la scène, il déclara :

– La mère de ton enfant a parlé avec ton père.

– Nom de Dieu !

– Voilà exactement ce que j'ai pensé aussi.

– Qu'est-ce qu'il a dit ?

– Je ne sais pas. J'ai eu subitement envie de dégobiller. Je crois que je vais appeler le setter anglais et lui dire que je m'occuperai du jacuzzi moi-même. S'il n'est pas déjà trop tard.

– Le setter… Qu'est-ce que tu racontes ?

– Va demander à Lizzi ce qu'il a dit. Il faut que je téléphone !

Le vieux Thomsen n'avait pas dit grand-chose. Seulement « oui » et « ah ». Krumme avait l'air satisfait, il qualifia cela de bon commencement. Erlend ne lui demanda pas son avis sur la suite. Il ne voulait pas qu'un des enfants ait un grand-père paternel alors que le sien n'en aurait pas. Quatre parents feraient bien l'affaire pour tous les deux, non ? Les parents de Jytte ne le tracassaient pas, ils vivaient à Perth, en Australie. Mais ceux de Lizzi habitaient à Copenhague, ils étaient très gentils et emmèneraient sûrement les enfants au parc d'attractions de Dyrehavsbakken un dimanche comme celui-ci.

Il mastiquait son petit pain et buvait son café avec beaucoup de crème dedans, laissant aux autres le soin de la conversation. Il disposait maintenant d'informations supplémentaires sur la soirée et sur la nuit, et il s'avérait que cette Ute était bien la coupable pour ce qui était de la vitrine. Le nom de celui qui avait essayé de faire griller des asperges ne fut pas mentionné, et il s'abstint de poser la question, car ça pouvait être lui. Il se mit à songer à la série des bébés de Swarovski, et cette pensée le calma. Il faudrait l'exposer à part. Elle ne remplirait pas une étagère tout entière, mais un miroir surélevé de quarante centimètres sur soixante serait parfait. Et le petit hochet ! Pas plus grand que le tire-bouchon du service à vin, de la longueur de l'ongle de son auriculaire ! Et le biberon ! Il se demanda à quel moment il allait commencer. Il pouvait encore attendre un peu. Peut-être après la première échographie ? Si les ventres étaient vides, s'il s'agissait de grossesses nerveuses, on trouverait bizarre qu'un homme adulte s'extasie en soupirant devant de minuscules hochets et biberons en cristal facetté. Mais sinon, il aurait au moins une belle compensation pour sa peine, une sorte de collection souvenir.

Or ça n'avait apparemment rien d'imaginaire, cela paraissait au contraire bien réel. Il écouta patiemment, avec un intérêt mêlé d'angoisse, tous les détails concernant les pertes blanches, les seins douloureux et les nausées provoquées respectivement par l'odeur du béton mouillé chez Lizzi, et le moindre soupçon de chou cuit chez Jytte. Son enfant n'aimait donc pas le chou, tandis que celui de Krumme ne serait jamais maçon ou concierge. Mais bon, ils n'en mourraient pas. L'idée du petit biberon Swarovski l'amena à demander :

– Est-ce que vous allaiterez ?

– Bien sûr ! répondirent-elles en chœur.

– Tout le monde le fait ?

– Plutôt les femmes, rétorqua Lizzi.

– J'ai lu un article au sujet d'un Américain, reprit Erlend.

– Ah non, pas ça ! s'écria Jytte.

– Il a commencé à utiliser un tire-lait, continua Erlend. Comme les femmes qui remplissent le frigo de marchandise authentique, avant de confier le nouveau-né au malheureux père et de partir elles-mêmes faire la bringue à Kiel. Et cet homme-là a donc eu du lait. Pas beaucoup, mais c'est venu un peu.

– Oh là là, grogna Krumme.

– Je n'en ferai pas autant, rassure-toi ! Je tiens à avoir une poitrine plate, sans topographie exagérée.

– Il faudra prendre des photos, dit Krumme. J'y ai beaucoup pensé. Un photographe professionnel, on en a quelques bons au journal, qui savent faire autre chose que courir après les pop stars, les coureurs cyclistes, les ex-princesses et jouer les paparazzis. En studio. Pendant que vous donnerez le sein. Et nous debout derrière. Une vraie photo de famille. À l'instar de la famille royale.

– On n'a quand même pas besoin d'allaiter sur la photo, remarqua Lizzi.

– Mon Dieu ! renchérit Erlend. Vous vous souvenez des jolies photos de la fille de Tom Cruise ? Et de Gwen Stefani ? *Vanity Fair* sera peut-être intéressé ! Il faudra vous pomponner et emprunter des tenues affriolantes. Ce sera formidable !

– Erlend s'y connaît, acquiesça Krumme.

– Tom Cruise avait caché la petite Suri, dans l'attente de susciter un énorme intérêt de la part des médias ! Les photos lui ont rapporté une fortune ! Les gens croyaient qu'elle était née avec deux têtes, ou quelque chose comme ça ! Mais nous, on ne vendra pas les photos. On a suffisamment d'argent. Je crois…

– On dit que Tom Cruise a mangé le placenta après l'accouchement, ajouta Jytte. Il paraît que c'est très sain.

– Là tu es méchante, Jytte ! gémit Erlend. Je viens tout juste de vomir.

– C'est ce qu'on fait tous les matins, Lizzi et moi, répliqua-t-elle.

Dans le taxi qui les ramenait au centre-ville, Krumme demanda des nouvelles de Torunn.

– Je lui envoie des tas de SMS, mais elle répond très brièvement. Elle n'a pas l'air de s'intéresser tellement à nos enfants. Ses propres neveux ou nièces !

– Ça te rend triste, petit mulot ?

– Un peu. Elle n'a pas non plus voulu venir à mon anniversaire.

– Elle est sûrement débordée de travail.

– On peut arriver à envoyer un gentil SMS de la main gauche tout en nourrissant les cochons de la main droite, ce n'est pas une excuse, Krumme. D'autant plus que je lui avais dit que je pouvais l'aider pour se coiffer et s'habiller pour la fête, elle ne sait absolument pas se mettre en valeur.

– On devrait retourner là-haut.

– Seigneur ! Notre dernier voyage n'était pas franchement une réussite. Je ne crois pas qu'on doive miser sur une visite surprise cette fois-ci.

– Non, il faudra la prévenir. On sera obligés d'y aller de toute façon quand Neufeldt sera disponible, il a fini en Thaïlande en tout cas, d'après ce que Robert m'a dit, à la rédaction. Je lui téléphonerai demain pour ça. Et on doit aussi tirer au clair la situation avec Torunn, pour savoir si elle souhaite réellement continuer là-bas. Si elle veut la ferme.

– Mais c'est évident ! Une ferme entière sur un plateau d'argent !

– Tu as beau répéter cette histoire de plateau d'argent, il n'est pas certain du tout que Torunn ait la même vision que toi.

– Mais, Krumme, tu crées des problèmes là où il n'y en a pas.

– Tu peux quand même l'appeler au lieu d'envoyer uniquement des SMS. L'entendre te dire comment ça va. Et ensuite on y fera un saut avec Neufeldt.

– Pas tout de suite, dit Erlend. Il y a beaucoup à faire dans une ferme au printemps. Je sais comment c'est. Mais les petits pains ne m'ont pas calé l'estomac. On a sans doute le temps d'avaler un bol de soupe aux langoustines, à *La Tortue*, avant que tu me quittes ?

Dans l'ascenseur qui montait vers leur appartement de la place de Gråbrødretorv, il scruta son propre visage dans les miroirs. Quarante ans. Bientôt papa. Quand l'enfant serait en pleine puberté, il aurait cinquante-cinq ans. Mais Krumme serait plus vieux, c'était une consolation. Quoiqu'elle fût bien maigre.

L'appartement était désert et absolument impeccable. Même la tache sur le fauteuil Empire avait disparu, tout comme les empreintes grasses sur la vitrine. Cette Susy pouvait remplacer Birte quand elle voulait. Un bout de papier sur la table de la cuisine indiquait le numéro de compte, il alla droit à son bureau et lui fit un virement de six mille couronnes, ainsi qu'un de trois mille à Birte. Au noir. Ou plutôt « écologique », comme il préférait le qualifier. Après quoi il se versa un grand cognac, capable de tenir compagnie à la copieuse soupe de langoustines, avant de se diriger à tout petits pas vers la salle de bains, son verre à la main. Il prit sa respiration et ouvrit la porte.

Le jacuzzi était d'une propreté et d'une blancheur éclatantes.

Elle l'avait vidé. On aurait cru la pièce tout droit sortie d'une luxueuse réclame dans le numéro spécial d'*Interni* consacré aux salles de bains. Pourvu qu'elle ne vienne pas dans quelques mois réclamer une pension alimentaire pour enfant à charge !

Il avala son cognac en trois bonnes gorgées.

Elle emporta le tapis synthétique de la cuisine et le laissa tomber par terre entre l'arbre de la cour et la remise. Il était lourd comme du plomb, jamais auparavant il ne lui avait paru aussi lourd. Son intention était de le laver à grande eau pour éliminer les restes de nourriture et les taches de café. Elle aurait donc dû le suspendre au fil à linge, mais au lieu de cela, elle l'avait simplement lâché par terre.

Le soleil dardait ses rayons sur le dos de son pull bleu foncé, il n'y avait pas un souffle de vent, l'air vibrait entre les bâtiments, mais elle n'avait qu'à contourner le coin de la longère et elle aurait la brise rafraîchissante du fjord en pleine figure. Et c'était justement si agréable de se tenir dos à la ferme et de contempler le Korsfjord en direction de Skaun, les hauteurs de Fosen, l'entrée du fjord de Trondheim.

Elle mit la main à sa poche pour savoir si elle avait des cigarettes sur elle, elle en avait. Elle tourna le coin mais n'eut pas le courage de rester debout, elle se laissa glisser tout contre le mur et s'y adossa. Le soleil chauffait toute la journée à cet endroit, s'il se montrait, la terre était sèche, des tiges nouvelles, vertes, pointaient avec enthousiasme à travers l'épaisse couche dorée de l'herbe morte du printemps. Les champs du côté de Skaun verdissaient déjà légèrement. Les araignées partaient comme des flèches, ivres de chaleur, dans l'herbe jaunie. Le printemps embaumait autour d'elle, elle enregistrait tout mais n'était pas concernée. Elle pensait aux porcs. Au fait qu'ils étaient enfermés dans la porcherie, qu'ils ne connaîtraient pas le printemps. Ce n'était sûrement pas la façon de penser d'une vraie paysanne. Pour une vraie paysanne, ils seraient son gagne-pain, ils devraient vivre décemment, sans plus. Qu'est-ce qu'un porc savait au fond d'une vue sur le fjord et de l'herbe fraîche ? De telles réflexions étaient stupides de sa part. Quelques jours plus tôt, elle avait failli emmener un porcelet dehors, lui montrer le monde. Âgé de trois semaines, il était le chef de la fratrie, un petit dur à cuire qui arrivait toujours le premier. Elle l'imagina en train de courir comme un poulain dans la cour de la ferme, de fouiner de son petit groin tout ce qu'il découvrait, en agitant énergiquement sa queue en tire-bouchon. Elle avait ressenti un soupçon d'excitation à l'idée de le voir gambader, tandis qu'elle s'efforcerait de partager son bonheur, de voler un peu de sa joie de vivre.

Mais elle avait renoncé à le sortir.

Parce qu'elle ne supportait pas de devoir le rentrer.

Dans la pénombre et les odeurs, entre les quatre murs qui proscrivaient la réalité extérieure. Et en quittant la porcherie, elle s'était mise à fondre en larmes. Kai Roger était parti, heureusement. Elle pourrait peut-être démarrer un élevage biologique. Des porcs en plein air, était-ce possible ? Y avait-il un risque de contagion ? L'abattoir les accepterait-il ? Elle l'ignorait. Kai Roger avait cessé de lui demander ce qu'elle voulait faire. Il venait, ni plus ni moins. Venait et repartait, parlait de la pluie, du beau temps et des porcs, faisait preuve d'une gaieté excessive.

Aujourd'hui il devait aller chercher son chiot labrador et l'amener avec lui quand il viendrait soigner les porcs ce soir. Elle redoutait cet instant. Les chiots la rendaient toujours heureuse, mais elle se demandait s'il lui resterait suffisamment de force pour un chiot. Un mâle. Qui s'appellerait Borat. Du nom d'un idiot quelconque dans un fil soi-disant excessivement drôle.

Elle posa la paume de sa main sur l'herbe sèche et chaude, couchée sur le côté en petits paillassons touffus, après avoir été tassée sous la neige. Elle avait l'impression de toucher de la peau, de la peau de porc. C'était dans ses paumes qu'elle gardait les porcs constamment avec elle, le matin elle se réveillait avec eux dans les mains. Les oreilles minces et brûlantes, le ventre de velours des porcelets, les soies raides des truies, les groins humides et vivants, plats comme des assiettes en porcelaine, les pieds minuscules des nouveau-nés piétinés par les cochettes, sanglants et tremblants, petits bouts de bois recouverts d'une mince peau chamoisée, la fermeté et la tonicité de l'arrière-train des truies, quand elle les repoussait pour nettoyer leur loge.

Sa responsabilité vis-à-vis des porcs l'envahissait entièrement, de la tête aux pieds, elle n'était sûrement pas une vraie paysanne si elle s'apitoyait sur le sort d'un porcelet qui ne s'ébattrait jamais dans une cour de ferme. Et qui était condamné à mourir. À vivre avec elle et pour elle, et puis mourir.

Du vivant de son père, cela lui paraissait normal. C'était ainsi. Les porcs faisaient leur remue-ménage. Il allait les voir et prenait soin d'eux. Désormais, la viande dans une vitrine réfrigérée la dégoûtait de plus en plus. Des morceaux de porc proprement emballés sous film plastique. Le porcelet devait grandir avec un pourcentage de graisse correct, et pour toute récompense en cas de succès, il était abattu et dépecé. Qu'il soit mangé était compréhensible dans une certaine mesure. Mais quand on les voyait se trémousser dans la porcherie, animés par une envie de vivre, à quoi pensaient-ils ? Comprenaient-ils ce qui les attendait ? Non, bien sûr. Ils étaient bien ! Ils se plaisaient là parce qu'ils ne connaissaient rien de mieux. La viande de Neshov était justement d'excellente qualité parce que les porcs s'y plaisaient. C'était une preuve vivante, littéralement. Et elle se rendait compte que l'idée de faire prendre l'air au porcelet était débile, oui, débile ! Elle s'était en effet imaginé qu'il allait le dire aux autres. Qu'ils étaient enfermés, que le monde était un endroit tout autre, qu'il y avait des prés d'herbe fraîche, des oiseaux, des pommiers en fleur et de la terre labourée d'où sortaient de jeunes pousses, et non de la litière de tourbe apportée dans des sacs en papier. Il allait cafarder. Il ne fallait donc pas qu'il découvre quoi que ce soit, il devait grandir, connaître la fatalité et, pour solde de tout compte, finir à l'abattoir.

Les jours où l'on venait chercher les porcs à abattre étaient les pires de tous. Même si ça se passait bien. Les porcs sortaient, affolés, serrés les uns contre les autres, gravissaient la rampe rabattable avec étonnement et pénétraient dans le camion. Personne autour d'eux ne les stressait. On était en Norvège, et on traitait les animaux avec respect. Un porc stressé était synonyme de mauvaise viande. Elle savait tout cela, et pourtant. Elle n'avait rien d'une vraie paysanne, même si elle y avait cru pendant quelque temps. Elle n'avait pas grandi à la ferme. Elle caressa l'herbe, ferma les yeux et sentit sous sa paume la peau de porc chaude et calme.

– Torunn ?… Torunn ?
Elle se releva, la tête lui tourna aussitôt.
– J'arrive !
Le grand-père était dans l'appentis, s'appuyant d'une main sur un des montants.
– Je ne savais pas où tu étais. Le temps passait. Je croyais que tu devais laver le sol de la cuisine.
– Je vais m'y mettre. J'ai la lessive à faire aussi. Un peu de café d'abord, peut-être.
– Tu es allée à la boîte aux lettres ?
– Non.
– À quoi bon ! Il n'y a pas de journal de toute façon. On ne le reçoit plus du tout.
– Je n'ai pas payé la facture, dit-elle.
Il fit demi-tour et rentra. Le tissu de son fond de pantalon ressemblait à une plaque luisante tombant sur l'arrière de ses maigres cuisses.
– On n'a plus les moyens.
– Oh ?
– Je ne peux vraiment plus !
– Peut-être qu'Erlend…
– Non. Tu as *Le Journal des agriculteurs* tous les vendredis. Et j'achète *VG* de temps en temps. Ça doit suffire. Et tu as tes livres. Bon, je fais le café.
Se tenant aux poignées de porte et aux murs, il s'achemina à grand-peine jusque dans le salon.
– Pourquoi ne t'assois-tu pas dehors ? Je peux t'installer une chaise, le temps que je lave.
– Non. Trop compliqué.
– Tu as besoin d'un peu de soleil.
– Non.

– Mais si, je vais te sortir ton fauteuil, et toi, tu apporteras un plaid pour te mettre sur les épaules, il risque de faire encore un peu frais à l'ombre.

– Non.

– Allez, viens ! Tu vas prendre ton café devant la remise. Avec des biscuits. Tu veux du fromage ordinaire ou du chèvre ?

– Du chèvre.

Le fauteuil turquoise pesait une tonne. Elle l'appuya tout contre le mur, mais craignit toutefois qu'il ne bascule, car au lieu de quatre pieds, il en avait un central à trois branches. Elle le tourna de telle façon qu'une des branches pointe vers l'avant, puis elle trouva un bout de bois assez mince dans la remise pour servir de cale. Le grand-père était déjà arrivé, mais sans couverture.

– Tu n'as pas pris de plaid ?

– Tu es tellement fâchée.

– Je vais te l'apporter. En même temps que le café. Assieds-toi maintenant, il est tout à fait stable.

Elle avait acheté une bouilloire électrique. Il n'était plus question de faire bouillir le vieux marc. Elle avait jeté l'antique bouilloire à café en aluminium au fond noirci derrière la grange, là où ils avaient l'habitude de faire brûler les choses, tout en sachant que celle-ci ne brûlerait pas. Elle était bien contente d'avoir pu s'en débarrasser. Et le grand-père s'était habitué au café soluble, il ne se plaignait plus du goût. Il levait les yeux vers le mur d'en face lorsque le bouillonnement de l'eau commençait à gronder, puis les baissait sur le calendrier de la coopérative et l'amas de vieux élastiques autour du clou qui le maintenait. La photo représentait des jeunes gens en aube blanche sortant en rangs d'une église, un livre de psaumes à la main. Elle trouva le paquet de biscuits dans le placard, étala une bonne couche de margarine et déposa une épaisse tranche de fromage de chèvre sur chacun. Elle utilisa un plat à servir en guise de plateau, même si la tasse de café penchait légèrement. Il apprécierait sans doute aussi un ou deux morceaux de sucre. Elle devait faire la lessive. Elle aurait bien voulu aussi laver absolument tout ce qu'il avait sur lui, elle essaierait cet après-midi. Mais il n'aimait pas qu'elle fouille dans son armoire pendant qu'il était dans le salon, et au bruit de ses pas, il savait exactement où elle se trouvait à l'étage. À moins… qu'elle ne profite qu'il soit dehors pour lui trouver des vêtements propres, c'était une bonne occasion. Elle l'observa par-dessus le rideau de la fenêtre de la cuisine. Un vieillard, bouche entrouverte en direction du soleil, assis dans un fauteuil turquoise, contre un mur en planches devenues grises avec le temps. Ses dents du bas brillaient, mais elle savait que c'était une illusion. Elles étaient sales, il fallait qu'elle pense à acheter des tablettes effervescentes pour nettoyer les dentiers. Et en tout cas à changer l'eau du verre posé sur sa table de nuit.

Il cligna vers elle ses yeux larmoyants lorsqu'elle le rejoignit les bras chargés d'un tabouret, d'une couverture et d'un plat. Le tabouret, bien d'aplomb à côté du fauteuil, servit de table.

– Il y a même des tussilages, dit-elle en les montrant du doigt.

– Oui, répondit-il sans regarder.

Elle disposa le plaid sur ses épaules.

– Pas besoin. Il fait très chaud ici. C'est bien, soupira-t-il.

– Là, tu vois !

– Merci !

– Bon, je rentre faire un peu de rangement. Je peux peut-être allumer la radio et ouvrir la fenêtre de la cuisine ? Comme ça, tu auras aussi de la distraction ? L'émission *La Norvège à la loupe* commence juste après les infos.

Le bruit de la radio montait jusqu'au premier. De la musique. Quelle qu'elle fût, apparemment, elle l'irritait, la provoquait, parce qu'elle ne se reconnaissait plus dans aucune de ses formes. Musique joyeuse. Musique sur le thème de l'amour perdu, ou de l'amour retrouvé. Musique classique pleine de nostalgie, de romantisme national. Musique de danse à l'image de gens heureux ayant le rythme dans la peau.

Elle emporta le verre à dents du grand-père dans la salle de bains et en vida le contenu sans l'examiner de plus près. Mais elle sentit l'odeur qu'il dégageait. Elle ne pouvait pas aller chercher un autre verre et le mettre à la place, il s'en apercevrait, il valait mieux laver celui-ci. Elle y versa du Cif, le seul produit liquide dont elle disposait à l'étage, le posa sur la bonde du lavabo en porcelaine bleu clair et le remplit à ras bord d'eau brûlante. Puis elle sortit des chaussettes propres, un caleçon et un tricot de corps. Les chemises de flanelle étaient simplement pliées en tas sur une étagère, elles n'étaient ni repassées ni suspendues. Mais elles étaient si vieilles et si moelleuses qu'elles ne se chiffonnaient jamais, en outre elle ne lésinait pas sur le produit de rinçage. Elle ne trouva pas de pantalon propre convenable, celui qui était là était troué aux deux genoux. Elle se rappela qu'en le lavant, quelques semaines plus tôt, elle avait eu mauvaise conscience pendant des heures, car elle l'avait rangé au lieu d'en mesurer la taille et la longueur et de descendre en ville en acheter des neufs. Elle alla dans l'ancienne chambre de son père et prit un pantalon dans la penderie. Puis elle étala les deux pantalons par terre et mesura. Le tour de taille était le même. Celui de son père faisait bien quinze centimètres de plus en longueur, mais c'était une question de fil et d'aiguille. Elle trouva aussi dans la penderie un beau chandail qui paraissait n'avoir jamais servi, elle le sentit mais ne reconnut que l'odeur de la laine et celle de renfermé.

Elle frotta le verre avec du papier hygiénique, rinça plusieurs fois avant de le remplir d'eau propre, le reposa à sa place et descendit avec les pantalons. Elle avait mis les autres vêtements sur le tabouret de la salle de bains. Ce devait être pénible pour lui de se doucher, étant donné qu'il lui fallait monter dans la baignoire. Curieux que dans toutes les salles de bains des années soixante-dix il y avait nécessairement une baignoire. Cela aurait été beaucoup plus facile avec une cabine de douche. Ça n'existait peut-être pas à l'époque. Heureusement, il y avait un tapis antidérapant au fond de la baignoire. Elle aurait dû le retirer pour nettoyer en dessous. Il faudrait qu'elle le fasse un jour.

Dans la buanderie au sous-sol, elle mit en route la machine remplie de torchons. C'était une très vieille machine, équipée d'une essoreuse centrifugeuse séparée. Juste au-dessus, une carte de Noël gratuite de la Ligue nationale contre les maladies du cœur et des poumons était accrochée au mur, écrite de la main d'Erlend. Il y avait noté précisément comment Tor devait s'y prendre pour laver le blanc et les couleurs et comment il devait tourner les boutons, avec les petits dessins des symboles de lavage et les différentes températures. Il lui avait noté ces instructions lorsqu'ils étaient repartis après les obsèques de leur mère, entre Noël et le Jour de l'an. Le père de Torunn avait dû les suivre à la lettre, car elle n'avait rien trouvé de déteint ou de rétréci à son retour. Sans doute avait-il pensé à Erlend chaque fois qu'il faisait la lessive, même si ce n'était pas fréquemment. Pensé qu'Erlend avait écrit ça juste après l'enterrement et avant son départ.

– Tu vas t'asseoir dehors aussi ?
– Oui. Je vais faire un peu de couture. Veux-tu encore du café ?
– Non. Ça va. Tu peux mettre moins fort.
À la radio ils parlaient des phéromones, de la façon dont un homme et une femme étaient attirés l'un par l'autre du fait d'odeurs indétectables, mais que le subconscient analysait et évaluait, ils disaient que les phéromones guidaient le corps tout entier vers l'excitation sexuelle.

Elle passa la main sous le rideau de la cuisine tout en restant dehors et baissa le son, regagna la chaise aux pieds en acier chromé qu'elle était allée chercher dans la cuisine, un des pieds s'enfonça dans la terre, si bien qu'elle se trouva assise un peu de guingois. Elle enfila l'aiguille en passant le fil en double. Les mésanges charbonnières et les moineaux se disputaient en piaillant autour de la mangeoire clouée contre le tronc de l'arbre de la cour. Elle serait sans doute bientôt obligée d'arrêter de les nourrir afin qu'ils ne soient pas trop gâtés. Un camion passa sur la grand-route au bout de l'allée et changea de vitesse au même moment. Dans la porcherie tout était parfaitement calme. Néanmoins elle se leva, comme par intuition, posa les pantalons par terre, prit un autre bout de bois dans la remise et se dirigea vers la porcherie. Elle ouvrit la porte extérieure en grand et la bloqua avec le morceau de bois, puis celle de la buanderie et celle de la porcherie proprement dite. Le bruit de la porte généra bien sûr aussitôt agitation et expectative dans les loges, il y eut de petits grognements et des reniflements bruyants, mais elle n'entra pas davantage, elle laissa simplement les portes grandes ouvertes avant de retourner à sa chaise.

– Ils ont besoin d'air ?

– Oui.

– Je ne les ai jamais vus, moi.

– Non, sans doute pas, dit-elle en commençant à coudre.

Elle avait marqué la longueur en accentuant fortement le pli avec son ongle.

– C'est des bêtes énormes. Pas les jeunes, évidemment. Mais les truies. Tu pourras venir avec moi un jour. On peut y aller maintenant, si tu veux.

– Pas la peine. Ça sent fort.

– C'est pour ça que j'aère. Mais l'odeur du lisier épandu dans les champs se dissipe maintenant, heureusement. Et les semences vont bon train.

Il prit son dernier biscuit. Le fromage de chèvre avait foncé et brillait.

– Tu es sûr que tu ne veux plus de café ?

– C'est le 17 mai demain, dit-il.

– Ah bon ? Les journées se suivent et se ressemblent, ici.

– Le 17 mai est un grand jour. Je me souviens du premier après la guerre.

Elle le regarda. Il fermait les yeux face au soleil et ses rides en dessous étaient humides, mais c'était sans doute à cause de la lumière crue du soleil.

– Vous aviez coutume de… célébrer la fête nationale ? Veux-tu que je t'emmène quelque part ? Voir un défilé par exemple ?

– Le défilé des enfants passe sûrement devant la nouvelle maison de retraite de Bråmyra.

– Je n'en ai aucune idée. Mais je peux me renseigner à la coopérative, demander à Britt à la caisse.

– Je n'habite pas là-bas.

– Pourquoi dis-tu ça, hein ?

Il ne répondit pas.

– Mais est-ce que tu en as vraiment envie ? De faire un tour en voiture et d'assister au défilé des enfants ?

– Non. Il y a plein de défilés à la télé toute la journée. Mais il faudra hisser le drapeau. Anna y veillait toujours. Elle aimait aussi le 17 mai.

C'était la première fois qu'elle l'entendait mentionner la grand-mère depuis qu'elle était morte. Torunn fit semblant de ne pas y prêter attention. Penchée sur le revers du pantalon, elle se mit à coudre à points réguliers et solides.

– Elle s'intéressait beaucoup à la guerre, Anna. Pour sûr.

– Toi aussi, hein ?

– Oui. Albert Speer devait construire une ville ici.

– Tu nous as raconté ça à Noël. Neu-Drontheim, avec l'aéroport et l'autoroute ?

– Oui.

– C'était complètement dingue.

– Oui. Et le lait de poule, ajouta-t-il.

– Quoi ?

Elle le dévisagea. Commençait-il à perdre la tête ?

– Le lait de poule du 17 mai après-midi. Toujours. Avec de l'essence de rhum dedans.

– Ça par exemple ! J'ai l'impression que vous faisiez vraiment la fête, hein ?

Il ouvrit les yeux et la regarda en cillant.

– Ce n'est pas ce que je voulais dire. On a plein d'œufs. Et sans doute aussi de l'essence de rhum. Bien sûr que je vais faire du lait de poule pour le dessert !

Il appuya à nouveau la tête contre les planches, apparemment rassuré et soulagé d'avoir confié ça.

– Je suis en train de raccourcir un pantalon pour toi. C'est le vieux de Tor, mais il était un peu long. J'ai aussi trouvé un bon chandail que tu pourras récupérer.

Elle s'attendit à ce qu'il proteste, mais il ne dit pas un seul mot.

– Et il faut que tu prennes une douche. Tout est prêt dans la salle de bains, il ne manque plus que ce pantalon.

– Tu es allée dans ma chambre ?

– Oui.

Il se retint aussi de tout commentaire. C'était la première fois qu'ils étaient assis dehors de cette manière, elle et lui. Le grand-père qui, en réalité, était un vieil oncle. Elle avait beau ne rien avoir à perdre, elle sentit néanmoins son cœur se mettre à battre plus vite avant de déclarer :

– Elle ne s'est jamais aperçue de rien, ta mère… ? Qu'Anna et ton père… Qu'ils étaient… Qu'ils étaient amoureux ? Qu'ils ont eu des enfants ensemble ?

– Non.

– Je n'arrive pas à comprendre.

– Non.

Elle scruta son visage. Il était fermé, sans expression.

– Ça ne te désolait pas ? De ne pas pouvoir toi-même…

– Non.

Elle arrêta le fil avec soin avant de poursuivre.

– Et ça a donné trois beaux garçons. Tu les aimais bien ?

Il marqua un petit temps d'arrêt avant de répondre :

– Ils couraient dans la cour.

– Oui, sûrement. Et t'appelaient papa ?

– Oui.

– Si tu rentres prendre ta douche maintenant, je t'apporte ton pantalon.

Il se redressa.

– Une douche maintenant ? Au milieu de la journée ?

– Oui. Comme ça, je pourrai laver tes vêtements et ça m'évitera de le faire ce soir. Tu ne veux quand même pas que je fasse une lessive le 17 mai ?

– Il ne faut rien étendre dehors en tout cas. Mais le drapeau…

– Il est à sa place dans la malle du couloir. Mais je ne sais pas du tout comment le hisser. C'est Krumme qui s'en est chargé pour l'enterrement d'Anna et celui de mon père.

– Tu verras bien quand tu l'auras entre les mains. Et il ne doit pas effleurer le sol.

– Comment ça ?

– Le drapeau ne doit pas toucher par terre ! reprit-il avec agacement.

– Pourquoi pas ? Il est très lourd ! Si je dois le manipuler pour essayer de comprendre par quel bout le prendre, il risque bien de toucher par terre.

– Ce n'est pas permis ! Margido devra venir le hisser demain matin de bonne heure !

– Mais bon sang !

– Appelle-le !

– Ah non ! On ne va quand même pas…

Il se leva, chancelant, elle ne l'avait jamais vu aussi énervé. Elle lâcha le pantalon, se leva à son tour et le prit par les épaules.

– Mais qu'est-ce qui t'arrive, enfin ?

– Appelle Margido !

– Bon, d'accord ! Je lui passe un coup de fil tout de suite ! Assieds-toi !

Elle avait reçu deux SMS d'Erlend depuis la dernière fois qu'elle avait contrôlé son portable. Les fœtus n'avaient plus de queue, ils allaient bientôt entendre et voir, tout était parfait, et est-ce qu'elle allait défiler demain, jour de fête nationale ? Il conclut par « vive le 17 mai ! » et « gros bisous de Krumme ». Elle tapota rapidement une réponse, pour dire qu'ils allaient hisser le drapeau et manger du lait de poule, mais qu'ils n'envisageaient pas d'autres écarts. Elle ajouta un « hourra ! » et un smiley pour garder le même ton enjoué. Puis elle téléphona à Margido.

– Mon grand-père fait tout un cirque à propos du drapeau qu'on doit hisser demain. Est-ce que tu t'y connais ?

Elle s'entendit dire qu'elle avait dû vivre trop longtemps dans une grande ville, sans autres mâts que ceux des façades. Il parlait sérieusement. Mais il émoussa sa critique en riant un peu. Il s'agissait du respect du drapeau et de la patrie, et c'était extrêmement important. En outre, le souvenir de la guerre restait très fort à Bynes, il ne fallait pas le prendre à la légère.

– Il veut que tu viennes le faire. Il n'a pas confiance en moi.

Margido promit de venir. Ils hisseraient le drapeau ensemble et il lui montrerait comment s'y prendre.

– OK ! Je te remercie ! Je vais désamorcer la crise d'hystérie.

Ce n'était quand même pas à ce point-là, s'étonna-t-il.

– Si. Je ne l'ai jamais vu dans cet état auparavant à propos de quoi que ce soit.

Le grand-père hocha la tête à plusieurs reprises, lentement, presque religieusement, lorsqu'elle lui apprit que Margido allait venir.

– Margido s'y connaît bien, dit-il.

– Tu veux bien aller prendre ta douche maintenant ? Au fait, tes ongles de pieds, il y a longtemps qu'ils ont été coupés ?

Il se fit à nouveau tout petit, elle sentit le repentir briller dans ses yeux en le voyant se ratatiner dans le fauteuil turquoise, cela faisait du bien malgré tout d'éprouver un sentiment désagréable d'un tout autre ordre que ceux auxquels elle était habituée.

– C'est Anna qui les a coupés, murmura-t-il.

– Quoi ? Je plaisantais simplement !

– C'est Anna. Elle me coupait les cheveux et les ongles.

– Alors tu veux dire que…

Elle regarda ses chaussons, l'un d'eux était troué au bout. Elle s'imagina soudain de longues griffes jaunies et sales, c'était au-dessus de ses forces. Mais elle savait aussi qu'elle ne pourrait pas demander l'aide de Kai Roger. Peut-être que Margido… Non, c'était bien assez qu'il vienne s'occuper du drapeau, sinon elle aurait l'air complètement désemparée. Dix ongles, ce ne devait pas être insurmontable.

– Et ils sont longs maintenant ?

– Oui, répondit-il. Très. Ça fait mal pour marcher.

Elle prit son inspiration et réfléchit avant de dire :

– Alors tu redescendras dans la cuisine sans chaussettes après ta douche. Je vais te préparer un bain de pieds, dans une bassine. On les coupera une fois qu'ils seront un peu moins durs.

– Exactement ce que faisait Anna.

Elle raccourcit la deuxième jambe du pantalon tout en écoutant la douche couler à l'étage au-dessus d'elle. Elle avait rentré le fauteuil, la chaise et le tabouret, et fermé la fenêtre. Il faisait vite frais au cours de la journée, dès que le soleil tournait et que la cour se retrouvait à l'ombre. Elle s'efforça de réfléchir le moins possible, exactement comme pour les porcs. Les porcs !

Elle abandonna le pantalon bien qu'il ne lui restât plus que quelques points à faire, traversa la cour à grandes enjambées et ferma les portes. Heureusement qu'elle n'avait pas de nouveau-nés pour l'instant, il faisait déjà froid dans la buanderie. De retour dans la cuisine, elle termina sa couture et prit une bassine sous l'évier, qu'elle remplit d'eau chaude et de savon noir. Il descendit peu après l'escalier, tenant la paire de chaussettes propres à la main. Il avait renvoyé ses rares cheveux en arrière et ne s'était pas rasé.

Il traîna une des chaises au milieu de la pièce et s'assit. Elle plaça la bassine devant lui et, tout doucement, il sortit ses pieds de ses chaussons. Ses ongles étaient longs et jaunâtres, recourbés comme de larges griffes, plus foncés sur le bord, parsemés de taches blanches, ils avaient l'air bien pires que ce qu'elle avait imaginé. Voilà le genre de travail qu'on faisait dans une maison de retraite, pensa-t-elle, pour un salaire de misère.

Il mit les pieds dans la bassine et leva les yeux vers elle. Elle remarqua une sorte d'excuse dans son regard, une prière. Elle lui sourit.

– Ça va aller. Mais on ne va pas pouvoir utiliser un coupe-ongles ordinaire, il vaut mieux prendre des ciseaux.

– Anna se servait des ciseaux de la cuisine. Les grands. C'est ceux qui coupent le mieux.

Les ciseaux de la cuisine. Avec lesquels elle avait l'habitude d'ouvrir les emballages sous vide. Elle avait même coupé des tranches de lard fumé avec. Après quoi elle les avait lavés bien sûr, mais quand même. Pas dans un lave-vaisselle, seulement à l'eau chaude. Elle en achèterait une autre paire sans qu'il s'en rende compte. Là elle devait s'y mettre, elle n'avait plus le choix.

– Je sors fumer une cigarette en attendant, dit-elle. Il faut qu'ils trempent un peu dans l'eau chaude.

Elle se mit de travers devant lui, pointant les fesses vers sa poitrine, pour avoir une prise correcte. Il se pencha en arrière autant qu'il put sur la chaise et se retint au bord de la table en formica. Elle y alla de toutes ses forces pour les ongles des gros orteils et c'est à grand-peine qu'elle parvint à en trancher la corne, elle pensa au petit reste de cognac dans sa chambre, l'imagina dans un verre, vit sa couleur ambrée, en eut le goût à la bouche. De chaque côté des deux ongles, il lui fallut couper des petits bouts pour obtenir une forme acceptable. Mais le bord était rugueux malgré tout, il percerait toutes ses chaussettes. Il lut manifestement sa pensée, car il déclara :

– Pour finir, elle utilisait une lime. Celle de la remise.

– Bonne idée ! s'écria-t-elle.

Elle le laissa, évita de sentir ses mains et fila jusqu'à la remise, où elle choisit la lime la plus fine.

– Celle-là, oui, dit-il à son retour. Avec la poignée rouge.

Elle lima jusqu'à ce qu'une poussière blanchâtre se soit incrustée entre les petites dents et qu'il ait enfin des ongles d'une longueur normale, bien que striés et décolorés.

– Je peux t'aider à enfiler tes chaussettes, s'empressa-t-elle de dire.

– Merci, répondit-il.

– Ça s'est bien passé, hein ? s'exclama-t-elle joyeusement.

Elle jeta l'eau dans l'évier, ramassa les rognures d'ongles à l'aide de quelques feuilles de papier essuie-tout, toujours sans vomir. Un petit morceau avait volé jusqu'au mur, sous le radiateur électrique, mais elle s'évertua à le récupérer. Autrement elle risquait d'avoir la nausée et d'être incapable d'avaler une bouchée en sachant qu'il était là, crochu et d'un jaune terne.

– Bientôt l'heure de manger, je crois, dit-il.

– Oui. Boulettes de veau et petits pois. Je vais mettre les pommes de terre à cuire. As-tu descendu ton linge sale ?

– Il est dans la salle de bains.

– Va lire un peu dans le salon, alors ! En attendant que le dîner soit prêt.

Dès qu'il fut hors de sa vue, elle se lava les mains avec du liquide vaisselle et de l'eau aussi chaude qu'elle put supporter. Elle les aurait fait bouillir si elle avait pu. Ce fut en tout cas le sort qu'elle fit subir aux ciseaux. Elle les plongea dans une casserole d'eau bouillante, le temps d'éplucher les quatre pommes de terre nécessaires. Ensuite elle remplit un seau d'eau savonneuse et en lava le sol, puis elle sortit jeter le reste de l'eau sur le tapis synthétique. Ça ne suffit pas à le rendre propre. Elle le roula, le posa debout dans le seau et le monta dans la salle de bains. Les habits du grand-père étaient en tas. Il avait bouchonné son caleçon. Mais il n'avait pas d'inquiétude à avoir, elle n'était pas du tout d'humeur à l'examiner. Elle arracha le tapis antidérapant du fond de la baignoire et découvrit un motif jaune verdâtre sur l'émail bleu clair, des ronds de reste de savon formés par les ventouses. Elle y versa du Cif, frotta autant qu'elle put, rinça la baignoire, ferma hermétiquement la bonde et fit couler de l'eau, puis elle y mit le tapis synthétique. Il pourrait rester à tremper jusqu'à ce qu'elle prenne sa douche au retour de la porcherie.

Debout, les deux mains appuyées sur le bord de la baignoire, elle regarda les petites bulles monter des bandes de plastique qui se posaient au fond. Elle serait bien restée des heures à contempler les dessins géométriques, elle était si fatiguée. Mais elle lui avait promis des boulettes de veau et des petits pois. Elle voulait que le temps passe, que Kai Roger arrive, que les soins à la porcherie soient terminés, elle voulait pouvoir se coucher, disparaître.

Le jeune chiot courut vers elle d'un pas mal assuré lorsqu'elle s'accroupit.

– Il est beau, Kai, dit-elle. Et très confiant.

Le contact de ses mains ne lui suffit pas, il voulut aussitôt lui lécher le visage. Il avait l'haleine du chiot, et elle éprouva une soudaine et immense nostalgie pour sa vie d'avant. Il lui mordilla le nez, les cheveux et une oreille, à la manière des chiots, impatients et surexcités, mais elle le repoussa et se releva. Il s'engouffra par la porte ouverte et disparut.

– Ça ne fait rien. Il n'y a pas grand-chose à abîmer dans la maison. Félicitations, au fait !

Il se tenait devant elle, beau et fier, elle n'avait jamais remarqué la cambrure de ses reins. Il lui sourit en la regardant droit dans les yeux.

– Il vous a adoptée tout de suite, dit-il. Mais ce n'est pas si étonnant.

– En général les chiots n'ont pas peur des étrangers, à moins qu'une mauvaise expérience ne les ait rendus craintifs.

– C'est sans doute pareil chez les humains, murmura-t-il.

Elle tourna la tête. Son regard était trop appuyé, trop dangereux, surtout à cet instant où, le temps d'un éclair, elle s'était souvenue d'un autre mode de vie. Il aurait pu venir à son cours de dressage, elle l'aurait remarqué aussitôt, avec son calme et sa gentillesse. Et cette sécurité qui émanait de tout son corps, sur laquelle on pouvait facilement se reposer, en venir à l'aimer si on était en état de le faire, si on en avait le courage, si on s'aimait soi-même suffisamment pour le vouloir.

Il s'approcha tout près d'elle et la prit dans ses bras, l'espace d'une seconde, elle appuya ses propres bras contre sa poitrine et son menton contre le sien, d'un geste rapide et rituel, avant d'essayer de se libérer. Il l'embrassa dans le cou, tint bon. Il était plus fort qu'elle. Et il sentait bon, bien trop bon.

– Lâchez-moi !

Il la lâcha, elle recula de plusieurs pas, vit qu'il était devenu tout rouge.

– Je pensais que peut-être…

– N'y pensez pas ! s'écria-t-elle.

– Vous avez sans doute besoin… de davantage de temps.

Ne comprenait-il pas que le temps était ce qui lui manquait le moins. Le temps, elle en avait à revendre, c'était ça le problème justement. Tout ce temps qui ne faisait que passer, avec toutes les tâches routinières, toutes les angoisses nocturnes, tout ce qu'elle aurait voulu faire autrement si elle avait pu.

– Oui, répondit-elle néanmoins.

Elle savait qu'elle lui donnait ainsi de l'espoir, elle se sentait pitoyable et hypocrite.

– C'est un beau chiot, ajouta-t-elle.

– J'ai enfin pu aller le chercher. Ce petit fripon, dit-il avec un enthousiasme feint, sans la regarder. J'y suis allé ce matin et il a déjà toute confiance en moi. Il vient quand je l'appelle, et… Oui, les éleveurs ont utilisé son nom ces dernières semaines. Je l'ai installé dans son panier sur le siège du passager avant, et il s'est mis en boule et il a dormi tout le long de la route. Il a mangé avant de partir, donc maintenant il devrait dormir dans son panier dans la voiture pendant qu'on travaille à la porcherie…

Elle n'eut pas le temps de répondre à ce flot de paroles derrière lequel il tentait de se dissimuler : un grand bruit retentit dans la maison, ils se précipitèrent à l'intérieur. Le chiot avait attrapé le bout de la nappe sur la table basse du salon, tout était arrivé par terre. Les livres et la loupe, une plante en pot, des journaux, deux petits bougeoirs et un magazine TV ouvert à la page des programmes de trois semaines plus tôt. Lorsqu'ils entrèrent, le chiot revenait dans la cuisine avec la nappe mais, comme il marchait sans cesse dessus, il n'avançait que par à-coups.

– Oh, mon Dieu ! Je suis désolé ! s'écria Kai Roger.

Le grand-père riait de bon cœur. Ce n'était pas lui qui allait tout remettre en ordre après ça. Il riait d'une façon qu'elle n'avait jamais entendue auparavant.

– Jamais vu une chose pareille ! cria-t-il en continuant à rire. Il est entré à toute vitesse et hop ! il s'est jeté sur la nappe ! Il a du tonus, l'animal ! À qui appartient-il ?

– À Kai Roger, s'empressa de dire Torunn.

Ils ramassèrent ce qui était tombé par terre. Le chiot se battait maintenant comme un fou avec la nappe, et l'issue du combat était incertaine. La plante était restée debout et n'avait pas souffert.

– J'irai chercher une autre nappe plus tard, dit-elle.

Kai Roger arracha la nappe de la gueule du chiot et l'emmena dehors. Il se calma instantanément. Les yeux ronds comme des billes brunes, fièrement installé au bras de Kai Roger, il avait tout oublié.

– C'est l'heure de ta sieste, fit Kai Roger. Il y a d'autres bêtes qui m'attendent, tu comprends ?

Elle regarda ses reins. Ses jambes qui s'éloignaient d'elle en direction de la voiture, le chiot qu'il serrait avec tendresse contre lui tout en lui parlant affectueusement dans son épaisse fourrure.

À l'intérieur de la porcherie, il déclara, les mains sur les hanches :

– On a cinq truies dont il faut provoquer le rut maintenant.

Il évita de croiser son regard.

– Et qu'il faut faire saillir, ajouta-t-il.

Heureusement ils avaient revêtu leurs combinaisons et avaient autre chose en tête.

– Il le faut, reprit-il. Ce sont de belles cochettes qui auront de bonnes portées.

– Je ne sais pas…

Elle commença à nettoyer la loge des porcelets nouvellement sevrés, ils étaient curieux, se collaient à elle, lui couraient entre les jambes.

– Ce n'est pas pour vous embêter, Torunn, vous savez bien. L'insémination n'est de toute façon qu'une simple distraction. Vous ne pouvez pas continuer comme ça. Ou bien vous abandonnez, ou bien vous faites les choses convenablement.

Elle entendit, au ton de sa voix, qu'il avait un autre objectif, qu'il voulait effacer la scène de la cour. Mais il aurait pu parler de la pluie et du beau temps, ou d'une émission qu'il avait vue à la télé. Pourquoi aborder ce sujet à cet instant précis ?

– Abandonner ? Faire abattre les porcs, vous voulez dire ?

– Les vendre, dit-il. En tout cas les plus jeunes. Vendre jusqu'à ce que ce soit vide ici.

– J'ai tué mon père. Je ne peux pas tuer ses porcs en plus.

– Vous n'avez pas tué votre père, il l'a fait lui-même.

– Parce qu'il croyait que je ne reprendrais jamais la ferme.

– Il n'a sûrement pas réalisé que ça allait un peu vite pour vous.

– Mais je ne voulais pas. Ou bien… je ne sais pas. Mais je ne comprenais pas pourquoi il était soudain si urgent de prendre une décision.

– Vous le souhaitez maintenant, non ? Prendre la suite ?

– Est-ce que j'ai le choix ?

– Oui, bien sûr.

– Non, je n'ai pas le moindre choix. Et je ne tuerai pas ses porcs. Même pas Siri. En tout cas pas Siri. Même si elle…

– Ce sont des carnassiers. Ils suivent leurs instincts.

– Je l'ai vu, de mes yeux vu.

Il ne fallait pas qu'elle se mette à pleurer. Il ne le fallait pas. Sinon il allait encore la prendre dans ses bras. Elle souleva un porcelet et regarda sa patte arrière. Elle était sale mais belle, exactement comme elle devait être, sans la moindre égratignure.

– Écoutez-moi, Torunn ! Je peux continuer à vous aider à la porcherie. Mais il faut vous décider. Il est impossible de vivre en ayant si peu de porcs à abattre par an, et en les élevant de cette manière. Sigurd, à Flatum, possède quatre-vingt-dix-huit truies, et là-bas ils ne font pas de sentiment.

– Je n'ai pas la force de prendre une décision. Pas encore. Je veux seulement dormir. Dormir et éviter de réfléchir. Laisser tout comme avant.

– Mais on peut y aller pour ces cinq truies, non ? Autrement c'est… du gaspillage, pour ainsi dire.

Il s'approcha d'elle, elle lâcha le porcelet dans la loge et, lui tournant le dos, se dirigea vers la portée récemment sevrée de Siri.

– J'ai trouvé un bout de papier sur son bureau, dit-elle. Il avait écrit « Siri », souligné de deux traits. Et les noms « Dolly » et « Diana ».

– Élevage d'amateur, s'esclaffa-t-il.

– Pas la peine de se moquer de lui maintenant qu'il est mort !

– Torunn, voyons… Je ne voulais pas me… Mais il avait bel et bien prévu de faire de deux des petits de Siri des truies reproductrices. Il avait du flair en tout cas, car Siri elle-même en est une excellente.

– Je ne me sens pas très bien, dit-elle. Vous voulez bien finir tout seul ? On se revoit demain matin.

Elle ne se retourna pas vers lui, elle se cramponnait simplement aux barreaux en fer autour de la loge, secouant la tête à plusieurs reprises.

– Torunn… murmura-t-il. Vous devez bien comprendre que je vous aime, que je veux seulement que vous soyez heureuse ici…

Elle sentit les larmes commencer à couler. Elle sortit de la porcherie en courant, sans les lui laisser voir. Il ne la suivit pas. Dans la buanderie elle arracha sa combinaison en la retournant, puis elle traversa précipitamment la cour et monta dans la salle de bains.

Si seulement elle pouvait se libérer de ses responsabilités d'un coup de baguette magique, sans que ça ne porte à conséquence. Quand elle était là, parmi les bêtes, elle s'enferrait dans un avenir. Féconder cinq nouvelles cochettes. Les siennes. Cinq nouvelles portées qui la prendraient au piège. Kai Roger et elle avaient déjà eu la charge de quatre portées depuis la mort de son père, les avaient menées jusqu'au sevrage et n'avaient perdu que trois petits au total. Ils avaient travaillé côte à côte. Et il avait cru que le chiot aussi les réunirait, comme une sorte d'enfant en commun. *Vous devez bien comprendre que je vous aime…* Elle avait trente-sept ans. Si elle devait être mère un jour, il était temps d'y songer. Un enfant à soi. Un enfant qui l'aurait, elle, pour mère, était-ce réellement envisageable ? Avoir une montée de lait et lui donner le sein, le regarder et savoir que c'était le sien, sorti de son propre corps, aussi lisse et ensanglanté qu'un porcelet, à la merci de son amour. Elle qui n'avait plus aucune notion de rien, elle était tombée dans la routine et la responsabilité. Elle savait à peine quel jour on était, incapable de concevoir le lendemain autrement qu'en fonction de toutes les tâches à accomplir.

Elle versa le petit reste de cognac dans le verre posé sur le rebord de la fenêtre et alluma une cigarette. Elle ouvrit en grand, contempla le fjord, luisant comme du plomb. Une légère brume du soir gagnait les rives. Le grand-père montait l'escalier pour aller se coucher. Elle entendait le tapis synthétique goutter dans la salle de bains, elle n'avait pas eu le courage de le sortir et de l'étendre dehors, elle l'avait seulement posé en vrac sur le manche du balai placé en travers de la baignoire. Elle avait pris sa douche dessus car elle avait oublié qu'elle l'avait laissé là. *Que je vous aime*. C'était sans doute réciproque, d'une certaine manière. Mais à quoi bon ? Quel avenir cela lui réservait-il ? Kai Roger ne parviendrait jamais à oublier pour quelle raison elle se trouvait ici, pourquoi c'était de son devoir. Il ne pourrait jamais réparer ce qu'elle avait fait à son propre père.

Un de ces jours elle serait obligée de tout passer au crible dans le bureau. Il y avait des limites au temps que tout le monde voulait bien lui accorder. Ça valait aussi bien pour les meuniers, le vétérinaire et les abattoirs. Il restait des factures impayées, il lui faudrait vendre sa part de la clinique vétérinaire à Oslo pour les honorer, arriver à une espèce de statu quo financier. Ou bien faire un emprunt en hypothéquant la ferme ? Et elle avait menti à sa mère. En fait elle avait bien quelques plantes vertes. Mais elles étaient mortes maintenant, et il n'y avait plus à s'en soucier. Margrete, qui logeait en face sur le même palier, avait la clé et aurait pu les prendre chez elle si elle le lui avait demandé. Mais elle n'avait pas demandé. Après la mort de son père, elle n'avait pas répondu à un seul des nombreux messages pressants que Margrete avait laissés sur son répondeur. Combien obtiendrait-elle en vendant la vieille Volvo qui était dans la grange ? Cinq mille couronnes ? Peut-être à un collectionneur ? Elle téléphonerait une petite annonce au journal local.

– Santé ! se murmura-t-elle à elle-même.

Elle vida son verre et se frotta les joues. Demain elle ferait comme si de rien n'était. Elle se ressaisirait, en espérant qu'il fasse de même, sinon elle se verrait obligée de lui annoncer que dorénavant elle se débrouillerait seule.

Leonard Kolbjørnsen était mort par excès d'alcool au cours de la nuit du 23 mai, il gisait maintenant tout nu sur la table entre Margido et Mme Gabrielsen, dans un piètre état. Il avait été recueilli par la Fondation Petra, un foyer qui hébergeait les alcooliques les plus invétérés de la ville. Il avait réussi à atteindre l'âge de quarante-trois ans, un véritable exploit compte tenu des doses quotidiennes phénoménales de bière, de snaps et de pilules qu'il avait ingurgitées. Mais le moment était venu pour lui d'être lavé et de recevoir les soins. D'enfiler son linceul.

– Regardez-moi ces mains ! dit Mme Gabrielsen. Le pauvre homme.

Il avait les doigts jaunis par la nicotine, couverts de petites plaies et d'engelures, épais et gonflés. Margido se savonna les mains, puis il frotta bien celles du défunt avec la mousse avant de lui passer des gants jetables. Au bout de dix minutes enfermées sous le latex, elles seraient plus faciles à nettoyer avec une brosse.

Ils étaient tous les deux affublés d'un tablier, d'un masque et de gants, ils avaient fait ça des quantités de fois auparavant. Ils travaillaient de façon coordonnée et méthodique. Mme Gabrielsen faisait la toilette à l'aide d'un grand linge, il fallait laver absolument tout le corps, tailler un peu la barbe et peigner les cheveux. Margido voulait aussi utiliser un peu de crème anti-imperfections sur une vilaine plaie qu'il avait au coin de la bouche, et lui passer un baume sur les lèvres, gercées et horribles à voir. Le visage et les mains, c'était la première des priorités. Le reste du corps devait être propre, sans fuites et vêtu de blanc.

– C'est vrai, ce que Mme Marstad a dit ? Que la famille s'est opposée à ce que les autres résidents du foyer viennent à l'église ? demanda Mme Gabrielsen.

– Oui, effectivement.

– On ne peut quand même pas empêcher quelqu'un d'assister à un enterrement.

– Cette famille-là s'en fiche éperdument. Et dans la mesure où Mork a reçu le message, il préfère ne pas mêler ses résidents à une sorte de… lutte d'influence. Il se tait et accède au souhait de la famille.

– Quelle honte ! s'écria Mme Gabrielsen. Que la famille se comporte ainsi, je veux dire. Mais c'est sûrement une sage décision de la part de Mork.

Le directeur de la Fondation Petra, Ivar Mork, était passé au bureau quelques heures seulement après qu'on leur eut confié l'inhumation de Kolbjørnsen. Margido le connaissait, il avait déjà travaillé plusieurs fois pour lui par le passé.

– C'est moi qui ai recommandé votre entreprise à la famille de Leo, avait déclaré Mork.

– Merci, avait répondu Margido.

Il ne savait pas vraiment quoi dire d'autre. Il était déjà conscient qu'il aurait mieux aimé être dispensé, et cela n'avait rien à voir avec l'état corporel du défunt.

– Alors les proches vous ont déjà expliqué comment ils veulent que se déroulent les funérailles. Ceux qui doivent venir et ceux qui ne sont pas les bienvenus.

– Oui.

Margido avait pris la thermos du salon d'accueil et lui avait versé une tasse de café sans lui demander son avis.

– Les résidents devront donc lui faire un dernier adieu dans la chapelle de l'hôpital, avait ajouté Mork en attrapant la tasse. C'est pour ça que je viens. Au sujet de l'horaire. Je vous propose vers une heure. À ce moment-là ils seront assez éméchés pour en avoir envie, mais pas trop pour être à côté de leurs pompes.

– J'organiserai une présentation du corps pour eux, bien sûr. Vous croyez qu'ils voudront une cérémonie complète ?

– Absolument pas. Il vous suffira de lire un seul texte, ils ne souhaiteront sûrement pas rester trop longtemps. C'est peut-être aussi bien que la famille ne veuille pas d'eux à l'église. Ils n'auraient pas la patience d'écouter un sermon à la noix, les fesses au carré sur un banc. Ils ont largement dépassé le stade du sermon. Je m'excuse d'être un peu dur, j'ignore si vous êtes croyant vous-même, mais c'est comme ça. Dans mon boulot, on est aussi très loin des foutus sermons.

– Ce n'est pas grave. Je comprends. Le corps sera exposé à une heure, et je ne lirai qu'un texte. Ça se passera bien. La famille ne m'a rien raconté de particulier sur son compte, ils ont simplement désigné le cercueil et choisi les psaumes. Et ils ont décidé qu'il serait incinéré sans simagrées et que l'urne funéraire serait ensuite déposée dans le caveau familial.

C'était quel genre d'individu ? Dans sa vie antérieure, si je puis dire.

– Il a donné une bonne gifle à un élève, tout juste deux semaines après avoir obtenu son premier poste de prof. Il a perdu son boulot et, progressivement, l'emprise sur le reste de son existence. Il a été clochard à Oslo pendant des années avant de venir à Trondheim et finalement chez nous. Jamais de problèmes avec lui. Soûl comme une grive tous les soirs et doux comme un agneau, voilà ce que j'ai l'habitude de dire. La plupart sont comme ça. Il était de bonne famille. Vous avez dû vous en rendre compte quand ses proches sont venus vous parler.

– Oui. Ils s'exprimaient dans une langue châtiée. Je suppose qu'il n'avait pas tellement de contacts avec eux.

Margido et Mork étaient en réalité tous les deux liés par le secret professionnel, également l'un envers l'autre. Mais aucun d'eux n'y faisait allusion, le respect du défunt était parfois primordial, plus exigeant que celui des proches.

– Attitude de façade, vous savez, avait renchéri Mork. Ils ne l'avaient peut-être pas vu depuis une vingtaine d'années et savaient bien comment il vivait. Les funérailles se feront néanmoins dans le plus pur esprit bourgeois qui soit. Leo parlait d'eux de temps en temps, sur les cinq heures du matin, quand il était à jeun, et les membres de sa famille sont les seuls dont il ait jamais dit du mal.

– Aucun de chez vous ne viendra alors ?

Margido avait poussé l'assiette de cookies devant Mork, sans qu'il ne se servît. Mais il buvait son café comme de l'eau et s'en était lui-même reversé une tasse.

– Oh si ! Ceux d'entre nous qui ont l'air de gens sobres, ordinaires, peuvent venir. Moi, le personnel de cuisine, le gardien, le personnel soignant, etc. On n'est pas interdits d'accès. Ils feront comme si on était de simples connaissances, lorsque les vieilles tantes et les vieux oncles joueront la douleur derrière leur parfum et leur après-rasage. Bon sang ! J'espère qu'il en viendra du cercle de Leo qui ne logent pas chez nous ! Mais ils ne seront sûrement pas nombreux.

Margido avait hoché la tête.

– Alors vous ne voulez pas dire quelques mots ? Lors de la cérémonie ?

– Ils ne me le permettront pas. D'ailleurs je n'ai pas demandé.

– Vous accompagnerez les résidents pour la présentation de la dépouille mortelle ?

– En fait, non. Il est important qu'ils se débrouillent tout seuls. Et ils viendront, je vous le promets. Pas un seul n'y renoncera, à moins d'être très malade.

Margido aurait aimé lui demander comment il faisait pour tenir le coup, il y avait déjà pensé plus tôt mais ne l'avait jamais fait. C'était peut-être un travail enrichissant, lié au respect et à la dignité, mais en même temps dénué d'espoir. Pas si différent que ça du sien. Il risquait même de se voir retourner la question.

Il retira le gant jetable d'une des mains de Kolbjørnsen et se mit à frotter à la brosse les cuticules et les articulations. La main n'avait pas si mauvaise allure. Il enduisit scrupuleusement la peau d'une crème non grasse. Comme la peau était froide, elle n'y pénétrait pas, alors qu'une crème grasse formerait une sorte de pellicule blanche.

– J'ai parlé à Torunn du dépôt de cercueils, déclara-t-il.

Il pensa à sa propre déception en constatant qu'elle n'avait pas immédiatement partagé son enthousiasme pour ce projet.

– Et elle y est bien disposée ? C'est quand même une idée formidable, dit Mme Gabrielsen.

Il lui sourit par-dessus le corps nu :

– Oui, n'est-ce pas ? C'était votre idée, en fait.

– Elle était contente, je suppose. Elle a besoin de cet argent, non ?

Il soupira.

– Je ne suis pas sûr de sa réaction. Ni bonne, ni mauvaise. Elle ne s'est pas opposée à l'idée en tout cas. Je vais téléphoner à une entreprise de menuiserie un de ces jours et je fixerai rendez-vous là-bas pour voir ce qu'il y aura à faire.

– Il n'y a rien qui presse, dit Mme Gabrielsen.

– Allons, allons ! En plus, on dispose maintenant de notre propre site Internet. C'est déjà quelque chose.

– C'est vrai. Mais il faudrait qu'on soit plus nombreux ici.

– Je sais.

– Et il y a ce fils à Bovin.

– Oui, vous m'en avez parlé. Mais chaque chose en son temps !

Margido s'inquiétait d'avoir eu l'impression que Torunn était si… apathique. Elle faisait tout ce qu'il fallait, mais sans en éprouver aucun plaisir. Il était impossible qu'elle soit aussi profondément affligée par la mort d'un père avec lequel elle n'avait eu aucun contact pendant les trente-sept premières années de sa vie, hormis par téléphone.

C'était lorsqu'il était là-bas le 17 mai qu'il avait mentionné ce projet d'entrepôt pour les cercueils. Ils avaient hissé le drapeau ensemble, tandis que le vieux, collé au carreau de la cuisine, suivait chacun de leur geste. Il avait passé un pull rouge sur une chemise à carreaux en coton, et Torunn avait dit qu'elle ne savait pas si elle devait en rire ou en pleurer lorsqu'il était descendu ce matin-là.

Il aurait bien aimé l'interroger sur l'état du bureau de Tor, à propos de sa comptabilité, mais il ne voulait pas lui forcer la main. Il y avait jeté un coup d'œil en passant, par l'entrebâillement de la porte, et il lui avait semblé que rien n'avait bougé, comme si Tor était juste sorti faire un petit tour. Après l'envoi des couleurs, ils avaient pris le café dans la cuisine. Du café soluble. Margido n'aperçut la vieille bouilloire nulle part, mais le café était correct. Accompagné de tartines de confiture, celle que la grand-mère de Torunn avait faite, à en juger par l'étiquette. Il n'avait pas fait de commentaires non plus. La radio marchait et, quand retentit le début de « Dieu bénisse notre bon roi », le vieux s'était levé et il était resté debout en se tenant au bord de la table jusqu'à ce que le chœur Valen eût terminé. Il avait les larmes aux yeux. Margido avait remarqué la gêne de Torunn, espéré sincèrement qu'elle n'éclatât pas de rire. Mais elle n'en avait rien fait, d'ailleurs il ne se rappelait plus quand il l'avait vue sourire pour la dernière fois. Et c'était lorsque les choristes s'étaient tus qu'il s'était lancé dans cette histoire d'entrepôt. Il ne savait pas exactement à quoi s'attendre, se doutait bien qu'elle n'allait pas sauter à pieds joints et crier « alléluia ! », mais il avait escompté un minimum d'enthousiasme. Elle devait comprendre qu'il proposait cela pour le bien de la ferme, ce n'était pas comme s'il était chassé de l'autre local qu'il louait actuellement. Il avait expliqué le détail des aménagements nécessaires, tandis qu'elle regardait les oiseaux par la fenêtre en hochant la tête. Le vieux n'avait pas dit un seul mot. Margido avait compris que les cercueils et l'entrepôt étaient le cadet de ses soucis, qu'il brûlait d'envie d'aller s'installer dans le salon et attendre le reportage sur les défilés du 17 mai à la télé, tout en étudiant les photos de ses livres sur la Libération.

Cependant il était resté assis, avec son pull de travers, justement parce que c'était la fête nationale, qu'ils prenaient le café ensemble et que c'était un grand jour.

– Tu ne vas jamais à l'église, Torunn ?

– Non, je ne crois pas en Dieu.

– Il peut être d'un grand secours quand la vie est dure.

Elle n'avait pas répondu à cela. Elle était pâle et amaigrie. Il prierait pour elle. Si jamais elle pouvait trouver la foi, quel soutien elle en retirerait ! Vivre loin de Dieu était un vide qu'on portait seul, où tous les problèmes étaient exclusivement les siens propres ; on n'avait pas une seule minute de soulagement. Mais il s'était rendu compte qu'il n'y avait pas la moindre ouverture pour continuer dans cette direction, à ce moment-là, et il avait changé de sujet.

– Alors ta mère a fait un simple aller-retour à Trondheim il y a quinze jours ?

– Oui. Elle devait rendre visite à des amies. Tu viendras dîner avec nous, peut-être ? On aura du lait de poule au dessert.

Le vieux aussi avait levé la tête et regardé Torunn.

Margido avait vu de l'amour pur dans ce regard, de l'amour et de la reconnaissance. C'était si beau à voir qu'il en avait eu mal.

– Non, je ne crois pas. Je préfère revenir un autre jour, il faudra que je montre la grange à un menuisier, pour voir ce qu'il y a à faire.

Vingt minutes avant qu'ils ne viennent dire un dernier adieu à Kolbjørnsen, il prépara la chapelle. En fait elle n'était pas libre avant deux heures, mais il avait fait l'échange avec une autre entreprise de pompes funèbres, qui invoquerait une double réservation. Il leur en savait gré et ne manquerait pas de s'en souvenir. Un jour il leur rendrait la pareille, il y avait toujours une bonne collaboration entre les entreprises.

Comme les résidents du foyer étaient disposés pour une heure, il était hors de question de retarder leur venue. Quelques minutes d'écart suffisaient à leur faire perdre leur fragile contrôle de la journée.

Il alla chercher le cercueil dans la chambre froide et ôta le couvercle simplement posé dessus. Leonard Kolbjørnsen y reposait paisiblement. La mort effaçait les rides, celles que la tension du visage avait creusées profondément la vie durant. Bien des gens paraissaient plus jeunes dans la mort, les proches en faisaient souvent la réflexion lors de la mise en bière. C'était justement une expérience positive au milieu du malheur qui les frappait, et un rappel que la mort était une sérénité.

Il alluma des bougies blanches le long du cercueil, s'arrêta un instant pour contempler le défunt, en murmurant tout bas :

– Merci, doux Jésus, de couvrir de tes mains les miennes et de me réchauffer.

C'était un pitoyable petit groupe d'hommes usés qui attendait dehors. Ils sentaient l'alcool, la fumée et l'angoisse, suaient tous à grosses gouttes. Ils étaient probablement venus à pied depuis le marché aux poissons de Ravnkloa, le parking de Leüthenhaven, ou tout autre endroit où ils pouvaient se procurer ce dont ils avaient besoin. Par une journée de mai radieuse, chaude et ensoleillée, ils avaient traversé le pont d'Elgeseter, tournant le dos à la cathédrale, au beau milieu d'un site que les touristes venaient admirer au prix de centaines de kilomètres à parcourir, mais auquel eux-mêmes ne prêtaient pas la moindre attention. Ils allaient dire adieu à leur ami Leo et ils savaient qu'on ne souhaitait pas les voir à l'église le lendemain.

Margido donna une poignée de main à chacun d'eux, neuf en tout, et rencontra des paumes moites et des yeux baissés.

– Leo aurait été sensible à votre visite aujourd'hui, dit-il. Que vous lui rendiez un dernier hommage.

Ils acquiescèrent en silence et franchirent les portes sur ses talons. Arrivés au milieu de la chapelle, ils se mirent à traîner un peu. Ils étaient toujours serrés les uns contre les autres, mais sans se tenir, seules leurs manches se touchaient. C'était à cet endroit-là qu'il avait décidé d'ajouter à son testament qu'il léguerait une petite somme à la fondation, même si le directeur jurait et qualifiait la parole de Dieu de sermons à la noix.

Ils se tinrent enfin le long du cercueil. Les yeux rivés sur le visage du mort, ils pleuraient tous les neuf, plusieurs d'entre eux à gros sanglots.

– Tu étais un chic type.
– Le meilleur.

Il les laissa tranquilles jusqu'à ce qu'ils commencent à frotter les pieds par terre et à échanger des regards. Il se plaça alors à la tête du cercueil, ouvrit le livre de psaumes et lut :

– « Le Seigneur est mon berger, je ne manque de rien. Sur des prés d'herbe fraîche, il me fait reposer ; il me mène vers les eaux tranquilles et me fait… »

– Non, dit l'un d'eux tout bas.

Margido le dévisagea d'un air interrogateur. Ils allaient bien supporter un unique petit texte ! L'homme leva rapidement les yeux au-dessus de ses joues mouillées de larmes et continua :

– Je sais que ça existe en néonorvégien. Leo le disait. Que tout… tout ce qui est important est traduit en néonorvégien. Il le disait. Il l'a dit.

– Bien sûr, répondit Margido.

– Leo était complètement… fada de tout ce qui est néonorvégien.

Les autres hochèrent la tête avec un sourire entendu et, pour la première fois, ils croisèrent son regard, unanimes, en bloc. Comme des enfants, pensa-t-il, et il en eut honte.

– Il écrivait aux journaux. Il voulait des nouvelles en néonorvégien dans les journaux, il était louf !

– Il nous lisait à haute voix aussi, différents trucs en néonorvégien. Des poèmes par exemple, renchérit un autre. Des fois en pleine nuit, ou vachement tôt le matin. C'était… bien ! Il lisait bien. Même si c'était plutôt l'heure de pioncer.

– Oui, Vesaas… reprit le premier. Celui avec le cheval qui regarde à l'intérieur par la fenêtre.

Ils échangèrent des rires furtifs, pas un d'entre eux n'avait une dentition complète. Margido se rappela soudain que le défunt avait décroché un diplôme d'enseignant. Et il était donc partisan du néonorvégien et passionné de Tarjei Vesaas.

– Alors il va de soi que je vous lis le texte en néonorvégien, dit-il en feuilletant plus loin.

« "Le Seigneur est mon berger, je ne manque de rien. Sur des prés d'herbe fraîche, il me fait reposer ; il me mène vers les eaux tranquilles et me fait revivre…"

Il leva les yeux vers eux. Ils écoutaient dans le plus grand silence, les mains jointes serrées et les joues humides, et il sentit tout à coup sa propre voix défaillir. Il était rare qu'il soit personnellement ému en pareille circonstance. Il ne le fallait pas, il devait rester maître de lui. Il se racla la gorge et déglutit plusieurs fois.

– « … Il me conduit par le juste chemin pour l'honneur de son nom. Si je traverse les ravins de la mort, je ne crains aucun mal. Car tu es avec moi. Ton bâton me guide et me rassure. Tu prépares la table pour moi devant mes ennemis. Tu répands le parfum sur ma tête ; ma coupe est débordante. Grâce et bonheur m'accompagnent tous les jours de ma vie, et j'habiterai la maison du Seigneur pour la durée de mes jours. »

Ils restèrent silencieux pendant une longue minute. À travers les murs on entendait une sirène se rapprocher de Saint-Olav.

– Reçois cette bénédiction ! dit-il à voix basse. Que le Seigneur te bénisse et te garde ! Que le Seigneur fasse rayonner sur toi son visage et t'accorde sa grâce ! Que le Seigneur porte sur toi son regard et te donne la paix !

– Amen ! murmurèrent-ils de manière décalée.

Ils ne remarquèrent pas que ce n'était plus du néonorvégien. Ils lui serrèrent la main, l'un après l'autre, et le remercièrent. Les poignées de main étaient devenues fermes, les regards droits et chaleureux.

Demain il rencontrerait la famille de Kolbjørnsen à l'église, et il serait le seul à savoir que le défunt était déjà porté en terre. Il ne manquait plus que les trois premières pelletées à jeter sur le cercueil.

Quatre jours plus tard, il reçut le premier appel qui, au cours de la conversation téléphonique, s'avéra être passé par un proche ayant trouvé l'Entreprise de pompes funèbres Neshov sur Internet. C'était un homme d'à peine plus de trente ans qui avait perdu sa jeune épouse, Andrea : elle s'était suicidée. Margido lui présenta ses condoléances, mais le mari répondit qu'il était avant tout soulagé.

Puis il déversa dans le combiné une violente frustration accumulée à propos d'un système de santé défaillant vis-à-vis d'une femme anorexique, avec des périodes de boulimie et plusieurs tentatives ratées de suicide. Elle y était finalement parvenue, en avalant des cachets, et elle avait laissé une belle lettre à son mari, sa mère et son père. Ils n'avaient jamais réussi à avoir un enfant, elle n'en voulait pas non plus, d'ailleurs elle s'était rendue stérile en s'affamant, selon sa formulation. Margido l'écouta patiemment. L'homme alternait pleurs et colère, mieux valait que ce soit au téléphone que dans le salon d'accueil, se dit-il. Ils convinrent d'un rendez-vous plus tard dans la journée, car Margido savait, par expérience, qu'il serait calmé d'ici là. Le père et la mère de la jeune femme l'accompagneraient, ils n'étaient pas tout à fait d'accord sur l'endroit où l'enterrer. Le mari souhaitait acquérir un emplacement au cimetière, où lui-même reposerait un jour à ses côtés, tandis que les parents la voulaient dans le caveau de famille. Margido estima que ça risquait d'être compliqué. L'homme était jeune, il allait sûrement refaire sa vie, alors comment sa nouvelle compagne allait-elle réagir à l'idée qu'il avait déjà sa place dans la tombe de sa première épouse ? Le plus raisonnable serait que la défunte soit inhumée dans le caveau familial, il s'éviterait sans doute ainsi bien des conflits à l'avenir. Mais une urne contenant ses cendres pourrait aussi trouver sa place dans un espace cinéraire propre, ce qui serait un compromis neutre. La lettre laissée par la jeune femme ne contenait apparemment aucune recommandation. De plus en plus de gens se donnant la mort précisaient, dans la lettre expliquant leur geste, qu'il fallait disperser leurs cendres à tout vent ou en un lieu particulier. C'était peut-être lié à leur besoin de disparaître complètement, à tout jamais. Ils n'étaient guère au courant ni de toutes les démarches administratives nécessaires pour obtenir les autorisations, et à faire suffisamment longtemps avant de pouvoir disperser les cendres, ni de la série de restrictions imposées quant aux lieux de dispersion.

Ils déjeunèrent dans la bonne humeur. Mme Marstad avait apporté des petits pains faits maison et le reste d'un gâteau au chocolat qu'elle avait préparé pour l'anniversaire de son mari la veille au soir. Il n'informa pas les deux dames que le dernier appel était le résultat du nouveau site Internet. Il évoqua le sort de la jeune Andrea qui avait mis fin à ses jours et ils discutèrent des problèmes d'anorexie et de boulimie. Ils éclatèrent de rire quand Mme Gabrielsen, au moment de mordre dans un petit pain, s'écria :

– Je n'aurais jamais supporté d'être anorexique !
Je serais morte de faim !

D'où l'avantage de choisir un nouvel employé qui
soit issu du même milieu, qui soit habitué à un
humour parfois macabre. Un humour qui atténuait la
pression et banalisait l'impossible.

Ils parlèrent aussi d'un enterrement prévu pour le
lendemain, un homme de quatre-vingts ans dont les
obsèques auraient lieu à l'église d'Ilen.

– Le bedeau a dit qu'il m'aiderait à sortir le cercueil du fourgon et à le placer sur le catafalque, si
bien qu'aucune de vous deux ne sera obligée de
m'accompagner. Je partirai assez longtemps à
l'avance et je réglerai tout moi-même. Il n'y aura pas
grand monde, l'homme a passé pratiquement toute sa
vie à Munich, il exportait des voitures et avait tous ses
amis là-bas. Mais il était originaire de Trondheim, et
il était revenu ici en retraite. Il n'avait pas beaucoup
de connaissances et il était le dernier survivant de sa
famille. Je n'ai fait imprimer que trente livrets et je
parie que ce sera largement suffisant. Et je me
demande qui gardera ensuite le registre des
condoléances.

– Il n'y en a peut-être pas besoin, remarqua
Mme Marstad.

– Si. Les gens aiment bien écrire leur nom dedans,
confirmer leur présence, noir sur blanc.

– Qui héritera ?

– Il n'a pas laissé de testament, donc ce sera l'État.
C'est la maison de retraite d'Ilen qui m'a contacté.

– Alors l'État pourra aussi avoir le registre, non ?
conclut Mme Gabrielsen.

Il réussit à obtenir que le mari d'Andrea et la
famille optent pour une urne dans un jardin du sou-

venir, mais pas avant d'avoir quitté le salon d'accueil quelques instants, jusqu'à ce qu'ils aient fini de se quereller. Le mari s'opposait au caveau familial, les parents refusaient l'idée d'une tombe double.

C'était souvent une bonne combine de quitter la pièce. Ils étaient obligés de se mettre d'accord. Margido avait le devoir de communiquer aux autorités dans un bref délai toutes les formalités engagées.

Tous les trois avaient l'air maussades et intolérants en repartant. Pas très propice au cheminement du travail de deuil, se dit-il. Mais il avait vu pire, bien pire. D'horribles disputes à propos du modèle de cercueil et du prix, de qui allait se charger de l'enterrement, de qui était la personne la plus proche du défunt. Les funérailles devenaient l'arène d'une lutte de pouvoir, l'occasion de raviver les vieilles rancunes, en un saisissant contraste avec la perte qu'ils ressentaient tous. Dans ces cas-là, il fallait parfois qu'il passe plusieurs avis de décès parce que chacun des proches insistait et ils ne s'entendaient jamais. Pour lui qui avait la responsabilité de la cérémonie, c'était affreux et contraignant. Il ne lui était pas encore arrivé de voir des gens s'arracher le registre de condoléances après l'office religieux, mais plusieurs fois il s'en était fallu de peu. Margido avait surtout envie de leur parler comme à des enfants turbulents qui faisaient les quatre cents coups.

Un enterrement n'était pas non plus une affaire bon marché, et atteignait facilement les vingt ou trente mille couronnes. Encore un terrain propice aux désaccords et aux discussions macabres que les proches s'autorisaient à avoir dans son salon d'accueil. Et lorsque le premier rendez-vous avait lieu en privé, ce pouvait être encore pire, avec des coups de fil tous azimuts, afin que d'autres membres de la famille viennent immédiatement confirmer les assertions de l'un des présents. Ils connaissaient tous mieux le défunt les uns que les autres et savaient exactement ce qu'il aurait souhaité. Son travail aurait été beaucoup plus simple si chacun, de son vivant, notifiait exactement ses souhaits. On respectait les dernières volontés d'un défunt. Une fois seulement il avait été témoin du contraire, lorsqu'une jeune fille de quinze ans, qui s'était suicidée en se noyant, avait indiqué dans une lettre, qu'on avait retrouvée dans sa chambre, qu'elle voulait être enterrée aux côtés de sa grand-mère maternelle à Arendal, parce que c'était elle qui l'avait « aimée le plus de tout le monde et de toute sa vie ». Il y avait de nombreuses années de cela, mais Margido s'en souvenait encore mot pour mot. La mère lui avait montré la lettre, presque en cachette, pendant que le père de la jeune fille était aux toilettes, et Margido avait aussitôt commencé à réfléchir à la manière la plus commode d'opérer. Mais quand le père entendit ça, il avait balayé le projet vite fait, bien fait :

– C'est n'importe quoi ! Elle n'ira pas là-bas ! Il nous faut une tombe sur laquelle aller !

– On doit toujours respecter les dernières volontés, avait objecté Margido.

– Elle n'avait que quinze ans et aucune idée de ce qu'elle voulait vraiment ! avait rétorqué le père.

La mère s'était mise à pleurer dans son mouchoir, secouant énergiquement la tête sans dire un mot.

En rentrant chez lui il se prépara deux bonnes tartines de fromage passées à la poêle, à couvert. Ces derniers temps, il avait commencé à disposer des tranches de pepperoni sur le fromage. Il avait acheté un paquet de pepperoni par erreur un jour, en croyant que c'était du saucisson norvégien, et il était resté interloqué devant le rouge vif des morceaux en ouvrant le paquet. Il en avait goûté un avec circonspection et constaté que ce saucisson-là était très bon. Épicé, mais pas excessivement. Depuis lors, le pepperoni figurait régulièrement sur sa liste de courses.

Il y avait longtemps qu'il n'avait pas goûté autre chose. Sans doute depuis qu'il avait délaissé le pain complet pour le remplacer par du pain aux quatre céréales quelques années plus tôt. Il était plus moelleux et, par conséquent, se conservait mieux. Mais évidemment il était plus cher.

Il but du lait glacé avec ses tartines chaudes. Assis à la petite table de cuisine, il mangea en feuilletant le journal, qu'il n'avait jamais le temps de lire convenablement le matin. La fenêtre était ouverte, les enfants jouaient en criant entre les immeubles, il faisait chaud, juin approchait. Le journal prévoyait un été exceptionnellement chaud. Comme si c'était un scoop, il faisait plus chaud aussi bien l'été que l'hiver.

Il avala deux grands verres de lait, puis il rinça l'assiette, le verre et la poêle à l'eau bouillante, avant de parcourir les dernières pages du journal et les suppléments. À la rubrique « Travaux chez particuliers », deux menuisiers différents proposaient leurs services. Il pouvait aussi bien téléphoner dès maintenant, il devait y avoir beaucoup d'attente. Il choisit l'annonce du dessus, c'était un numéro de portable.

Dix minutes plus tard, il regrettait amèrement son impulsivité. L'homme, qui s'appelait Ole, était juste entre deux gros chantiers et effectuait des petits travaux. Margido s'était quasiment méfié de ce menuisier qui se proposait de venir chiffrer le travail dès six heures le soir même. Mais Ole avait affirmé que ce serait parfait et Margido, sans aucun enthousiasme, lui indiqua comment se rendre jusqu'à Neshov.

Il allait faire un petit somme dans le Stressless avant d'y aller. Il programma la sonnerie réveil de son téléphone à cinq heures et demie.

Torunn était dans la cour en compagnie d'un étranger qui portait une casquette à l'envers quand Margido arriva. La Volvo était sortie, ils avaient étalé sur le capot différents papiers et les examinaient. Le vieux était assis dans un fauteuil devant la remise, avec une tasse de café et une assiette vide où il restait des miettes, posées sur un tabouret à côté de lui. La cour était à l'ombre, mais il devait bien faire encore vingt degrés.

– C'est qui, ça ? demanda-t-il au vieux.

– Celui qui achète la voiture.

Margido entra chercher une tasse de café et, lorsqu'il ressortit, la Volvo blanche quittait la cour.

– On ne la verra plus, reprit le vieux.

Margido s'adossa au mur près de lui, sentit la chaleur du soleil que dégageaient encore les planches grises. Torunn replia les papiers tout en venant vers eux.

– J'en ai retiré quatre mille cinq cents, dit-elle.

– Pas mal, répondit Margido.

– Mais ça fait un peu drôle, ajouta-t-elle. C'était sa voiture. Il l'entretenait bien.

– Il ne s'en servait sans doute pas beaucoup.

– Seulement quand il allait en ville. Il préférait conduire le tracteur par ici, à Bynes, il pouvait déduire le gazole de ses impôts.

– J'ai donné rendez-vous ici à un menuisier, déclara Margido. On va regarder la grange ensemble.

Au même moment une voiture s'engagea dans la cour. Ole le menuisier, dans une grosse Mercedes qui avait l'air toute neuve.

– Il travaille sûrement au noir, remarqua Torunn. Avec une bagnole pareille.

– Je n'ai pas l'intention de le payer au noir. Ce n'est pas mon genre.

– Si tu lui dis ça, il va tomber dans les pommes !

– Qu'il tombe dans les pommes d'abord, et qu'il travaille légalement ensuite ! C'est celui qui commande les travaux qui décide, conclut Margido.

Mais Ole ne s'évanouit pas. Il sonda les murs en cognant dessus, éclaira à l'aide d'une lampe de poche le long des poutres maîtresses, mesura, prit des notes et écouta les instructions de Margido.

– Ah bon, des cercueils. Ils font quelle longueur ?

– Ça dépend. Mais j'aimerais bien des étagères de deux mètres et demi de profondeur et espacées d'un mètre.

Ça ferait un beau local, fonctionnel. Ole suggéra aussi de fabriquer un plateau monté sur roues qui servirait à transporter les cercueils jusqu'au fourgon, ainsi qu'une rampe qu'il pourrait abaisser et relever. Margido approuva la proposition d'un signe de tête. Cet entrepôt serait beaucoup plus pratique que l'ancien, et en plus il aurait l'occasion de venir ici plus souvent, tout en prétextant l'affairement pour éviter de s'attarder trop longtemps.

Ole calculerait ce dont il avait besoin en matériaux et lui présenterait un devis dès le lendemain.

Sur la route du retour à Flatåsen, Margido eut envie d'appeler Mme Gabrielsen et de se vanter de son efficacité.

Il ne lui téléphona pas mais, quelques secondes seulement après être arrivé à son travail le lendemain matin, il lui apprit, mine de rien, que l'affaire était lancée. Elle réagit aussitôt en disant que Torunn devait être très contente :

– On sera amenées à la rencontrer, nous aussi, quand on ira chercher un cercueil là-bas ! Ce sera sympathique.

Margido ne voulut pas la décevoir en rétorquant que ce ne serait pas forcément aussi sympathique que ça, la ferme était loin de briller par son hospitalité.

– Vous aurez sûrement une tasse de café, répondit-il.

– Oui, j'espère bien ! Les livrets pour l'église d'Ilen sont sur votre bureau.


Les grands arbres autour de l'église d'Ilen formaient un couloir de verdure éclairé par le soleil quand il vint garer la Caprice derrière le bâtiment, une demi-heure avant le début de la cérémonie. Il était plus facile de disposer le cercueil dans la nef avant que ne surgissent les livreurs de fleurs. Comme le défunt n'avait pas de famille, Margido devrait arranger lui-même les compositions florales qu'il espérait voir arriver, au moins de la maison de retraite. Avec de nombreux cierges ce serait beau de toute façon, il n'était pas toujours besoin de quantité de fleurs. Si vraiment il y en avait trop peu, il irait lui-même acheter quelques bouquets.

Le bedeau était en train d'ouvrir la sacristie au moment où il descendit de la Caprice. C'était un homme âgé et serviable, qui l'aidait toujours pour le cercueil, les fleurs et les chandeliers.

Il se retourna vers Margido et cria d'une voix aiguë, presque de fausset :

– La porte a été forcée ! Elle est ouverte !

– Qu'est-ce que vous dites ?

– Est-ce qu'on appelle la police ?

– Attendez un peu ! dit Margido. Il faut d'abord qu'on voie ce qui s'est passé. C'est peut-être quelqu'un qui s'est amusé avec la porte.

Il sentit l'odeur dès qu'il pénétra dans l'église après avoir traversé la sacristie, une odeur de sang. Il était capable de la reconnaître entre toutes. Le bedeau marchait devant et vit le spectacle le premier.

– Mon Dieu ! Mon Dieu ! s'écria-t-il.

Il tomba à genoux dans la nef, joignit les mains et se mit à sangloter. Margido s'arrêta juste derrière lui, cherchant péniblement à saisir l'ampleur de ce qu'il voyait. De ce que c'était.

L'agneau baignait dans une mare de sang, égorgé devant l'autel. Le sang avait servi à dessiner une étoile avec des traits à l'intérieur. L'étoile juive, pensa-t-il. Non, c'était autre chose. Un pentagramme. C'était un pentagramme. À chaque pointe de l'étoile on avait placé une bougie rouge. Elles étaient éteintes, mais elles avaient dû brûler assez longtemps, à ce qu'il voyait. Il se força à observer l'agneau, la tête était presque séparée du corps, renvoyée en arrière en une horrible position.

– Notre Père qui es aux Cieux, que ton nom soit sanctifié... murmura-t-il.

Le bedeau se releva et se mit à secouer Margido.

– Qu'est-ce que c'est ? Comment a-t-on pu... ? Pourquoi... ?

– Je ne sais pas. Je ne sais pas, répondit Margido.

Le bedeau le lâcha en criant :

– Il faut que j'appelle le pasteur !

– Oui, dit Margido. Et ensuite la police. On ne doit toucher à rien.

Il ne parvenait pas à bouger les jambes. Des croix inversées avaient été dessinées sur la nappe d'autel et sur les murs. Des croix rouges, irrégulières, apparemment tracées avec le sang de l'agneau. Il y avait des bouteilles de bière vides au premier plan de la nef, tout près… du pentagramme. La forte odeur nauséabonde du sang était mêlée à des relents d'excréments de l'agneau.

– … que ta volonté soit faite, sur la terre comme au Ciel. Donne-nous aujourd'hui notre pain de ce jour…

On devait célébrer des funérailles ici dans moins d'une heure. Mais c'était impossible !

Il fit demi-tour en fermant les yeux, gagna le fond de l'église, chercha son portable dans sa poche.

Il téléphona au bureau, interrompit Mme Marstad lorsqu'elle voulut exprimer sa propre réaction à ce qu'il avait décrit.

– Il faut trouver une nouvelle église disponible. Louer un car qui attendra ici que tout le monde soit arrivé. Vous allez venir toutes les deux, prendre les fleurs et les emporter à l'autre église. J'appelle l'organiste, il pourra soit nous accompagner, soit mettre l'autre organiste au courant. Essayez d'abord l'église de Havstein, je ne me rappelle pas avoir vu d'avis annonçant un enterrement là-bas aujourd'hui.

Il porta les deux mains à son nœud de cravate et vérifia qu'il était parfaitement serré. Il transpirait énormément, mais il avait du déodorant dans la voiture. Qui donc haïssait Dieu au point de vouloir profaner ainsi une église ? Jésus était mort pour sauver tous les pécheurs dans un acte de charité sans pareil, Dieu avait donné son Fils à tous les hommes.

– Tel un berger il veillera sur son troupeau, il prendra les agneaux dans ses bras et les portera dans son sein, murmura-t-il.

En ressortant de l'église, il rencontra le premier livreur et l'empêcha d'entrer. Il prit lui-même les deux bouquets et alla les poser sur le siège avant de la Caprice.

– Le pasteur arrive, et la police aussi, déclara le bedeau.

Il s'appuya contre le capot. Margido regarda sa main sur la laque noire et brillante, cela lui fit du bien d'observer quelque chose d'aussi bête. Il claqua la portière, se racla la gorge et dit :

– Allons prier ensemble en attendant !

– Où ça ?

– Dans l'église.

Ils s'assirent côte à côte sur la dernière rangée de bancs, les mains jointes. Les voûtes s'élevaient avec élégance au-dessus d'eux. Le bruit atténué de la circulation dans la rue de Kongensgate témoignait du retour à une normalité qu'aucun d'eux ne ressentait pour l'instant.

– Seigneur Jésus-Christ, toi qui as porté tous les péchés du monde, dit Margido.

Le bedeau se joignit aussitôt à la prière :

– … nous te remercions pour cet amour qui est plus fort que la mort. Accorde-nous une part du salut que tu as obtenu par ton sacrifice sur la Croix et ta Résurrection, et montre-nous la voie de la joie éternelle. Amen.

Ils priaient ainsi lorsque le pasteur les rejoignit, suivi quelques minutes plus tard par deux policiers.

– Je trouve cette règle-là complètement idiote !
s'écria Erlend.

– Tu l'as déjà dit cent fois ! Mais ce n'est pas notre
avis à nous, et on est trois contre un, répondit
Krumme calmement.

Il s'essuya la bouche avec sa serviette en papier,
replia celle-ci en un beau rectangle et la glissa sous le
bord de son assiette vide.

Ils étaient attablés à la taverne *Bernikow*, juste à
côté de la rédaction de *BT*, et déjeunaient. Krumme
venait de dévorer une belle assiettée de hareng
mariné, sur du pain noir, et alternait la bière et le
snaps. Erlend, qui s'était pesé le matin même et avait
découvert qu'il attendait probablement lui aussi un
enfant car il avait pris deux kilos en quinze jours,
picorait une salade de la mer. Il s'agissait d'une
assiette de fruits de mer posée sur une autre assiette
avec de la glace pilée entre les deux. En accompagne-
ment il buvait un vin blanc sec comme le désert,
chaque gorgée lui donnait en tout cas l'impression de
traverser le Sahara. Et il avait renoncé à de la focaccia
tout juste sortie du four.

Le champagne faisait grossir, il le constatait amèrement. Aussi envisageait-il de faire un régime extrê-

mement pauvre en calories, dans lequel le Bollinger serait le principal apport nutritif.

– Mais je ne comprends pas le problème ! dit-il du ton geignard dont il savait que Krumme avait horreur.

– Tu ne peux pas arrêter de revenir là-dessus, non ? rétorqua Krumme. Bon, il y a peut-être un peu de superstition là-dessous. Mais on ne doit pas commencer à acheter des tas de choses pour un bébé avant d'avoir la quasi-certitude que la grossesse se déroule bien et qu'elle a toutes les chances d'aboutir. Et on s'est mis d'accord pour attendre la première échographie. C'est incontestablement une bonne règle. Et il reste à peine plus d'un mois maintenant. Ce n'est quand même pas la mer à boire. Ressaisis-toi !

– Je vais essayer.


En réalité, il y allait déjà fort sur les achats, et c'était pour lui un véritable supplice de ne pas pouvoir les montrer à Krumme et aux filles. Il était sur le point de craquer tant il s'extasiait devant tout ce qui remplissait un des placards de son bureau à l'appartement.

Krumme ne les ouvrait jamais, il avait son bureau au journal et, une fois rentré, il avait quartier libre. Mais dans celui d'Erlend à son agence de décoration, c'était le foutoir. Sur sa table de travail, il pouvait, un jour, passer des crânes artificiels à la peinture argentée, et, le lendemain, exposer des vases en verre soufflé de la bande de Gaza. Il ne disposait même pas de son propre ordinateur, les ordinateurs étaient répartis un peu partout et tout le monde y avait accès pour les recherches. L'agence tout entière était un unique et immense atelier, voilà pourquoi c'était surtout Erlend qui utilisait le bureau chez eux, pour veiller sur les dépenses et les recettes et planifier les activités. Et c'était là qu'il conservait les magazines les plus précieux et les ouvrages illustrés sur le design. Ainsi que les copies correspondantes des archives photo de toutes les vitrines qu'il avait réalisées. Il lui arrivait parfois, exceptionnellement, de se piquer une idée à lui-même, s'il séchait complètement…

Désormais un des placards du bas était bourré à craquer de choses achetées sur le Net. À commencer par deux magnifiques sacs à main de maternité Mia Bossi destinés aux filles. Elles pourraient y mettre tout ce dont un bébé avait besoin en fait de couches, de crèmes, de serviettes et de tapis à langer. Le magazine *People and InStyle* en avait fait tout un reportage, tellement c'était le dernier cri.

Et la layette. Seigneur, quand il pensait à ce que serait le sexe des enfants… Car c'étaient surtout des habits de filles qu'il avait dans son placard. Si l'échographie révélait qu'il s'agissait de deux garçons, il serait obligé d'évacuer en cachette plusieurs sacs-poubelle pleins de vêtements design pour bébés filles et de les donner au premier venu qui traverserait la place de Gråbrødretorv en poussant un landau rose. Mais il y avait tellement de choses ravissantes qu'il ne résistait tout simplement pas à la tentation, il n'était qu'un homme après tout ! Des pulls de chez Boboli, et la merveilleuse collection pour bébés de Biscotti. Et Kenzo…

– On est lundi, déclara Krumme. Nouvelle semaine de grossesse. Et tu n'as même pas encore fait le point sur l'évolution des fœtus.

Erlend avala une petite gorgée de vin blanc, avec un frémissement dramatique de tout le haut du corps, avant de répondre :

– Ils mesurent maintenant six ou sept centimètres. Les testicules et les ovaires sont formés.

« Les ovaires, pensa-t-il, mon Dieu ! J'espère qu'il y en a au moins une paire, sinon j'ai jeté à peu près onze mille couronnes par les fenêtres… Jusqu'ici. »

– Et les intestins commencent à se mettre en place, conclut-il.

– Eh bien, c'est bon à savoir, fit Krumme. Les miens sont pleins en tout cas. Au fait, Neufeldt aimerait bien établir son emploi du temps, il faut qu'on appelle Torunn ce soir pour convenir d'une date. Là je dois retourner au boulot.

– On ne peut pas l'inviter à dîner demain soir ? Pas besoin de cuisiner nous-mêmes, il fait une de ces chaleurs. On pourra aller chercher des sushis sur la place de Højbro.

– Je vais le lui proposer. Pourquoi est-ce que tu ne manges pas, d'ailleurs ?

– J'ai des nausées de grossesse.

– Je n'en crois pas un mot. Est-ce que tu t'es pesé ? J'ai vu que la balance était sortie ce matin.

– Oui…

– Elle est fausse.

– C'est vrai ?!

– Absolument, dit Krumme. Elle prétend que j'ai pris trois kilos en autant de semaines, et tout le monde peut constater que c'est un pur mensonge. Tu n'as aucune confiance à avoir en cette balance de salle de bains.

Erlend contempla une seconde le ventre tout rond de Krumme qui butait contre le rebord de la table, derrière son T-shirt sous la veste de lin noire de son costume Armani. C'était difficile d'évaluer s'il avait grossi de trois kilos. Erlend aimait ce ventre à tel point qu'il était incapable de porter un jugement objectif.

– Tu parles sérieusement ? demanda-t-il. On doit peut-être… la régler. C'est expliqué dans le mode d'emploi.

– Ce n'est vraiment pas utile, répliqua Krumme. Je connais bien mon corps… Sustente-toi comme il faut ! Tu es de mauvaise humeur quand tu ne manges pas à ta faim.

Erlend commanda aussitôt une énorme tartine de pâté de foie tiède, surmontée de fines tranches de lard poêlées, et une salade de roquette avec des pignons de pin hachés et grillés. Ainsi qu'une bière et un genièvre frappé.

Il était fatigué et repu en revenant à l'agence. Il n'avait pas non plus de tâche stimulante en vue. Une boutique pour rappeurs et skaters, avec des fringues hip-hop et des sweats à capuche, le genre de vêtements dont il avait horreur, ils souhaitaient refaire la vitrine. Et Bolia Field's voulait quelque chose de pimpant, mais il en avait confié le soin à ses deux assistants, Agnete et Oscar. Des meubles éparpillés dans un local d'exposition de mille mètres carrés, comment réaliser quoi que ce soit de pimpant avec ça ? Les produits de chez Bolia étaient superbes, certes, mais la seule chose qu'on puisse faire, c'était de décorer les différents agencements avec des coussins, des plaids, des lampes et quelques babioles sur les tables. Ses assistants en étaient parfaitement capables.

Il entra dans le local aux accessoires et commença à ranger, c'était une vaine occupation, sans fin. Un jour, il faudrait essayer d'établir une sorte d'aperçu, un système. Un beau jour…

Il souleva les petits papillons en cuivre qu'il avait achetés à Hellerup, quelques semaines auparavant. Personne n'en avait eu l'utilité jusqu'à présent. Ils feraient peut-être bien au-dessus d'un lit d'enfant. Sa petite fille sucerait son pouce avant de s'endormir et, levant vers eux ses yeux bientôt voilés par le sommeil, elle verrait le cuivre capter la lumière du soir et la diffuser dans toutes les directions. Elle s'en étonnerait et en retiendrait la beauté dans son jeune esprit malléable. Eleonora. Voilà comment elle s'appellerait. Mais les trois autres ne voulaient pas entendre parler d'un nom avant le verdict de l'échographie ?

Avant d'avoir décidé tous les quatre de leur progéniture commune, il avait une peur bleue face à tout ce qu'il raterait une fois qu'il serait père. Et même après le test positif de Jytte et Lizzi. Mais maintenant ! Comment allait-il tenir le coup un mois entier jusqu'à l'échographie ?

Ce serait une échographie 3D. Des images en trois dimensions. Qu'il agrandirait au format poster et accrocherait dans la chambre à coucher. En deux exemplaires. Peut-être au double format poster. Et à partir de ce jour-là il pourrait enfin commencer à prévoir. Le prénom. La transformation de la chambre des invités en chambre des enfants. Les vêtements et les accessoires. Le soir même il sortirait tout des placards, ce serait un soir de fête ! Avec un portrait d'Eleonora dans la main. Krumme aurait sans doute un garçon. Il était masculin et déterminé.

Tout à coup il eut un frisson. « Il y a quelqu'un qui marche sur ta tombe », avait coutume de dire sa mère.

C'était tellement fou, tout ça. Un immense bonheur, mais infiniment fragile. Bien sûr, l'un d'eux pouvait perdre son enfant. Voire tous les deux. Krumme pouvait le quitter parce qu'il avait trouvé un autre homme. Ou bien Krumme pouvait mourir. Lui-même pouvait mourir. Il reposa délicatement les papillons en cuivre et s'assit sur une chaise en plastique des années 1950, des fils de plastique tressés jaunes et noirs, en forme d'ellipse enfoncée au milieu, il s'en était servi deux fois. D'abord chez un disquaire, à côté d'un gramophone La Voix De Son Maître. Toute la vitrine était devenue Arts déco, avec des soixante-dix-huit tours et des tentures retenues par des glands à franges. La deuxième fois chez un libraire, pour le lancement d'un ouvrage en dix volumes sur les tendances et les styles depuis le tournant du siècle. Le siècle dernier.

Seigneur ! Il avait quarante ans. Il n'arrivait pas à s'y faire. Que ferait-il si cette montagne de bonheur venait à s'écrouler ? Il n'habiterait évidemment plus dans cet appartement. Pas sans Krumme. Peut-être un atelier dans le Quartier latin à Paris, où il pourrait loger et travailler à la fois ? Ce serait amusant à installer. Il fallait toujours voir le côté positif des choses.

C'est alors que l'idée lui vint.

Bien sûr ! C'était une idée géniale ! Lui-même était un génie. Il se précipita hors du local aux accessoires :

— Agnete ! Oscar ! OÙ ÊTES-VOUS ?

Ils étaient dans le coin repas, où ils buvaient du thé dans de grandes tasses inesthétiques. Il détestait la céramique grossière, mais elles gardaient sans doute bien la chaleur. Agnete et Oscar les avaient apportées de chez eux, ils vivaient ensemble.

— Je sais ! Ce qu'on va faire chez Bolia ! cria-t-il.

— On t'entend, dit Oscar. As-tu découvert des plaids et des coussins d'une couleur jusqu'ici inconnue ? Cette tâche me pompe l'air…

— Je sais ! C'est pour ça que je vous l'ai confiée, parce que ça ne m'inspirait pas ! Mais vous allez voir.

Imaginez une phase de la vie ! Imaginez un homme qui quitte une relation ! Oui, avec une femme. Ce sont surtout les hétéros, malheureusement. Bolia le sait bien aussi. Mais imaginez un gros dur, un macho en fait, qui a vécu à la botte de sa partenaire, lui a obéi au doigt et à l'œil, a tout fait pour elle, et qui se trouve mis à la porte d'une vie, d'un foyer. Pour tout remerciement !

— Cet homme-là a besoin de nouveaux meubles, dit Agnete.

— Exactement ! Et il souhaite se meubler pour se démarquer ! Pour s'afficher ! Signaler son indépendance totale vis-à-vis de cette mégère dominatrice, étouffante, destructrice ! Il veut être libre !

— Il peut aussi se mettre à chialer, rétorqua Oscar. Sombrer dans la déprime. La regretter.

— Évidemment ! Mais de toute façon il faudra qu'il aille chez Bolia acheter des meubles, non ? Dans un état de profonde dépression, ou bien en sautant de joie, il franchira les portes de Bolia Field's, et là, qu'est-ce qu'il verra ?

— Son ex ? Qui achète aussi de nouveaux meubles ? dit Oscar.

— Non ! Idiot ! Il verra bien sûr l'expo que, nous trois, on va créer au beau milieu de ce foutu local démesuré ! Sur une scène surélevée d'un mètre. Un salon ! Pour un homme qui va enfin commencer à vivre sa propre vie !

— Et comment savoir que ce sera le salon destiné à l'homme seul ? s'enquit Agnete.

— Il le verra. Parce que. Du plafond. On suspendra un magnifique décor. À partir d'une photo de mariage.

— Déchirée en deux ? demanda Oscar.

– Presque ! dit Erlend. Tu es sur la bonne voie !
Non, déchirée en deux, c'est un cliché. On trouvera
dans les archives une vieille photo où les deux personnes sont décédées, pour pouvoir l'utiliser. En noir
et blanc. Et on l'agrandira… euh, je ne me rappelle
plus la hauteur sous plafond. Mais disons qu'on
l'agrandira jusqu'à trois fois cinq mètres. Sur du bon
carton. Et puis…

Le thé refroidissait dans les tasses sur la table entre
eux. Ils buvaient maintenant chacun de ses mots.

– Et puis on en fera des confettis. Sous forme de
pièces de puzzle. La photo sera entièrement désa-
grégée, mais on continuera à voir qu'il s'agit d'une
photo de mariage. Les morceaux donneront l'impression de s'envoler, tout comme sa propre vie ! En l'air
au-dessus du salon ! Il s'identifiera d'emblée ! Car
c'est comme ça qu'on le ressent ! Comme un puzzle
compliqué dont on a perdu la vision d'ensemble ! Et
qu'est-ce que cette identification pourra déclencher,
mes petits mignons ?

– L'action, dit Oscar.

– Absolument. Et son regard tombera sur le salon
en dessous. Imaginez tons gris et noirs. Bruts. Revête-
ments grossiers, énormes coussins, lignes pures,
nature. Et sur les murs… Il nous faudra trois murs,
pour donner l'impression qu'on peut emménager tout
de suite. Sur l'un, la moitié d'un canoë, hein ? Coupé
en deux tout du long. C'est chic. Et des cannes à
pêche. Des magazines masculins. Un *Playboy* ouvert,
à moitié sous un coussin du sofa. *Playboy*, ce n'est
plus du tout dans le coup, mais ça, les gens qui achètent à Bolia ne le savent pas. Et Hemingway sur les
rayonnages. Oui ! Et pourquoi pas un pull comme
ceux qu'Hemingway portait toujours ? Un pull
islandais noir et blanc à col roulé. Qui sera jeté négli-

gemment sur un accoudoir. Il faudra aussi un meuble à cigares. Et une bonne paire de boots juste à l'entrée, avec un peu de boue dessus. On devra croire que cet homme-là est venu faire un saut à la cuisine afin de nettoyer une de ses prises. Pour la manger crue ! Il fait ce qu'il veut !

– C'est une idée formidable, s'exclama Oscar. Et son arme ?

– Non, on ne peut pas aller trop loin. Il n'est pas question d'inciter au meurtre, même si la femme était odieuse.

– Vous êtes incroyable, Erlend. Je dois avouer. Ce sera fabuleux !

– Bon, bon… On se met au travail ! L'objectif, c'est de faire en sorte que chaque homme ayant poussé la porte de Bolia éprouve l'indicible envie de vivre de cette façon-là. Ceux qui viendront avec leur femme proposeront de divorcer sur-le-champ. Et les déprimés jetteront les pilules euphorisantes qu'ils ont dans les poches et se précipiteront vers le vendeur le plus proche. N'oubliez pas qu'on devra aussi intro-duire un peu de désordre ! Les femmes ont horreur du désordre. Les hommes aiment ça parce qu'ils ne le voient pas. À ce qu'on m'a dit. Krumme et moi, on est tous les deux ordonnés.

– Une pile de journaux qui s'est écroulée au pied du sofa, peut-être ? suggéra Oscar en regardant Agnete.

– Je déteste ça, dit-elle. Tu peux bien jeter ceux que tu as déjà lus ? Tu n'es pas obligé de collec-tionner tous ceux que…

– Parfait. On mettra une pile de journaux, décida Erlend.

Ils mangèrent les restes du dîner de dimanche tout en regardant le journal télévisé sur le petit écran plat au-dessus de la table de la cuisine. Saltimboccas avec purée de pommes de terre maison. Ni l'escalope de veau, ni la tranche de jambon de Parme n'aimaient qu'on les réchauffe, mais le goût était le même et la purée toujours meilleure le lendemain, quand ils y ajoutaient quantité de noix de beurre. Krumme avait aussi mis un peu de gorgonzola frais sur chaque escalope avant de la placer sous le gril. Erlend lui décrivit avec enthousiasme son idée pour Bolia alors qu'il essayait de suivre les infos. Il se vanta d'avoir laissé à Oscar et Agnete le soin de vendre l'idée à Gitte Sørup, de Bolia Field's :

– Il faut bien qu'ils s'exercent au contact direct avec le client, et avec une idée aussi géniale il est difficile d'échouer. Mais ça donne quand même une certaine confiance en soi.

– J'essaie d'écouter ce qu'ils racontent, Erlend.

– Ne t'en fais pas ! Ce ne sont qu'accidents et misère, tu ne peux pas porter le monde entier sur tes épaules, Krumme. À ta santé !

– Je n'essaie pas, non plus. Mais ça fait partie de mon boulot de me tenir au courant. Et comme un jeune de treize ans vient de tuer ses parents en Fionie, il y a de fortes chances pour qu'on écrive quelques lignes là-dessus demain. Ça ne m'étonnerait même pas qu'on me téléphone bientôt de la rédaction. À la tienne !

– Un jeune de treize ans ? C'est atroce. Imagine que nos enfants fassent la même chose ! Y as-tu songé ?

– Tout ne tourne pas autour de nous deux, petit mulot.

– Si. Entre ces quatre murs au moins. En tout cas pour l'instant.

– Il va falloir qu'on parle avec Torunn après ça.

Elle était à la porcherie quand ils appelèrent. Elle parut surprise. Elle demanda aussitôt si quelque chose allait mal.

– Non, pas du tout ! Pourquoi est-ce que ça irait mal ? Merci, Krumme. On vient tout juste de me mettre un petit expresso et un cognac sous le nez, alors je n'ai pas à me plaindre. Et toi ?

Elle était à l'ouvrage. « Je suis à l'ouvrage… » Pourquoi le disait-elle sur ce ton-là ? pensa-t-il non sans agacement.

– Plein été à Bynes ? J'imagine que la nature est belle.

Oui, effectivement. Presque une vague de chaleur, les producteurs de fraises étaient ravis. Mais Margido avait été confronté à un événement dramatique.

– Oh ? Qui sort de l'ordinaire ? Il suffit de peu de chose pour que ça vire au drame dans la vie de Margido. Une amende de stationnement ? Quelqu'un qui l'a sifflé dans la rue ?

Non, c'était sérieux. Ça avait eu lieu mardi dernier. On en parlait beaucoup dans les journaux, encore presque tous les jours. Elle pensait qu'il regardait peut-être les nouvelles sur le Net, celles de Trondheim par exemple.

– Pas très souvent, non. Je dois le reconnaître.

Alors il fallait qu'il aille sur le site du journal local, on avait découvert un agneau la gorge tranchée devant l'autel dans l'église d'Ilen. Et Margido était un de ceux qui l'avaient trouvé. Il avait un enterrement de prévu là juste après. Mais évidemment la cérémonie avait été déplacée.

– Oh Seigneur ! Lui qui croit en Dieu et tout ça ! Est-ce que ça l'affecte personnellement ? TU ENTENDS, Krumme ? Margido a découvert UN AGNEAU MORT DANS UNE ÉGLISE !

Krumme était sorti sur la terrasse avec son café, il n'entendait pas.

– Il y avait du sang partout ? Des croix tracées à l'envers avec le sang et ce genre de choses ?

Effectivement.

– On a des quantités de cas semblables au Danemark aussi. Bon, pas des quantités, à proprement parler, mais suffisamment pour que… Mais pourquoi n'as-tu pas appelé pour nous raconter ça ? Ça fait presque une semaine.

Les jours filaient. Ils avaient des menuisiers à la ferme aussi. Margido devait installer son dépôt de cercueils ici.

– Dépôt de cercueils ? Est-ce qu'on aura un éternel va-et-vient de cercueils quand on sera là-bas ?

Les cercueils ne posaient pas de problèmes, répondit-elle.

– Ah ? Vraiment ?

Et ça l'aiderait, côté finances, à payer les assurances par exemple.

– En fait, on a pensé venir faire un tour. Les filles viendront aussi. Et l'architecte, bien sûr. Mais ne t'inquiète pas, on ne logera pas à Neshov, on ira à l'hôtel, tu n'as aucun souci à te faire. Et Krumme pourra faire la cuisine. Pas de stress supplémentaire pour toi ! Ça ne fera guère que cinq autres personnes, en plus de tous les porcs !

Il rit, elle ne rit pas.

– On va bien s'amuser, non ? Et puis tu vas aussi rencontrer les filles, ce sont presque tes tantes, hein ?

Elle n'y avait pas pensé. Pas de cette façon.

– Elles en sont maintenant à la treizième semaine. Les intestins commencent à se mettre en place. Oh là là !... pauvre Margido ! Il faudra aussi qu'on l'invite à dîner. Qu'est-ce qu'il dit de ça, lui ?

Pas grand-chose. Il y avait eu un service religieux dans l'église où ça s'était passé, ils avaient repris l'église. C'était comme ça qu'ils disaient.

– Sans doute de méchants petits morveux qui ne savaient même pas à quoi ils jouaient. Mais bon sang, où est-ce qu'ils ont pu se procurer un agneau ? Il n'y a pas de moutons à Ilen ?!

Il avait été volé dans les pâturages du côté de Tømmerdalen. La police avait retrouvé des cordes et du gros ruban adhésif couvert de laine, ils avaient dû s'en servir pour lui attacher les pattes et le museler, et le transporter en voiture.

– Mon Dieu ! C'EST ÉPOUVANTABLE ! Le pauvre petit agneau ! Et ils n'ont pas réussi à mettre la main sur ces idiots ? Ils mériteraient bien qu'on les ligote ensemble de la même façon !

Personne n'avait encore été arrêté. Mais il valait mieux qu'il aille voir sur le Net, elle devait continuer à soigner les porcs.

– Ça t'est égal alors, quand on vient ? Il y a des chances pour que ce soit ce week-end-ci, ou le week-end prochain.

Oui, du moment qu'elle était avertie.

– Ne t'en fais pas ! Ce ne sera pas une visite surprise cette fois.

Ils trouvèrent aussitôt sur Internet tout ce qui avait trait au sacrifice de l'agneau. Margido n'était pas nommément cité, il était seulement « un opérateur de pompes funèbres ». Qui « ne souhaitait pas être interviewé ».

– Je croyais qu'on disait ordonnateur, remarqua Erlend.

– Croque-mort, c'est plus simple, rétorqua Krumme. À mon avis.

– Toujours est-il qu'en pareille situation, il aurait été préférable qu'il ne soit pas croyant. C'est déjà suffisamment terrible de découvrir un agneau dans cet état, mais en plus l'animal qui gît là conspue tout ce en quoi on croit !

– Ça alors ! Tu fais preuve d'une profondeur d'esprit exceptionnelle, petit mulot !

Krumme l'embrassa dans le cou en disant cela. C'était agréable, mais Erlend n'était pas très à l'aise d'avoir Krumme dans son bureau aussi longtemps. Et si la porte du placard s'ouvrait subitement et que la collection d'automne d'Eleonora se renversait par terre ? Ou si Krumme cliquait sur « Favoris »… ?

– Bon, je vais plutôt imprimer ce qu'on a trouvé et on pourra lire ça dans la cuisine. D'accord ? dit-il.

Heureusement son portable sonna au même moment, c'était la rédaction, comme il s'y attendait. Krumme se mit aussitôt à discuter du choix du journaliste qui devrait commenter le meurtre des parents en question, et il sortit du bureau tout en parlant. Erlend rechercha les hôtels de Trondheim et trouva que le *Rica Nidelven* était le meilleur de la ville. Ils avaient de spacieuses suites junior. Les plus grandes suites étaient en duplex, et ils ne resteraient malgré tout pas si longtemps à l'hôtel.

Krumme revint lui dire au revoir avec un baiser.

– J'ignore à quelle heure je vais rentrer. Ne m'attends pas pour te mettre au lit ! À propos, Neufeldt passera nous voir demain, j'ai oublié de te le dire. Bonne nuit, mon chéri !

– Bonne nuit ! dit Erlend.

À la seconde même où la porte de l'ascenseur se referma derrière Krumme, il ouvrit la liste de ses « Favoris » et commença à supprimer différents liens. Il les retrouverait facilement, il n'avait qu'à taper « bébé ».

Kim Neufeldt s'habillait comme un clochard, en dépit de son salaire horaire. Ça faisait peine à voir. T-shirt délavé sans autre forme de personnalisation qu'un paquet de cigarettes replié sous la manche. Mon Dieu, c'était comme ça dans les années 1980 ! On se foutait de tout ! Et ses cheveux n'avaient pas dû voir autre chose que des ciseaux à ongles, ils partaient en tous sens et il y passait sans cesse les mains. Il était hétéro à titre expérimental, d'après ce que Krumme avait fini par lui dire, car il devait toujours lui tirer les vers du nez. Krumme avait horreur des commérages, c'était un défaut auquel Erlend ne réussissait pas à s'habituer depuis les douze années qu'ils partageaient le gîte et le couvert. Les commérages, qui mettaient du piment dans la vie ! D'ailleurs il ne les désignait pas par ce mot-là, il préférait parler de « canal informel de renseignements », ça sonnait beaucoup mieux.

Krumme et Neufeldt s'étaient connus il y avait très longtemps, au cours d'une tournée de reportages qu'ils avaient faite ensemble dans le secteur fermé de Berlin-Est, où Neufeldt, qui y avait de la famille, se faisait ouvrir les portes. D'habitude c'était Krumme lui-même qui connaissait les gens ayant la moindre porte d'entrée dans le monde du design.

Krumme avait dit que Neufeldt était hétéro dans huit cas sur dix et qu'il changeait constamment de partenaire. Krumme avait dû jurer sur la tête de sa défunte mère que jamais, à aucun moment, pas même jadis à Berlin-Est, il n'avait laissé Neufeldt tripoter son corps. Mais Erlend les imaginait très bien, au sein de cet environnement lugubre, sous l'oppressante surveillance de la Stasi, se rapprocher l'un de l'autre pendant la nuit, dans une horrible chambre d'hôtel, afin de trouver soulagement et réconfort dans la débauche corporelle. Krumme prétendait que c'était uniquement dans l'imagination d'Erlend. Comme si l'imagination ne comptait pas.

Ils étaient installés sur le toit-terrasse et mangeaient des sushis. Neufeldt voulait de la bière au lieu du Bollinger, même si Erlend affirmait qu'ils n'avaient pas de bière japonaise chez eux, seulement de la Carlsberg ordinaire.

Le bruit de la place de Gråbrødretorv s'élevait jusqu'à eux, un brouhaha de voix joyeuses depuis toutes les terrasses de restaurant. En face, chez *Peder Oxe*, des gens fumaient debout, en attendant une table. C'était plein partout, et les touristes n'étaient pas les moins nombreux. Erlend jetait de rapides coups d'œil à la braguette de Neufeldt, elle avait l'air creuse. Presque vide. C'était une consolation. Quel âge pouvait-il avoir ? Cinquante ans ? Il était presque impossible de lui donner un âge, probablement parce qu'il s'habillait avec autant de négligence. Des culottes de cycliste et des sandales usées ! Il pourrait au moins s'offrir un beau bermuda kaki tombant juste en dessous du genou, les siens étaient horriblement laids et décharnés. Erlend avait lu quelque part qu'un genou était quelque chose d'hyper compliqué, au nombre incalculable d'os et de tendons qui travaillaient ensemble, et là il en avait la démonstration. Les makis avaient beau fondre dans la bouche, c'était tout juste si ça ne lui coupait pas l'appétit. Il rentra chercher une autre bouteille de Bollinger, et Krumme le suivit pour prendre les photos qui se trouvaient dans sa mallette.

– Heureusement, j'ai pris des photos des silos quand on était là-bas, déclara Krumme en les étalant sur la table. Tout le monde était affligé et choqué, mais je me suis éclipsé avec mon appareil.

– Bon sang, comme j'étais soulagé quand tu m'as dit ça dans l'avion au retour ! Que tu n'avais pas complètement perdu la vision des choses ! dit Erlend.

Neufeldt tira les photos à lui et sortit en même temps le paquet de cigarettes de sa manche. Il ne ressemblait pas à Jack Nicholson dans *Vol au-dessus d'un nid de coucou*, si c'était ça qu'il s'imaginait. Pas à James Dean non plus.

– Quelqu'un en veut ?

– Oui, volontiers ! dit Erlend.

C'étaient des Marlboro Light.

– Ils ne sont pas très grands, remarqua Neufeldt.

– Six mètres de diamètre à peu près, dit Krumme. Et assez hauts pour trois niveaux. La zone intermédiaire…

– L'aire de stockage, rectifia Erlend.

– … donne aussi plus d'espace.

– Hum… Ce serait amusant de les ouvrir verticalement. Comme c'est un cercle, ça augmenterait énormément la surface habitable, dit Neufeldt.

– Que voulez-vous dire ? demanda Erlend.

– Les couper tous les deux de haut en bas. Peut-être en deux ou trois endroits chacun, fendre et écarter la paroi, disons de deux mètres, et insérer un épais vitrage isolant. Deux endroits par silo accroîtraient la circonférence de quatre mètres, trois endroits de six mètres.

– C'est une idée incroyable ! s'exclama Erlend.

Il se représenta aussitôt de hautes colonnes de verre qui coupaient et ouvraient les parois.

– Mais, c'est faisable ? ajouta-t-il.

– Tout est faisable. Tout. C'est seulement une question d'argent. Et d'autorisation.

– Vous savez, dit Erlend. En bas, à *La Tortue*... oui, c'est un charmant café-restaurant juste ici, sur la place...

– Je sais où c'est, rétorqua Neufeldt. Je suis de Copenhague. Ils font une merveilleuse soupe aux langoustines.

– Oui, bien sûr. Seulement je pensais que... comme vous voyagez beaucoup...

– Mais quel est le rapport entre les tortues et les silos ?

– Il y a des tas d'inscriptions sur les murs, et il m'est soudain venu à l'esprit qu'il y en a une, entre autres, qui dit que...

– « Une grande politique architecturale nécessite quantité de bulldozers. » Je l'ai vue, dit Neufeldt.

Erlend remplit son verre à ras bord et en but la moitié.

Peut-être devrait-il mentionner que c'était lui-même, et lui seul, qui avait réalisé tout l'appartement ? Que c'était pratiquement un simple grenier quand ils l'avaient acheté ? Qu'il avait lui-même décidé de l'emplacement des cloisons, de la disposition des pièces, de toute la déco intérieure, des solutions pour la hi-fi, de la cuisine à l'italienne ? Et mentionner aussi l'énorme travail pour faire en sorte que les motifs des parquets industriels se fondent entre eux en passant d'un salon à l'autre ? Que le prix du mètre carré ici était strictement le même que celui des appartements de rêve de la rue Adelgade, conçus et décorés par Philippe Starck ?

Si Neufeldt demandait les toilettes, allait-il ignorer celles des invités et lui montrer directement la salle de bains ? Il ne manquerait pas de faire un commentaire sur l'aquarium, et ce serait l'occasion toute trouvée de lui dire que lui-même n'était pas complètement à côté de la plaque pour la rénovation des silos. Ça l'agaçait énormément de ne pas avoir eu l'idée d'écarteler les silos.

— On n'aura sûrement pas besoin de bulldozers, reprit Neufeldt. Mais on devra échafauder autour des silos une structure solide, qu'on contrôlera nous-mêmes. Alors on hissera simplement les morceaux à leur place… des colonnes arquées en béton, pour ainsi dire, et on montera les panneaux de verre dans les intervalles. J'ai également songé à prolonger l'idée de transparence. Dans les sols entre les niveaux.

— Qu'entends-tu par là ? demanda Krumme.

— D'épais sols de verre. Laissant passer la lumière. Tout doit tourner autour de l'air et de la lumière. On doit ouvrir.

Erlend ravala sa salive.

— C'est génial, murmura-t-il. Ça me rappelle un peu l'*Hudson Bar*, à New York. Vous y êtes allé, bien sûr ?

144

– Bien sûr, répondit Neufeldt.

Il changea de position sur sa chaise, si bien que ses genoux offraient le plus beau cours d'anatomie.

– Parquet de danse en verre éclairé par en dessous, dit Erlend. Starck est formidable.

– Éclairé par en dessous, ce n'est pas la même chose que transparent, objecta Neufeldt.

– Naturellement. Vous le connaissez ?

– Philippe ?

– Oui.

– On n'est pas très amis. C'est un voleur à moitié éduqué qui propose des solutions évidentes à des gens qui ne savent pas comment dépenser leur argent. Il fait des combinaisons abracadabrantes et les gens achètent ses idées. Une baignoire dans la chambre à coucher surmontée d'un lustre en cristal. Un enfant est capable de les mettre ensemble ! Un sofa design unicolore avec une table en rondins devant ! Atroce.

Erlend hocha la tête. Il comprit qu'il devait marcher sur des œufs. Et qu'il était préférable que Neufeldt ne déboule pas dans la cuisine, où il verrait les chaises Cheap Chic de Philippe Starck autour de la table.

– Transparent, c'est bien, dit Erlend.

Il vida le reste de son verre et tendit la main vers la bouteille.

– Je considère cette besogne comme une petite pause qui peut m'apporter l'inspiration entre de plus grandes missions. Et puis c'est un service entre amis !

Neufeldt lança un sourire à Krumme. Erlend but.

– En outre, j'adore la Norvège, mais je n'y ai jamais rien réalisé. Il est vrai qu'ils ont beaucoup d'architectes de talent. Snøhetta, par exemple, ils font partie de l'élite mondiale.

– Tu nous accompagnes à la ferme ? Ce week-end-ci, ou le week-end prochain ? demanda Krumme.

– Le week-end prochain sera parfait, répondit Neufeldt.

– Alors c'est décidé, dit Krumme. Ça sera super, Kim !

– ÇA NE SERA PAS SUPER ! hurla Erlend.

La porte de l'ascenseur venait de se refermer derrière Neufeldt, une heure plus tard. Sans qu'il soit passé par la salle de bains d'abord.

– Mais comment ça, petit mulot ? Ça ne sera pas super ? Pourquoi pas ? Plus grande superficie et sols en verre ?

– Ça ne sera pas super qu'il vienne avec nous là-bas ! Je le déteste !

– Tu es seulement jaloux…

– Ça aussi ! Mais il m'a écrasé ! Il n'a pas dit UN SEUL mot de notre appartement. Ce n'est pas un peu bizarre, non ? Et J'ADORE Philippe Starck ! Maintenant, tout d'un coup, je ne peux plus mentionner son nom ! Et tu as vu ses GENOUX ? On annule toute l'opération ! On réussira bien nous-mêmes à scier en deux les fichus silos et à y insérer du verre !

– Ressaisis-toi ! dit Krumme.

Il passa les bras autour de lui et posa la tête sous son menton.

– Il s'agit seulement de deux génies dans le même sac, poursuivit-il. Je comprends que tu trouves ça difficile, chéri ! Tu es un génie, Erlend. Il s'en rend compte. C'est pour ça qu'il ne fait pas de commentaire sur l'appartement. C'est pour ça que tu réagis de cette façon.

– Tu crois… ?

Erlend prit Krumme dans ses bras.

– Et je trouve que les rondins polis font de belles tables basses… ajouta-t-il.

– Tu pourras prendre en main toute la décoration, petit mulot. Kim est architecte, pas architecte d'intérieur.

– Ça, je veux le voir pour le croire. Que *Kim* ne donnera pas tout un tas de lignes directrices…

– Si je te connais bien, tu as déjà commencé à aménager, dit Krumme.

– Exactement !

Il lâcha Krumme et courut sur la terrasse chercher son verre.

– Ce n'est pas évident, par exemple, de meubler des murs courbes ! continua Erlend. J'ai imaginé le faire avec des livres, les livres créent toujours une certaine intimité, même si on ne les lit pas.

– Je les lis.

– Mais ceux-là, tu ne les liras pas.

– Que veux-tu dire ?

– J'ai pensé aller à la Bibliothèque nationale prendre des photos des rayonnages. De belles étagères où les dos des ouvrages sont en cuir, les titres en lettres d'or, peut-être un tantinet désordonnées, sinon j'y mettrai moi-même un peu de désordre. Quelques journaux, une longue-vue, un ours en peluche assis dans un creux avec des livres de chaque côté. Et je transformerai tout ça en papier peint. Peut-être en noir et blanc, je ne me suis pas encore décidé. Et on collera les rayonnages sur les murs ! Et pour les enfants, j'ai pensé au papier peint à partir des rayons d'une boutique de jouets. Forcément en couleurs. Qu'en dis-tu ?

– Erlend. Mon Erlend à moi. Tu dépasses Kim Neufeldt de loin. Je t'aime. Ce sera magnifique. Tout simplement magnifique.

Erlend n'insinua pas le moins du monde qu'il avait directement piqué l'idée dans un des appartements de la rue Adelgade réalisés par Philippe Starck.

Il faisait déjà vingt degrés quand elle se leva, à six heures et demie. Elle ouvrit aussitôt les fenêtres de la cuisine et les deux portes qui donnaient sur la cour, avant de mettre la bouilloire en route. Un bourdon entra en trombe dans la pièce, fonça droit sur son épaule nue, changea brusquement de cap et poursuivit son vol vers le salon. Elle le suivit et ouvrit toutes les fenêtres là aussi. Le soleil, impitoyable, montrait la poussière et l'usure ; la désolation. Elle resta debout devant une des fenêtres. Une longue file de canards volait en cancanant, au ras de l'eau, en direction de Børsa. Pourquoi communiquaient-ils en vol ? Pour se maintenir dans le rang ou pour discuter de la destination ? Le fjord était bleu et parfaitement calme, un fjord où il ferait sans doute bon se baigner, elle était déjà moite de sueur, mais elle attendrait d'avoir fini à la porcherie pour prendre une douche.

Ils se baignaient, à Øysand, des gens dont la vie n'avait rien d'exceptionnel. Kai Roger y était allé avec Borat, qui s'en était donné à cœur joie avec le varech, le bois flotté et les enfants qui voulaient jouer avec lui. Kai Roger voulait aussi y emmener Torunn ce soir-là, après avoir soigné les porcs. Pour lui, ça n'avait pas de sens de se mettre au lit si tôt, il lui parla des nuits d'été perdues à dormir, des beaux couchers de soleil. Ils pourraient faire un barbecue, elle pourrait boire quelques bières et il la reconduirait ensuite.

Pourquoi s'obstinait-il à ce point ? Ne pouvait-il pas effectuer le travail pour lequel il était payé, et la laisser tranquille ? Elle ne voulait aller nulle part, elle ne voulait rien voir d'autre, elle ne voulait pas penser, c'était à peine si elle écoutait la radio, et les journaux qu'elle achetait, elle les feuilletait rapidement, presque par devoir, avant de les donner au grand-père. Elle ne voulait pas se promener sur une plage, elle ne voulait pas aller en ville ou à Heimdal manger une pizza ou boire une bière à la terrasse d'un café. Elle voulait remplir ses obligations à la ferme, faire les courses à la coopérative et, le restant de la journée, essayer de dormir. Ils s'acharnaient aussi à Oslo. Sigurd, un des vétérinaires, lui avait téléphoné à plusieurs reprises pour savoir comment elle envisageait l'avenir et sa participation à la clinique. Elle disait seulement qu'elle ne savait pas, elle n'éprouvait pas le besoin de partager ses réflexions avec lui. La dernière fois qu'il avait appelé, il s'était énervé et avait affirmé que cela « ne lui ressemblait pas ». « Mais à qui je ressemble ? » avait-elle répondu, et alors Sigurd avait lui aussi commencé à parler de temps, qu'il allait lui en donner davantage. Qu'est-ce qu'ils entendaient tous par là ? Chaque journée était pareille à la suivante ! Le temps n'y était pour rien, au contraire. Le seul avec qui elle avait été contente de parler un moment, c'était Gunnar, son beau-père pendant toutes ces années, calme et rassurant, qui avait toujours fait face aux nombreuses lubies et sautes d'humeur de sa mère. Entendre sa voix, c'était comme sentir la chaleur d'un cognac au creux de l'estomac, la tranquillité où elle trouvait un répit, jusqu'à ce qu'il se mette à parler du bébé que lui et sa nouvelle compagne attendaient, la discussion en fut gâchée. Elle n'avait pas le courage de parler d'enfants, elle pensa tout de suite à l'âge qu'elle avait, à son corps qui n'avait pas servi. Elle coupa net la conversation en prétextant qu'elle avait quelque chose à faire, elle ne se rappelait plus quoi, si ce n'est qu'elle avait dit que c'était urgent. Il n'avait pas rappelé depuis.

Margido avait pris l'habitude d'apporter les journaux chaque fois qu'il venait voir où en étaient les travaux du dépôt de cercueils, le grand-père se les accaparait et voulait s'asseoir dans la cour. Il pouvait passer des heures entières, à l'ombre, à lire de vieux journaux. Elle lui enviait sa placidité, l'absence de responsabilité que lui conférait son grand âge. Les visites régulières de Margido étaient devenues des rayons d'espoir dans l'existence du grand-père, mais pas dans la sienne. Il affirmait qu'il priait pour elle. C'était tout juste si elle ne le priait pas d'aller se faire foutre chaque fois qu'il disait ça, souvent en vitesse au moment de repartir, comme une formule d'adieu.

Priait ? Qu'est-ce qu'elle en retirait, bon sang ? Est-ce que ça l'aidait quand dans son lit, vers deux ou trois heures du matin, ses pensées tournaient en boucle à propos de la ferme et de la responsabilité, du regard insistant de Kai Roger sur elle, lourd de promesses, de l'idée folle que serait d'accepter ses avances ? Quand elle se réveillait et se demandait si c'était possible de se réveiller quand on était harassé de fatigue ? Il avait dit que c'était maintenant à elle de décider à quel moment ils s'assiéraient ensemble à la table de la cuisine pour étudier tout l'aspect financier, pour savoir comment procéder. Il n'y aurait qu'à

téléphoner au notaire de la famille et celui-ci se join-
drait à eux. Elle n'avait pas eu la force de lui dire
qu'elle était déjà en train d'éplucher le tas de factures
de son père.

– On a recours à Maître Berling depuis l'époque
où le grand-père Tallak vivait encore, avait dit Margido. Il était alors frais émoulu et indocile, mais c'est
devenu un homme sage et réfléchi. Il a tout réglé
quand Tor a officiellement repris la ferme à la suite
du vieux. On ne peut pas repousser l'affaire beaucoup
plus longtemps, Torunn.

Il refusait de discuter avec elle de cette histoire
d'agneau dans l'église. Il l'avait simplement
informée en quelques mots que c'était lui qui l'avait
découvert. Lui et un bedeau. Elle l'aurait appris de
toute façon lorsque ses deux employées,
Mme Gabrielsen et Mme Marstad, viendraient chercher des cercueils s'il était lui-même pris par un
enterrement.

Néanmoins, il était évident que ça l'avait marqué.
Et marqué sa foi. Il avait les traits plus figés, le ton
moins haut. Il croyait sûrement qu'elle était stupide.
Qu'elle ne comprenait pas qu'il fallait lutter pour pardonner une chose pareille. Il devrait prier pour ces
insensés qui avaient fait ça, garrotté et enfermé un
agneau dans un coffre de voiture. Quelle angoisse
indicible ce petit animal n'avait-il pas dû éprouver ?
Avant qu'on ne le retire de là, qu'on le jette par terre
et qu'on l'égorge ? À la manière dont les musulmans
tuaient les bêtes. Elle n'en avait rien dit à Margido,
mais elle ne croyait pas non plus que c'étaient les
souffrances de l'agneau qui l'avaient marqué en premier lieu.

Elle retourna dans la cuisine. La bouilloire électrique s'était calmée, la vapeur sortait du bec verseur, la petite lampe rouge était éteinte. Elle mit du café soluble dans une tasse et versa de l'eau dessus, elle n'avait pas envie de manger. Elle scruta son café, la poudre s'agglutinait contre les parois de la tasse au lieu de se dissoudre dans l'eau bouillante. Café dégueulasse.

Elle entendit les pas du grand-père dans l'escalier, les deux pieds sur la même marche avant de passer à la suivante. Il descendait bien tôt, mais la canicule devait l'affecter lui aussi. Depuis combien de temps n'avait-il pas pris de douche ? Elle serait obligée de changer ses draps plus souvent par cette chaleur, s'il se douchait si rarement. D'ailleurs ça séchait bien de ce temps-là, elle devrait tout laver dans la maison. Elle devrait fourrer cette foutue ferme tout entière dans le lave-linge.

– Bonjour, dit-elle. L'eau vient juste de bouillir. As-tu envie de t'asseoir dehors ? Qu'est-ce que tu veux sur ton pain ?

– Dehors, oui. De la confiture.

Elle avait acheté quatre chaises blanches en plastique à la coopérative pour mettre dans la cour, mais jugé que ce serait trop cher d'acquérir des coussins en plus. Au lieu de ça, elle avait trouvé quatre paires de vieux rideaux dans l'armoire d'une des chambres et les avait posés sur les chaises, pour éviter le contact de la peau qui transpirait et du plastique chaud. Elle avait découvert une vieille table de ferme dans la grange, et l'avait tirée jusque dans la cour. Le grand père avait expliqué que cette table restait dehors tout l'été autrefois. Elle était toute grise. Le plateau était constitué de larges planches qui bougeaient un peu au niveau des joints sur toute la longueur. Elle ignorait ce qu'il voulait dire par « autrefois ». Quand il était lui-même enfant ? Elle ne savait rien de sa vie, elle était seulement au courant de la vie qu'il n'avait pas eue, et encore, à peine.

Il prit une poignée de journaux dans le salon.

– Tu les as lus, ceux-là, dit-elle.

– Pas entièrement.

Il passa devant elle pour sortir et elle remarqua qu'il sentait la sueur aigre, elle eut envie de frapper. Elle prit le pain et en coupa une tranche, qu'elle beurra de margarine qui avait passé toute la nuit sur le plan de travail. Elle était devenue presque liquide et d'un jaune foncé, et elle imbiba le pain en profondeur. Il restait de la confiture d'Anna Neskov au sous-sol. C'était peut-être ainsi qu'on trompait la mort et qu'on prolongeait la vie, pensa-t-elle, en faisant une telle quantité de confitures que les gens étaient obligés de se goinfrer de vos efforts pendant des années encore.

Le grand-père était déjà installé sur une chaise blanche au siège couvert d'un rideau à fleurs mauves, lorsqu'elle lui apporta son café et sa tartine. Elle entendit l'agitation dans la porcherie. Les porcs avaient chaud et s'impatientaient. Elle aérait constamment, mais la porcherie était vieille et sans système électrique de ventilation. Et comme les porcs n'avaient pas la possibilité de transpirer autrement que par le groin, c'était pénible pour eux en ce moment. Kai Roger s'était moqué d'elle quand elle lui avait raconté qu'au plus chaud de la journée elle allait voir les truies et leur passait un torchon mouillé dessus. Les porcelets supportaient bien la chaleur, ils s'allongeaient et prenaient la vie du bon côté. Ils n'avaient pas non plus à traîner un corps de deux ou trois cents kilos.

– Ça ne fera que davantage de boue dans les loges, Torunn. Et plus de travail pour nous deux. Comme tu aères, les truies résistent sans problème, elles se couchent, elles sont capables de sentir qu'il fait trop chaud pour bouger.

Mais alors qu'elle-même transpirait comme un porc, elle ne pouvait s'empêcher de penser que ses bêtes vivaient enfermées. Et les truies, immobiles, clignaient des yeux quand elle leur posait le torchon mouillé sur les épaules, avant de le faire glisser vers l'arrière-train puis, pour finir, de l'essorer juste derrière les oreilles. Lorsqu'elle enlevait le torchon, elles grognaient tout bas comme pour la remercier, elle ne savait pas, c'était peut-être idiot, bien sûr, de s'imaginer qu'elles disaient merci.

– Ça ferait du bien, un peu de pluie, déclara le grand-père.

– Ils ont prévu que l'anticyclone reste stationnaire un bon moment.

– Je sais. C'est marqué dans le journal, dit-il.

– Les Danois viennent le week-end prochain. Ils ont téléphoné il y a quelques jours.

Elle pouvait aussi bien l'annoncer maintenant, juste avant que Kai Roger n'arrive, elle évitait ainsi de devoir broder autour d'une visite dont elle ne savait pas grand-chose, mis à part qu'un architecte viendrait aussi. De même que « les filles », comme les appelait Erlend. Ou « les tantes ». Était-il possible d'être bête à ce point ? Croyait-il réellement qu'elle les considérerait comme des tantes ?

– Les Danois ? dit-il.

Il la regarda en plissant les yeux. Peut-être qu'Erlend pourrait le raser quand il viendrait.

– Erlend et Krumme. Et les deux filles enceintes.

– Ah oui, celles-là.

Il ouvrit non sans peine un des journaux.

– Et un architecte. Ils ne logeront pas ici. Mais ils mangeront probablement, je n'en sais rien.

– Il avait bien cuisiné. Le Danois. À Noël.

– Oui, il est bon cuisinier.

– Qu'est-ce qu'ils vont faire ? Le week-end prochain ? demanda-t-il.

La confiture lui dégoulina sur le menton.

– Voir la ferme. Les silos. Ils doivent les aménager. Ils en ont parlé la dernière fois.

– Ça sent l'acide formique. Impossible de vivre là-dedans.

– L'odeur finira sûrement par disparaître. À force de nettoyer. Et à propos de nettoyage, tu n'aurais pas besoin d'une douche, toi aussi ?

Il ne répondit pas. Et Kai Roger arriva dans la cour, gara la voiture, ouvrit la portière côté passager, laissant le chiot sauter à terre et se précipiter vers eux.

– Voilà ton admirateur, dit-il.

Elle ne chercha pas à savoir à qui des deux il faisait allusion, le chiot ou Kai Roger.

– Dis-moi, tu n'as jamais été amoureux de quelqu'un ? demanda-t-elle.

Kai Roger farfouillait sur la banquette arrière de la voiture. Le grand-père se racla la gorge et la regarda droit dans les yeux.

– Si, répondit-il.

Il écarta les narines, inspira par à-coups, comme s'il allait éclater en sanglots.

– Je ne voulais pas… ! s'empressa-t-elle de dire. Tu ne dois pas…

– Quel temps extraordinaire ! s'exclama Kai Roger.

Il vint à leur rencontre, un os à mâcher pour le chiot à la main. Le grand-père renversa la tasse en voulant attraper ce qui restait de sa tartine. Il ne dit rien, retira sa main en tremblant et resta assis, les yeux fixés sur le café qui s'infiltrait dans le bois poreux.

– Je vais t'en chercher un autre, dit-elle.

– Non.

Kai Roger se dirigea vers la porcherie, le chiot sur ses talons.

– Excuse-moi ! murmura-t-elle. Je ne voulais pas te… Excuse-moi !

Elle prit la tasse et rentra lui faire un nouveau café. Lorsqu'elle le posa sur la table devant lui, dehors, il serrait les mains entre ses genoux et baissait la tête.

– Qu'est-ce qu'il y a ? Tu te sens mal… ?

– Non, fit-il d'un ton sec.


– Ça doit être dur de vieillir, dit Kai Roger à l'intérieur de la porcherie. Faire des taches, comme ça. Et sans doute en avoir honte.

– Oui.

Elle lui ferait un bon repas aujourd'hui. Des boulettes de viande qu'elle préparerait elle-même, avec des petits pois à l'étuvée. Même s'il faisait chaud et qu'en fait elle avait prévu des biscottes avec du lait battu et de la confiture. L'idée de dîner seule avec lui la rebutait. Elle mettrait la radio assez fort, ou ferait semblant d'envoyer des SMS tout en mangeant. Il faut dire que la table était si petite, ils étaient assis tout près l'un de l'autre. Elle pourrait peut-être proposer de dîner dehors sur la grande table, ce qu'ils ne faisaient jamais.

– Borat est formidable, déclara Kai Roger. Il comprend tout. Mais ça ne se serait sans doute pas si bien passé si vous ne m'aviez pas appris tous ces bons exercices pour les chiots.

Les porcelets se ruèrent sur leur nourriture, mastiquèrent les granulés la bouche ouverte, en se lançant des regards gloutons, se bousculant, se chamaillant, la queue en tire-bouchon frémissante, leurs petits pieds pointus enfouis dans la paille trempée d'urine.

– Je vais ouvrir tout ce qu'il y a de fenêtres et de portes aujourd'hui, dit-elle.

– Et puis ils auront droit à leur trempette au milieu de la journée, ils n'attendent que ça !

– Seulement les truies, rétorqua-t-elle.

– Vous devriez essayer de donner une petite douche aux porcelets. Faire une pataugeoire !

– Je les imagine !

– Vous auriez vu Borat hier soir sur la plage…

Elle laissa ses mots lui effleurer les oreilles, sans écouter, souriant un peu quand il souriait. Elle savait que, quoi qu'elle dise sur la psychologie canine, il serait impressionné. Quand le flot de ses paroles toucha à sa fin, elle déclara machinalement :

– Un chien fonctionne en partant d'un seul principe : « Que puis-je faire à cet instant qui soit à mon avantage ? » Une fois qu'il a compris qu'il tire profit du fait que vous soyez content de lui, vous pouvez le mener par le bout du nez. Vous êtes doué.

– Vous croyez ? Ce n'est pas une graine de voyou que j'essaie d'éduquer ?

– Quand il sera pubère, vers l'âge de six mois, il aura oublié tout ce qu'il a appris, et là vous aurez du mal avec lui. Il faudra lui signifier très clairement qui commande, c'est extrêmement important. En outre les labradors sont des bombes pleines d'hormones, avec un appétit sexuel époustouflant. Mais du moment que vous le savez, vous agissez en conséquence.

– Il s'active déjà sur le tapis de son panier ! dit Kai Roger.

– Ça, il a le droit de le faire. Mais vous ne devez jamais le laisser se frotter à la jambe de votre pantalon. Même s'il est petit et mignon, et que c'est amusant pour l'instant.

– Il a déjà essayé, oui.

– Vous devez lui opposer un non catégorique, il ne faut jamais accepter ça. En fait c'est un signal de domination de sa part, bien qu'il soit si jeune qu'il ne s'en rende pas compte. Il agit par instinct, et les instincts savent que c'est la domination. Il aura l'air tout penaud quand vous le réprimanderez, mais ne vous en faites pas !

– Ça ne vous manque pas de travailler avec des chiens, Torunn ?

– Je m'occupe de la litière de tourbe et vous allez chercher la paille, d'accord ?

– Vous n'avez qu'à faire une demande de changement d'exploitation et démarrer un chenil ! Je peux vous aider !

– Je n'ai pas envie de parler de ça. Il fait trop chaud.

Le grand-père avait ramassé les journaux tombés par terre lorsqu'ils ressortirent de la porcherie et que Kai Roger s'en alla. Elle aurait pu se débrouiller sans lui, au fond. Du moins un jour comme aujourd'hui, sans sevrage ni truies en chaleur, sans porcelets morts étouffés ni petits pieds écrasés par une énorme mère. Et les blés étaient en épis dans les champs, elle n'avait pas non plus à s'en tracasser. Le grand-père lisait, comme si de rien n'était.

– Je vais commencer à mettre un peu d'ordre dans le bureau de mon père, dit-elle.

Il ne leva pas la tête.

– À moins que j'aille faire des courses d'abord. As-tu besoin de quelque chose ?

Elle ne lui avait jamais posé la question auparavant. Il leva brusquement les yeux, les baissa aussi vite et secoua la tête.

– J'ai pensé faire de bonnes boulettes de viande pour le dîner, ça te plairait ? Avec des petits pois à l'étuvée.

Il acquiesça.

Elle achèterait également un berlingot de crème caramélisée et une bouteille de sauce au caramel. Et les journaux, *VG* et *Dagbladet*.

– J'ai aussi pensé qu'on pourrait manger dehors aujourd'hui.


Après avoir rangé les provisions, elle pénétra dans le bureau de son père et ouvrit la fenêtre pour que le grand-père puisse voir qu'elle était là. À la coop, elle avait récupéré une pile de cartons de bananes vides.

La garniture crevée du siège de la chaise de bureau laissait voir le rembourrage, la table de travail était couverte de papiers. Il y avait partout des traces de doigts sales, sur les feuilles et les enveloppes. Mais cette fois, elle était préparée. Elle était déjà venue à la recherche des factures impayées et elle avait découvert son tas d'enveloppes dans un tiroir. Quand elle avait vendu la Volvo, c'était Røstad qui avait tout eu, jusqu'à la dernière couronne. Elle commença à dégager des étagères, des piles du *Journal des agriculteurs*, de *La Nation* et du *Bulletin paroissial*, des prospectus de la coop, des dépliants de la Guilde, d'Eidsmo et de Norsvin. Elle eut tôt fait d'en remplir deux cartons. Elle ne toucha pas aux deux classeurs marqués « Service d'hygiène », elle ne savait pas quoi en faire, Kai Roger était davantage au courant de ce qu'ils contenaient. Il les emportait parfois dans la cuisine et il les lui montrait et commentait tout en remplissant différents imprimés. Elle savait que c'était du bluff, ils ne répondaient plus aux nouvelles normes et l'abattoir achetait les porcs de Neshov au cours le plus bas précisément pour cette raison-là. Les porcs étaient magnifiques, mais personne ne retournait les imprimés et ça n'arrangeait pas la situation. D'ailleurs ils livraient si peu de bêtes que ça ne faisait pas de grosses sommes de toute façon. Elle pensait que Kai Roger, en sortant ostensiblement ces classeurs, n'avait pour seul objectif que de lui apprendre comment le système fonctionnait.

Quand il fonctionnait.

Elle tira un autre classeur dont tout le contenu tomba par terre. Il s'agissait de coupures de journaux qui n'avaient pas été perforées, mais simplement glissées dans le classeur. Elle s'accroupit et y jeta un rapide coup d'œil. D'après ce qu'elle pouvait voir, tout avait trait aux porcs et à l'élevage porcin, et les dates écrites à la main au-dessus des articles lui indiquaient qu'il avait rassemblé ces documents à l'époque où il avait arrêté la production laitière pour se lancer dans les porcs.

L'époque où Anna Neshov avait décidé que Tor devrait se mettre à élever des porcs.

Il avait gribouillé çà et là, et souligné certaines choses. « Gestion de la reproduction », « programme de sélection », « production porcine moderne ». Avait-il vraiment eu des ambitions ?

Un article traitait de l'enregistrement de l'abattage par Internet, qui donnait droit à un bonus d'une couronne par kilo de viande. Elle imagina son père en train de le lire, puis de le découper soigneusement dans le journal et de se dire qu'il devrait acheter un ordinateur, se familiariser avec les nouvelles technologies. Acheter un ordinateur, avec quoi ? Elle fut aussi frappée de constater que les articles avaient réellement été découpés, pas arrachés. Il avait pris le soin d'utiliser des ciseaux, même pour ceux qui correspondaient à une page entière, qu'il était facile de déchirer en suivant la pliure centrale. S'il n'avait pas fait de perforations, c'était sans doute pour ne rien perdre du texte à l'endroit des trous.

Elle découvrit alors son propre nom sur une coupure. « Faire voir à Torunn ! » Écrit au stylo bille bleu le long du bord supérieur. C'était dans le *Journal des agriculteurs*, pas plus tard qu'en mars de cette année.

Elle s'assit sur la chaise tournante et déplia le papier. « Une éleveuse qui sait ce qu'elle veut. » Lise-Marie Veistad avait trente ans. Elle avait repris la ferme seulement deux ans plus tôt, là elle était en photo dans le reportage, montrant du doigt un tableau accroché au mur, avec les courbes détaillées de son élevage. Elle voulait figurer parmi les meilleurs éleveurs porcins, disait-elle. Elle avait soixante truies gestantes à l'année. Pour l'instant elle était un peu au-dessous de la moyenne. Mais pour le nombre de porcelets nés vivants, elle était satisfaite. Elle avait un diplôme d'agronomie. La ferme était partie de presque rien, après que ses parents l'eurent reprise en 1974. « Faire voir à Torunn ! » Avec un point d'exclamation plein d'espoir au stylo bille bleu.

Elle revint à elle quand il ne resta guère plus qu'un petit morceau d'un centimètre carré de la coupure de presse. Le grand-père avait passé la tête par la fenêtre ouverte et la dévisageait. Il n'y avait pas de rideaux.

– Torunn…
– Qu'est-ce qu'il y a ?
– Tu as crié.
– Mais non !
– Tu as fait de drôles de bruits.

Elle se mit à rassembler les bouts de papier tombés sur ses genoux et par terre autour de la chaise, ils étaient trempés, elle avait la morve au nez.

– Ce n'est rien, dit-elle. Tu peux aller te rasseoir. Je vais bientôt commencer à préparer le repas.
– Mais il n'est sûrement pas plus de…
– Ce n'est rien, je te dis !

Devant le lavabo de la salle de bains, elle mit de l'eau froide dans ses mains et les appliqua longuement sur son visage. Elle prit une serviette propre dans le placard, expira fortement dedans, enfonça ses doigts dans ses orbites, sentit le tissu éponge lui gratter les paupières. Elle se rendit compte qu'elle n'avait pas pris de douche après la porcherie. Elle avait dû empester quand elle était à la coop. C'était la première fois qu'elle oubliait de se doucher. Elle ôta son T-shirt et son soutien-gorge, son jean et sa culotte, puis monta dans la baignoire. Ce fut seulement quand elle eut fini qu'elle réalisa que sa montre-bracelet était restée à son poignet. Elle l'examina avec stupeur, elle était sûrement étanche, toutes les montres l'étaient. Elle regarda autour d'elle en soupirant et en s'écoutant soupirer, le fond de la baignoire, les bords, sa forme, les murs, les carreaux en formica, les joints qui absorbaient l'humidité. Elle sortit de la baignoire pour se sécher et remarqua que l'eau s'était évaporée de son corps, elle recommençait déjà à transpirer.

Elle descendit le jean dans la cuisine et trouva les ciseaux. Elle ne s'en était pas acheté un neuf comme prévu. Elle coupa les jambes à mi-hauteur et l'enfila, resta pieds nus sur le lino et réfléchit. Elle pouvait mélanger la viande hachée avec l'œuf, ou avec la fécule de pommes de terre et le lait, cela faisait tellement longtemps qu'elle n'avait pas fait de boulettes de viande de A à Z. Elle pouvait aussi passer la viande directement à la poêle, ça portait alors un autre nom. Hamburger ? Non, steak haché. Mais ce n'était peut-être pas de la viande ordinaire qu'il fallait pour ça. Elle alluma la radio, entendit la voix d'Erik Bye qui chantait que Dieu avait perdu la plus petite de ses billes. Margido priait pour sa nièce. Elle prit le paquet de cigarettes à côté de la radio, en sortit une et se moqua pas mal d'être à l'intérieur, toutes les fenêtres étaient ouvertes, de toute façon. En aspirant la première bouffée, elle éprouva une certaine normalité, elle porta son regard sur le jean, ses mollets blancs. Qu'était-elle en train de faire ? Au bout du compte, songer au fait que Margido priait pour elle. Tout allait bien à la porcherie, elle avait fait les courses, prit une douche, même si elle n'avait pas respecté l'ordre. Elle regarda par-dessus le rideau, il était assis là-bas. Qu'est-ce qu'elle regrettait, au fait ? Ah oui, de lui avoir demandé s'il avait été amoureux. Comme il avait eu peur ! C'était comme ça. Voilà ce qu'elle regrettait. Agronome, trois ans de formation. Kai Roger était agronome. Avec un frère aîné qui avait repris la ferme familiale. Lui-même n'avait pas de ferme. Était-ce la raison pour laquelle il venait ici ? Pour obtenir Neshov. Elle et Neshov, c'était évident.

Neshov grâce à elle. Il était plus jeune qu'elle, beau garçon, sérieux, de compagnie agréable, il pouvait avoir qui il voulait. Et il venait ici, matin et soir. Croyait-il qu'elle ne s'en rendait pas compte, qu'elle était bête et aveugle ?

Elle passa le mégot sous le robinet et le jeta à la poubelle, dans le placard sous l'évier. Tout le placard dégageait une odeur douceâtre et écœurante. Elle souleva la poubelle et la posa à l'écart. Sortit tous les produits d'entretien, trouva un gant droit en caoutchouc entre le tuyau d'évacuation et le mur, mais pas le gauche. Elle retira le sac plastique de la poubelle et en serra hermétiquement le lien, rinça le seau sous l'eau courante, longuement, avec soin, avant de le remplir d'eau savonneuse, et se mit à frotter l'intérieur du placard avec la face rugueuse, vert foncé, d'une éponge à récurer.

Le grand-père avait lui-même déplacé la chaise en plastique pour s'installer à l'ombre, côté ouest de la remise, quand elle apporta le plat de boulettes de viande hachée aux œufs, le sel et le poivre d'une main, les serviettes et les couverts de l'autre.

— On va dire que c'est le déjeuner, dit-elle.

La casserole de petits pois, pourtant tout juste cuits, ne fumait plus, tellement il faisait chaud. Il était toujours de l'autre côté de la remise.

— C'est prêt, annonça-t-elle. À table !

— Pas envie…

— Qu'est-ce que tu racontes ?

Elle tourna le coin et alla jusqu'à lui. Les journaux étaient par terre dans l'herbe rare, il tenait à la main son dentier de la mâchoire inférieure. Il était affaissé sur sa chaise, sans réagir, alors qu'il avait dû entendre qu'elle était arrivée tout près de lui. Il n'y avait rien à redire à son audition.

— Pas envie de tout ça. Je veux aller en maison.

— Arrête un peu ! Le repas est servi, dit-elle.

— Tu me demandes si… si… et… tu t'enfermes, tu beugles comme une vache, tu déchires des journaux et tu dis que ce n'est rien… Je ne veux pas rester ici.

— Allez, viens ! Je t'ai déjà demandé pardon. Viens !

Elle le prit par le bras, essaya de le soulever, il commença à donner des coups, heurta l'accoudoir de la chaise en plastique, le dentier tomba dans l'herbe, sur un des journaux.

— Va-t'en !

Le ton de sa voix était différent, presque jeune. « Il va mourir, pensa-t-elle, et c'est ma faute. »

— J'ai trouvé des airelles dans le congélateur. Pour accompagner les boulettes de viande, dit-elle.

Il se tassa sur le côté, émit un bruit bizarre, une espèce de rot, suivi d'une toux qu'elle interpréta comme tout à fait normale.

— Tu ne crois pas que je… Toi non plus…

— Mais si on mangeait maintenant, murmura-t-elle. S'il te plaît ! Je me suis excusée. Remets ton dentier ! Et puis on va manger.

Il hocha plusieurs fois la tête, lentement, d'une manière un peu exagérée, en clignant les yeux comme s'il prenait une décision.

— Oui, dit-il.

Il se leva tout seul, tandis qu'elle reculait de quelques pas.

Au moment de se coucher, elle suggéra de créer un courant d'air. Il faisait vingt-deux degrés à dix heures du soir, ce serait sans doute une nuit tropicale. Elle avait de nouveau décliné l'invitation de Kai Roger d'aller faire un tour à la plage, qu'il lui avait faite en se mettant au travail à la porcherie. Deux porcelets s'étaient bagarrés, mais ils décidèrent de ne pas téléphoner à Røstad, ce n'étaient que des blessures aux oreilles, qui avaient beaucoup saigné mais guériraient vite, en outre ils avaient plein de pénicilline dans le placard de la buanderie. Celui qui avait pâti le plus dans l'histoire, c'était le souffre-douleur de la portée, le plus chétif de tous, et c'était comme ça depuis le début. Là, il s'était fait chasser de son propre trayon lorsque la truie s'était allongée pour allaiter.

– On va ouvrir toutes les fenêtres et les portes entre les pièces, ça devrait quand même nous donner un peu d'air, dit-elle.

Elle alla chercher une housse de couette propre, qu'elle utiliserait sans rien à l'intérieur, en tout cas elle serait incapable de dormir si elle ne se sentait pas couverte d'une certaine façon. Il n'en voulut pas. Les personnes âgées sont sûrement plus frileuses, pensa-t-elle, elles ont un métabolisme plus bas et supportent mieux la chaleur.

Sa fenêtre donnait sur le fjord, celle du grand-père sur la cour. Il avait le soleil du matin. Il aurait mieux valu le contraire. Ce n'était qu'à l'aube que la température de sa chambre devenait acceptable pour dormir, au moment où elle devait se lever. Tandis qu'en principe il pouvait faire la grasse matinée autant qu'il voulait, sans être gêné par la chaleur.

Ce n'est qu'une fois dans son lit, sous la housse de couette, qu'elle réalisa combien le son se propageait d'une pièce à l'autre quand les deux portes étaient ouvertes. Le grand-père se racla la gorge et elle eut l'impression qu'il n'était qu'à quelques mètres d'elle.

Elle se tourna sur le dos et fixa des yeux le plafond, d'étroits lambris peints en blanc brillant. Le soir d'été donnait une luminosité d'un gris bleuté. Elle imagina Kai Roger et le chiot sur la plage, le soleil qui allait bientôt se coucher. Elle pourrait le voir elle aussi, si elle s'asseyait dans son lit. Elle aurait pu prendre un cognac et fumer une dernière cigarette. Mais elle n'avait pas bu de cognac depuis longtemps, ils ne vendaient pas d'alcool à la coop. Demain elle achèterait un pack de six bières. Le grand-père se racla une nouvelle fois la gorge. Elle entendrait tous les bruits qu'il ferait cette nuit et ça la réveillerait, mais maintenant il était trop tard pour fermer les portes entre eux.

– Quoi ? dit-elle. Qu'est-ce que tu as dit ?
– C'était… c'était quelqu'un.
– Comment ça ? Quelqu'un… ?

Il ne répondit pas. Elle prêta si intensément l'oreille qu'elle entendit son propre sang s'engouffrer par à-coups dans ses artères. Mais il devait être allongé sans bouger dans l'autre chambre et respirer tout bas. Ils restèrent ainsi pendant plusieurs minutes, jusqu'à ce qu'elle entende le dentier plonger dans le verre d'eau. Les yeux rivés aux lambris du plafond, elle dit alors :

– Bonne nuit ! Et dors bien !
– Bonne nuit ! murmura-t-il.

La femme lui déversait ses frustrations dans l'oreille gauche tandis que, de la main droite, il cherchait la petite brochure qu'il savait se trouver dans le tiroir du haut de son bureau. Son père était mort, chez lui, à l'âge de quatre-vingt-huit ans. Elle était sa seule parente, habitait à Flekkefjord, et Margido venait de l'informer que l'appartement de son père ressemblait à une porcherie. Ce n'était pas le mot qu'il avait employé, mais elle avait compris que c'était bien ce qu'il voulait dire. Quand ils étaient allés chercher le corps, ils avaient dû se pincer le nez et respirer par la bouche, malgré les masques. Le sol de la cuisine était poisseux et couvert de détritus, le plan de travail encombré d'énormes piles de casseroles contenant des restes séchés et moisis, le salon un méli-mélo de journaux, de publicités et de pelures de fruits tant sur la table que par terre. Il y avait de larges taches sombres sur les coussins du canapé, la salle de bains était une tragédie de saleté sur toutes les surfaces, et le matelas sur lequel se trouvait le corps était d'un jaune foncé et luisant, saturé de sueur et d'urine, le drap roulé comme une bande plus sombre contre le mur.

Une voisine indignée et surexcitée avait raconté qu'il refusait de laisser entrer l'aide à domicile, qui déposait simplement les provisions devant sa porte, et qu'il empuantissait toute la cage d'escalier chaque fois qu'il descendait voir s'il avait du courrier. C'était elle qui avait prévenu la police lorsqu'une nouvelle odeur était venue s'ajouter aux centaines d'autres qui s'infiltraient par les chambranles.

D'après le contenu de la boîte aux lettres, les policiers avaient estimé que l'homme était mort depuis une huitaine de jours, et c'était plus que suffisant par cette chaleur. Il s'était avéré extrêmement délicat de déplacer le corps vers la civière, car on courait le risque que les bras se détachent du torse. La peau était déjà noire, et une riche vie animale se nourrissait sur la quantité de biomasse. Margido supportait bien la vue et les odeurs, il avait vécu des situations de ce genre par le passé, il était déjà en train de réfléchir aux questions pratiques. Il fallait avant tout expliquer aux proches ce que la police avait découvert, que le défunt devait être incinéré sans tarder, dès que les médecins légistes auraient exclu toute cause suspecte de décès. Pour les policiers c'était pire, l'un d'eux avait rendu tripes et boyaux dans les toilettes, et raconté ensuite que la vue de la cuvette l'avait contraint à dégobiller une double dose.

La fille n'avait eu aucun contact avec son père depuis deux ans, et elle s'était heurtée à l'indifférence des services sociaux, vu que son père n'était pas assez malade pour qu'on l'envoie en maison médicalisée et que lui-même refusait toute aide. Et là, Margido lui confirmait que ça s'était terminé aussi mal qu'elle l'avait soupçonné.

– Mais il existe une entreprise qui se charge de nettoyer et de désinfecter les appartements et les maisons des personnes décédées. Avant une vente par exemple, glissa-t-il pendant qu'elle reprenait sa respiration.

Il tira le tiroir au maximum, la brochure devait être là quelque part.

– Ils s'occupent aussi d'évacuer les ordures, ajouta-t-il. Je les ai recommandés à des familles lors de précédentes occasions, et je n'ai jamais eu que des…

Elle insista pour obtenir des références. Elle supposait en effet que son père avait des sommes d'argent dissimulées dans les endroits les plus insolites, or elle-même n'avait pas la possibilité de venir à Trondheim avant d'éventuelles visites de l'appartement. Elle n'avait pas l'intention de faire deux fois un aussi long trajet, aussi devait-elle pouvoir « faire confiance à ces étrangers qui fouilleraient dans les affaires de papa ».

– L'entreprise s'appelle Freshy et je dois avoir une brochure ici quelque part !

Si elle ne mettait pas bientôt fin à ce flux de paroles, il ferait comme s'ils étaient coupés, il sentait poindre un mal de tête. La porte du bureau s'ouvrit, Mme Marstad avait dû l'entendre car elle entra dans la pièce en levant les yeux au ciel avec un sourire, et posa un bout de papier sous son nez.

– Voyons ! dit-il. C'est ça. W, w, w, point, freshy avec un y, point, n, o.

Elle prit note et remercia. Elle voulait que l'urne contenant les cendres lui soit expédiée à Flekkefjord, où elle veillerait elle-même à son dépôt dans un site cinéraire. Il raccrocha, infiniment soulagé, et se rendit dans le bureau de Mme Marstad.

– Merci ! s'écria-t-il. Elle était usante, celle-là.

– Vous auriez aussi pu lui dire qu'elle trouverait le lien de Freshy sur notre propre site Internet, rétorqua Mme Marstad.

– Vraiment ?

– Oui. Sous la rubrique « Besoins spécifiques ». Oh, pendant que vous êtes là… Je commande trois nouveaux draps mortuaires. Pour qu'il ne nous arrive pas la même mésaventure qu'hier.

Le drap s'était déchiré en se prenant dans une roue alors qu'ils poussaient un cercueil dans la nef de l'église de Lade la veille. C'était absolument de leur faute, ils étaient arrivés un peu en retard à l'église et avaient tout fait dans la précipitation. Certes ils n'étaient pas responsables du bouchon dans la rue Innherredsveien provoqué par un accident, néanmoins ils auraient dû être plus méticuleux en posant le drap sur le catafalque. Le bedeau avait réussi à se procurer une agrafeuse pour faire une réparation de fortune le long d'un petit côté.

– Bien, dit Margido. Et demain, c'est le jour du déménagement.

– Vous êtes sûr que ce n'est pas la peine que je vienne ?

C'était Mme Marstad qui avait le détail de ce qui se trouvait à l'entrepôt, tout était sur ordinateur.

– Je vous l'ai déjà dit, ce n'est pas la peine ! On va tout remettre selon le même principe qu'actuellement, je serai là pour contrôler l'opération. Il sera toujours temps pour vous deux de faire l'inspection de la nouvelle installation. Ça va nous faire un splendide entrepôt, le menuisier a admirablement bien travaillé. Et pour un prix raisonnable, même taxes comprises.

– Ça fait plaisir à entendre. Et vous m'avez l'air un peu plus gai, si je puis me permettre.

Il esquissa un sourire.

– Merci. Ça va mieux maintenant. Ce n'était pas moi qu'ils visaient non plus. Je ne dois pas le prendre trop à cœur.

– Mais le choc, dit-elle. Bon, je sais que vous n'avez pas voulu en parler jusqu'à maintenant, mais…

– Non. Ce n'était pas drôle, sur le coup. Mais la cérémonie religieuse a été de toute beauté.

– Dans le journal ils ont appelé ça « reprendre l'église ».

– C'est sûrement comme ça que les fidèles l'ont ressenti aussi. Qu'ils ont repris l'église, qui avait servi à un tout autre usage. Le pasteur a présenté ça sous cet angle, en partant de saint Matthieu, quand Jésus a expulsé les Pharisiens du temple de Dieu.

– Ah oui. Je ne connais pas vraiment la Bible par cœur, vous savez. Mais c'est là où il chasse les marchands ?

– Il est écrit : « les changeurs et les vendeurs de pigeons ». Jésus dit que le temple de Dieu doit être une maison de prière, tandis qu'au lieu de cela c'était devenu une caverne de voleurs. En outre, le pasteur a récité une prière spéciale afin que les mauvais esprits disparaissent et que le Bien triomphe. C'était beau.

Il entendit lui-même qu'il pontifiait, maintenant qu'il sentait enfin l'épreuve surmontée et parvenait à partager son expérience avec les autres.

– Une sorte d'exorcisme ?

Les yeux de Mme Marstad brillaient d'une avidité qu'il n'aimait pas. Il savait qu'elle avait de curieuses lectures.

– Non, non, non. Pas du tout. Ce serait prendre ces vandales beaucoup trop au sérieux. On a mis l'accent sur le fait que l'église avait été utilisée à tort, pour autre chose que ce à quoi elle est destinée. Il était préférable d'atténuer les choses, de ne pas en rajouter. Ce qui magnifierait le Mal.

– Oui, parce que c'était maléfique, n'est-ce pas ?

– Oui. Non. Je ne sais pas vraiment. Mais en tout cas c'est terminé. Ils ont retrouvé leurs offices religieux habituels là-bas.

– Dans le *Da Vinci Code*, ils découvrent un cadavre exactement dans la même position que cet agneau. Peut-être que ceux qui ont fait ça avaient lu le livre ? insista-t-elle avec empressement.

Il sentit qu'elle devait brûler de lui dire ça depuis le lendemain du jour fatidique, lorsque les journaux avaient publié des photos de l'agneau gisant dans le pentagramme inversé. Elle savait pertinemment qu'il n'aimait pas ce livre, qu'il ne voudrait jamais le lire.

– Peut-être le saurons-nous si la police les retrouve, répondit-il. Mais j'en doute. J'ai quelques courses à faire, je serai absent une petite heure, si tout va bien.

Elle ne lui en demanda pas plus, il comprit qu'elle était perdue dans ses propres réflexions. Elle devrait se tourner vers les Saintes Écritures et voir les trésors qu'elle y trouverait, au lieu d'avaler des fadaises chimériques.

Il repoussait ça depuis longtemps. Il avait horreur de s'acheter des vêtements. La visite des Copenhaguois était une occasion en or de s'obliger à passer à l'action. Il avait besoin de slips, de chaussettes, de chemises et d'un costume d'été neuf. Il avait appris par Torunn qu'Erlend ne voyait pas le dépôt de cercueils d'un très bon œil, aussi allait-il se servir de la Citroën blanche pendant leur séjour, et porter un costume clair. Il n'en faudrait sans doute pas davantage pour rassurer Erlend.

Le vendeur voulut mesurer précisément son tour de taille. Il le savait d'avance. C'était probablement pour cette raison qu'il remettait toujours l'achat de costumes à plus tard. Il trouvait cela très désagréable. Il renversa la tête en arrière, écarta les bras du corps et regarda le plafond, fait de larges carreaux métalliques avec un point d'éclairage sur chacun d'eux. Le vendeur prit aussi la largeur d'épaules en suivant la courbure du dos.

– Que diriez-vous d'un complet en lin ? demanda-t-il. Très agréable avec cette canicule.

– Est-ce que ça ne froisse pas terriblement ? Dans le bas de la veste, derrière ? J'ai remarqué ça.

– Il faut que ça froisse ! C'est la mode, en quelque sorte, non ? Même Røkke arrive à d'importants conseils d'administration avec une veste de costume froissée dans le dos.

– Non, dit Margido. Je n'aime pas que la veste soit froissée. Il est même pieds nus dans ses chaussures, ce type-là !

– Alors ce sera un costume en coton léger. Ou en soie. Mais je ne pense pas que vous êtes du genre à…

– Absolument pas de soie, coupa Margido.

Un quart d'heure plus tard, il était devant la glace vêtu d'un costume très confortable que le vendeur insistait pour qualifier de couleur sable. Margido appelait ça beige, mais il ne le clama pas tout haut. Il était en tissu synthétique et soi-disant infroissable.

– Est-ce que vous l'avez en d'autres coloris ? demanda-t-il.

– Mais je croyais que vous en vouliez un clair ?

– En plus de celui-ci, je veux dire.

– Ah bon ! Oui, il existe en brun, brun foncé, bleu nuit et noir.

– Alors j'en prends un brun et un noir. Et il me faut des chemises. Blanches. Ordinaires.

– Les chemises en nylon sont plaisantes à porter par cette chaleur. Elles ne collent pas à la peau. Pour vous qui n'aimez pas la soie, s'entend.

– Le nylon est parfait. C'est ce que je voulais dire par ordinaire.

Pendant que le vendeur s'occupait des costumes, il trouva lui-même le rayon des slips qui, évidemment, s'appelaient « boxers », un mot auquel il n'arrivait pas à s'habituer. Il cueillit neuf paires de chaussettes au passage et décida de faire l'inventaire de son tiroir à chaussettes le soir même, et d'éliminer toutes celles qui étaient élimées au niveau des orteils. Il rechignait à jeter ce qui pouvait encore servir, mais il était las d'enfiler des chaussettes fines comme de la gaze. Il passerait ses slips en revue également. Il tomba sur les cravates et les contempla, une ou deux neuves seraient les bienvenues aussi. Le vendeur surgit derrière lui.

– Avez-vous une bonne chemise pour le costume sable ? demanda-t-il.

– Bonne ? s'étonna Margido.

– Une chemise blanche ne va pas avec un costume clair. Moi, j'aurais choisi un T-shirt. Peut-être bleu ? Le bleu vous sied bien, à ce que je vois.

Margido n'avait jamais eu de simples T-shirts de sa vie, seulement des maillots de corps, qu'il portait sous ses chemises ordinaires en hiver. Aucune église ne faisait d'excès en chauffage électrique, il était souvent transi de froid à rester assis sans bouger pendant le service funèbre. À l'exception de la famille la plus proche, tout le monde gardait son manteau dans l'église, mais lui ne le pouvait pas. Ce n'était tout simplement pas convenable, du moins pas s'il devait lire les messages de sympathie écrits sur les rubans. Il lui arrivait parfois de s'asseoir tout au fond et de jeter un pardessus sur ses épaules, mais généralement il se plaçait de telle sorte que les proches soient en mesure de croiser son regard, auquel cas le costume formel s'imposait.

– Un T-shirt ? Il n'y a pas toujours quelque chose dessus ? En plein devant ? Un dessin ou…

– Mais non ! Il existe des T-shirts neutres. Ils vous iront très bien. Je vais chercher la veste claire et vous présenter le T-shirt à l'intérieur, vous allez voir comme ça fait chic.

Il acheta trois T-shirts. Un bleu, un brun cannelle, et un exactement de la même couleur que le costume. Et trois nouvelles cravates dans les tons gris très doux. Il transpirait à tel point que la sueur lui coulait le long de la colonne vertébrale quand il passa sa carte de crédit dans le lecteur. Ça faisait une belle somme.

– Vous n'achetez peut-être pas de vêtements si souvent, dit le vendeur en souriant.

– Pas vraiment.

Il lui fallait aussi une nouvelle paire de chaussures, mais il n'eut pas le courage de s'y mettre dans la foulée.

Le lendemain matin, il endossa son costume beige par-dessus son T-shirt bleu et jeta un coup d'œil dans le miroir. Les couleurs tranchaient trop entre elles. Il essaya le T-shirt brun cannelle. Des poils de sa poitrine dépassaient sur le bord, il n'aimait pas non plus.

L'heure avançait, il avait bientôt rendez-vous avec les déménageurs. Il supposait qu'ils allaient faire des tas de commentaires sur le transport de cercueils vides et d'articles funéraires, et il en frémissait à l'idée. Pourquoi une chemise blanche n'irait-elle pas avec un costume beige ? Il ôta le T-shirt, enfila la chemise, laissa les deux boutons du haut ouverts, il faisait déjà vingt et un degrés et il était en sueur. Il évita de se regarder dans le miroir avant de sortir de l'appartement et de fermer la porte à clé. Au fond, il avait hâte d'être en hiver, malgré les églises glaciales. Car il pouvait alors prendre un sauna et décider lui-même à quel moment il souhaitait transpirer. La vague de chaleur ne le lui permettait pas, et lui infligeait le sentiment qu'il ne maîtrisait pas tout.

Le soleil matinal avait déjà cogné sur la voiture, il baissa les vitres des deux côtés avant de démarrer. Ils avaient promis de venir avec un grand camion, le dépôt devait être déménagé en une seule fois.

Ça lui faisait tout drôle. De se dire que désormais Neshov devenait la base de tout son équipement. Jamais sa mère n'aurait accepté ça de son vivant.

Mme Marstad et Mme Gabrielsen avaient empaqueté tous les objets dans des cartons et noté le contenu avec soin. Tout le déménagement se réduisait à un simple portage. Ils arrivèrent à deux. Lui-même porta les classeurs et le petit matériel de bureau jusque dans sa propre voiture. Mme Marstad avait insisté pour qu'ils aient un ordinateur au dépôt, qui servirait à entrer les références de tout ce qu'on allait chercher là-bas, mais Margido avait refusé. Au lieu de cela, il notait tout dans un classeur dont Mme Marstad reportait régulièrement le contenu dans son précieux ordinateur. Il ne voyait absolument pas quelles économies l'informatique permettait de réaliser. Qu'on tape sur un clavier ou qu'on écrive à la main, le principal était d'avoir une bonne vision d'ensemble. Et il l'avait toujours eue. Or écrire à la main était soudain devenu complètement démodé. Ça n'avait aucun sens. On assistait à une sorte d'hystérie collective. Le fournisseur de monuments funéraires avait même commencé à envoyer sa facture par mail. On n'avait pas idée de la date à laquelle elle arrivait, si on ne pouvait pas se reporter à son courrier. Mme Marstad avait heureusement compris son inquiétude à ce sujet, et dorénavant elle l'imprimait et la glissait dans le tas de lettres habituel qu'elle posait sur son bureau.

Les déménageurs discutèrent continuellement entre eux pendant toute la séance du chargement et s'adressèrent très peu à Margido, ce qu'il apprécia pleinement. Ils évoquèrent les enterrements au sein de leurs familles respectives, diverses expériences personnelles, la crise de nerfs au-dessus de la tombe ouverte, la mère de l'un d'eux s'était littéralement jetée dans le trou sur le cercueil du père, ce qui avait provoqué un émoi sans pareil. Margido se souvenait d'un épisode semblable, mais supposait qu'il ne s'agissait pas de la mère de ce déménageur, car celui-ci parlait suédois. Ils travaillaient avec acharnement et précaution, sans abîmer les emballages ni cogner les cercueils. Il avait toujours plaisir à être témoin de professionnalisme, quel que soit le domaine d'activité. Des gens fiers de leur métier et qui en connaissaient les ficelles, voilà ce sur quoi reposait toute la société.

Lorsqu'il arriva dans la cour de la ferme de Neshov quelques minutes avant le camion, le vieux était en train de déplacer sa chaise, par saccades, pour tourner le coin de la remise et la placer à l'ombre. Torunn n'était visible nulle part. Il coupa le moteur et descendit de voiture. Le silence de la cour était unique, un silence plein de chants d'oiseaux et d'un murmure de rien, peut-être tout simplement le fjord en contrebas, un murmure d'ouverture sur les montagnes au loin, tandis que les bâtiments emprisonnaient la cour. Il se rappela tout à coup combien ce silence lui avait manqué pendant les sept années où il n'avait pas mis les pieds ici, après la dernière dispute avec sa mère. Mais s'il s'efforçait de jeter sur la ferme un regard extérieur, c'était la vétusté qui sautait aux yeux. Mme Marstad et Mme Gabrielsen la verraient ainsi : la peinture qui s'écaillait sur tous les murs, des fenêtres aux carreaux cassés au premier étage bouchés par des sacs d'aliments vides fixés à l'intérieur, un tas de vieille ferraille qui dépassait sous la rampe de la grange. Ce qui jadis avait été un grenier sur pilotis était désormais affaissé d'un côté. Outre une remorque de guingois sur une seule roue, des jantes rouillées traînaient un peu partout. Il avait commencé à les préparer à cette vision, elles croyaient dur comme fer qu'il exagérait. Voilà pourquoi il valait mieux que l'entrepôt soit prêt quand elles viendraient, tout y serait parfaitement rangé et organisé, cela contrebalancerait d'autres piètres images.

Les Danois aussi constateraient le profond état de délabrement de la ferme, ils auraient dû en avoir leur première impression lorsque la neige cachait charitablement le pire. Il pariait que cet architecte qu'ils trimbalaient avec eux rebrousserait chemin en découvrant l'aberration de ce projet de silos.

— Le camion de déménagement va arriver d'un moment à l'autre, dit Margido.

— Camion de déménagement… ?

Le vieux se retourna vers lui, pivota le torse sans que les jambes ne suivent et resta planté comme un S étroit et tordu. Il était en chaussons, il avait une barbe de plusieurs jours et des coups de soleil curieusement asymétriques sur le visage, avec la peau qui pelait.

— Où est Torunn ? demanda Margido.

Elle devait bien avoir de la crème à lui appliquer sur la figure, ou à lui donner pour qu'il le fasse lui-même. Et elle pourrait bien aussi trouver le temps de lui faire un simple rasage.

— Camion de déménagement ? répéta le vieux.

La bouche entrouverte, il paraissait soudain anxieux, commençait à trembler du coin des lèvres.

— Je transfère mon dépôt ici, dit Margido. Pour aider un peu les finances. Et ce sera bien pratique pour moi aussi.

— Ah ! Le dépôt, oui.

Le vieux se concentra à nouveau sur la chaise, attrapa les accoudoirs comme si elle pesait une tonne, alors que c'était une chaise en plastique très légère, et la fit avancer un tout petit peu.

— Je peux le faire, proposa Margido.

Le vieux lâcha aussitôt la chaise et croisa les mains dans le dos.

— Des cercueils, oui. Dans la grange ? Ils n'ont pas arrêté. Quel boucan !

— Ils ont fait beaucoup de bruit ?

— Un bruit de chantier. De machines. Dans le temps, c'était la scie et le marteau. Aujourd'hui, rien que des machines. Même pas capables de visser une vis, il leur faut une machine pour ça aussi.

Ça faisait longtemps qu'il n'avait pas entendu le vieux parler autant à la fois. Au même moment, le camion s'engagea au pas dans la cour, il était d'une taille imposante, aurait facilement accroché un mur ou un arbre.

– Je partirai sans doute dans un de ceux-là, déclara le vieux.

– Dans un camion de déménagement ?

Margido comprit soudain que le vieux avait fait allusion aux cercueils et ajouta :

– On y passera tous. Où est Torunn ?

– À l'intérieur. Elle fait le ménage.

– Par cette chaleur ?

Après avoir indiqué l'endroit aux déménageurs et expliqué où placer les différents types de cercueils, en fonction de leur taille, il entra dans la maison. Elle n'était pas dans la cuisine, mais la porte qui donnait du petit salon dans le grand était ouverte à deux battants. Il éprouva soudain une pointe d'appréhension, il n'était pas retourné dans cette pièce-là depuis Noël. Il s'arrêta net entre le poste de télé et un des fauteuils. Elle pleurait. Avait-elle entendu ses pas ou pouvait-il faire demi-tour ? Les larmes faisaient partie de son boulot. Une réplique de *Six Feet Under* lui traversa l'esprit : « On ne s'habitue jamais au son d'un profond chagrin. » Et si elle venait dans le petit salon et le voyait s'éclipser… Il resta sans bouger, écouta ses pleurs, il y sentit une grande colère. Pas un défi, pas une résignation, pas un choc, mais une colère pure et désespérée. Il s'approcha doucement de la porte, remarqua la douce pénombre du beau salon, les rideaux étaient des portières de laine tissée qui descendaient jusqu'au parquet.

Elle était debout, l'épaule appuyée contre le mur, à côté d'un aspirateur éteint. Le dessus de la table était dégagé et gardait les traces d'un chiffon humide. Par terre, un seau était plein d'une eau gris sale, sans mousse. Le chiffon pendait au bord du seau. Il s'imprégna rapidement du reste de la pièce, il y était entré si rarement. Les murs étaient en rondins apparents, qu'on avait peints en vert il y avait de ça une éternité. Des tentures pendaient çà et là. L'âtre était noir et vide, avec au milieu une marmite en fonte suspendue à un crochet noir.

– Torunn… ?

Elle leva les yeux vers lui.

– Est-ce que je peux faire quelque chose pour toi, Torunn ?

– Faire quelque chose pour moi ?

Elle renifla bruyamment, passa son avant-bras nu sous son nez. Elle semblait si petite, et elle avait raison, à quoi cela servait-il qu'il prie pour elle ?

– Oui. Faire quelque chose pour toi.

– Cet aspirateur de merde est foutu. Quelque chose a brûlé à l'intérieur, une flamme en est sortie. Et je m'en balance de jurer. En fait.

– Cet Electrolux a au moins vingt ans. Il a fait son temps, dit-il.

– Mais moi, pas mon ménage ! Ils vont manger ici. Je crois. Erlend en a parlé. C'est Krumme qui s'occupera des repas. Et il n'y a pas assez de place pour tout le monde dans la cuisine. Et tu as vu dans quel état c'est ici ? Quand le soleil baisse… et ils dîneront évidemment beaucoup plus tard le soir, pas à l'heure normale à laquelle grand-père et moi on est habitués.

Non, ils dîneront très tard, quand le soleil rasant entre ici, et alors on voit tout ! J'étais justement en train d'aspirer les murs, ils sont couverts de toiles d'araignée dans les interstices entre les rondins, elles pendent jusqu'au plafond.

– Mais on va simplement acheter un nouvel aspirateur, Torunn.

– On... ?

– Je peux aller en acheter un tout de suite, dit-il.

– Mais ça servira à quoi, hein ?!

Elle se remit à pleurer, le visage enfoui dans ses deux mains.

– Si cet aspirateur ne marche plus, un neuf servira bien à quelque chose ?

Il aurait aimé oser la prendre dans ses bras. Elle était sa nièce, mais c'était impossible.

– Tu ne comprends rien ! fit-elle derrière ses mains. Tout sera bientôt nase ici ! Le lave-linge est désespérant, il faut que je lui donne un coup de pied dedans pour qu'il se vide ! La cuisinière électrique met quatre ans à chauffer l'eau des pommes de terre ! Je deviens FOLLE ici !

– Mais je t'ai dit qu'on...

– Il ne s'agit pas de ça ! Je ne sais pas si je veux ! Et Erlend qui arrive, il croit que je...

– C'est trop pour toi de t'occuper du vieux aussi. Il faut sûrement que tu...

Elle écarta les mains et le dévisagea.

– Ne dis pas de mal de mon grand-père ! C'est bien triste pour lui !

– Je sais, dit Margido. Et tu sais bien que ça fait longtemps que j'ai tout compris. Depuis que je me suis disputé avec maman et que je...

– C'est encore beaucoup plus triste que tu ne l'imagines, je peux te dire !

– Ah bon ?

– Oui.

Elle détourna son regard, baissa les bras le long du corps. Il sentait que la sueur continuait à lui perler entre les omoplates et à lui descendre à l'intérieur de la ceinture de son pantalon. Cela aurait vraiment été plus confortable avec un T-shirt à manches courtes. Il poussa un soupir et déclara :

– Dès que les déménageurs auront fini, j'irai acheter un aspirateur. Je peux acheter un lave-linge aussi. Tu es d'accord ?

– L'aspirateur est le plus important. Mais c'est toi qui décides, répondit-elle tout bas.

– Et la cuisinière ?

– Non. On n'est pas pressés ici. On a tout le temps d'attendre les pommes de terre.

Il comprit qu'il pouvait la laisser, et il ressortit.

Les déménageurs avaient tout rentré dans l'entrepôt, et il pouvait commencer à déballer les cartons. Il rangea les mouchoirs et les linceuls à leur place, les vases supplémentaires et les supports pour les compositions florales. Il plaça les cartons de cierges et de bougies ordinaires directement sur les étagères. Puis il déballa la nouvelle lampe de bureau qu'il voulait sur sa table de travail et la brancha, puis il alla chercher cinq classeurs et les disposa tout prêts. Mme Gabrielsen téléphona pour savoir comment ça allait.

– Tout se passe comme prévu, répondit-il. Mais j'ai plusieurs autres choses à régler après ça, il n'y a rien d'urgent au bureau ?

Ils avaient reçu deux nouvelles demandes, l'une de Saint-Olav, l'autre d'une maison de retraite. Comme ça n'impliquait pas d'aller à domicile faire les soins aux défunts, elles pourraient s'en charger elles-mêmes, dit-elle. Ni Mme Marstad ni elle n'aimaient se rendre chez les particuliers s'il fallait procéder sur place à la toilette du mort, mais lorsqu'il s'agissait uniquement d'un premier entretien à propos de l'avis de décès, du choix du cercueil et autres choses de ce genre, elles s'y entendaient bien. Ils convinrent qu'elles iraient chacune de leur côté.

Il se rendit chez Expert, à Nidarvoll, il y avait déjà lui-même acheté un nouvel aspirateur deux ans plus tôt. En tout cas il ne reprendrait pas le même, car l'embout était inutilisable, il se tordait dans tous les sens sauf celui qu'il voulait.

Il trouva un joli petit aspirateur rouge et vérifia par-dessus le marché que l'embout fonctionnait correcte-ment en l'essayant plusieurs fois sur le sol du magasin. Il ne connaissait rien aux machines à laver, la sienne était increvable, année après année.

— Celle-ci a une vitesse d'essorage de seize cents tours à la minute, dit la vendeuse. Les torchons et les draps sont presque secs quand on les étend ou quand on les met dans le sèche-linge. Avez-vous un sèche-linge ?

— Non, mais ce n'est pas moi qui... Combien coûte-t-elle ?

Lui-même étendait son linge sur un séchoir dans le salon, il l'installait avant de se mettre au lit et, le len-demain matin, c'était sec.

— Avec ce temps, on n'a pas besoin de sèche-linge si on a la possibilité d'étendre dehors, dit la vendeuse. Mais l'hiver c'est idéal.

Elle était assise à côté du vieux à son retour. Avec une bouteille de bière à la main. Le vieux avait un petit fond de bière dans un grand verre. Il gara la voiture, sortit le carton de l'aspirateur du coffre, le porta jusque dans la cuisine, le déballa et posa les sacs supplémentaires sur la table en formica, reprit le carton vide et le remit dans son coffre.

— Il est dans la cuisine, dit-il.

Il se frotta le front, il eut la main mouillée.

— Il fait combien à l'ombre ? ajouta-t-il.

— Vingt-six, répondit-elle.

— Je m'en serais douté... La machine à laver sera livrée demain. Ils emporteront la vieille pour la mettre au rebut. J'ai aussi acheté un sèche-linge. Il pourra aller sur le lave-linge.

— C'est vrai ?

— Ce sera pratique pour l'hiver. C'est ce qu'ils m'ont dit au magasin.

— Pour l'hiver... ?

— Quand on ne peut pas étendre dehors.

— Je te remercie beaucoup ! dit-elle.

Elle porta la bouteille à sa bouche. Ce n'était pas beau de voir une femme boire directement au goulot. Ce soir-là, il se rasa les poils du haut du torse avec sa tondeuse. Il en profita pour en faire autant sur sa nuque, où les cheveux lui poussaient toujours beaucoup, presque de plus en plus au fil des ans.

Demain il mettrait un T-shirt sous sa veste. Il commencerait par le brun.

– Tiens, Krumme, prends mon petit pain ! Je ne peux pas le manger, c'est du pur hydrate de carbone ! Et chope l'hôtesse au passage, je veux un autre Gammel Dansk.

– Mais, petit mulot, il n'est que dix heures du matin et tu en as déjà bu deux. Ça devrait suffire.

– Non ! dit Erlend. Ça ne suffit pas du tout.

Krumme lui prit la main, et Erlend ne la retira pas. Ils étaient serrés et à l'étroit dans le petit appareil de la compagnie Widerøe, Neufeldt était quatre rangées derrière eux, Jytte et Lizzi étaient complètement à l'avant. Le temps était dégagé et la Norvège s'étendait sous eux, mais Erlend était incapable de repérer où ils en étaient ou d'indiquer le nom des massifs qu'ils survolaient. Les passagers danois autour d'eux appuyaient le nez contre les hublots et s'enthousiasmaient de ce qu'ils voyaient, les Danois raffolaient des montagnes, plus elles étaient hautes, mieux c'était. Peut-être était-ce le Jotunheimen qu'il apercevait en bas. Ça ne pouvait guère être le Dovre, puisqu'ils avaient encore une heure de vol. Les Setesdalsheiene… ? Le Rondane ? Il ne se souvenait que vaguement des noms appris à l'école. La géographie de la Norvège n'avait jamais été son fort, et ne l'était pas devenue en tout cas ces vingt dernières années.

Il aurait préféré pouvoir faire ce premier voyage sans Neufeldt, seulement avec Krumme et les filles. C'était sa faute, il avait lui-même sans cesse repoussé la date, sous prétexte que Torunn semblait mal dans sa peau. Et maintenant c'était trop tard. Ce Neufeldt de malheur allait se pavaner et prendre l'ensemble du projet à son compte. Et ça aussi, c'était sa faute, car c'était lui qui, dans un premier temps, avait suggéré Neufeldt à Krumme. Comment pouvait-on être aussi stupide ? Il aurait évidemment dû rencontrer lui-même le génie avant de le proposer. Et alors il n'aurait jamais fait appel à lui. Jamais ! Fût-il le dernier architecte survivant de la galaxie ! Il voyageait habillé exactement de la même façon que le soir où il était chez eux sur la terrasse, son manque de goût dépassait l'entendement. On espérait que ses vêtements étaient passés au lavage depuis. Et qu'il disposait peut-être d'une autre tenue dans la petite valise qu'il avait comme bagage à main. Mais tout ce qu'Erlend imaginait dans cette horrible petite valise, c'était une brosse à dents, un tube de dentifrice et un boxer de rechange. Neufeldt n'avait en effet pas besoin de brosse à cheveux, ses dix doigts faisaient l'affaire. Et ce type-là devait gagner des millions !

— Excusez-moi ! Est-ce que je peux avoir un autre Gammel Dansk ? demanda-t-il à l'hôtesse de l'air.

Dieu merci, elle passait enfin par là.

— Deux verres, en fait ! ajouta-t-il.

— Je ne veux pas… dit Krumme.

— Deux verres ! insista Erlend. Et puis une bière.


Il avala le premier snaps d'un trait, il posa le second délicatement à côté de la bière sur la tablette.

— Il y a plein d'hydrates de carbone dans la bière, dit Krumme.

– Oui, oui. Mais si je dois choisir entre une bière et un petit pain à moitié rassis et bourré de conservateurs, je ne reste pas des heures à réfléchir.

– Ne sois pas comme ça, petit mulot ! Ça va être un beau voyage. Pense à Lizzi et à Jytte ! Elles s'en font une joie phénoménale.

– J'aurais tellement voulu qu'on ne soit que tous les quatre. Pas avec ce type orgueilleux, pompeux, sans goût…

– Il n'est pas sans goût, Erlend. Seulement dans son allure. Un peu négligé, je te l'accorde. Mais tu sais parfaitement que jamais on n'aurait eu l'idée, tous les deux, des parois verticales en verre. Pense plutôt au résultat, ça va être sensationnel, phénoménal !

– Tu as dit « phénoménal » deux fois en moins de trente secondes ! Mais on aurait bien pu y songer nous-mêmes. Avec le temps. C'est une solution évidente pour accroître la surface habitable. À ta santé !

– Mais maintenant c'est Kim qui…

– Bon, bon, bon ! S'il te plaît ! Parlons d'autre chose !

– Des enfants par exemple, dit Krumme.

Il reprit la main d'Erlend, qui sentit qu'avec l'alcool, associé à la pensée des deux bébés, son humeur amorçait un changement de cap radical.

– Plus beaucoup de temps avant l'échographie, dit-il.

Il porta la main de Krumme vers sa bouche et déposa un baiser sur son poignet.

– Tu sais, continua-t-il, que maintenant ils peuvent remuer la lèvre supérieure et qu'ils avalent le liquide amniotique. Ce n'est pas très ragoûtant à imaginer, j'en conviens. Mais dans le courant de la semaine prochaine ils auront des cheveux sur la tête et des sourcils. Pense qu'ils ont déjà vécu pendant des semaines sans chevelure ni ébauche de sourcils !

– Ils mesurent combien, chéri ?

– Huit centimètres et demi.

Il montra à peu près la taille en écartant le pouce et l'index.

– Attends ! dit Krumme. J'ai une règle dans mon Filofax, sur le bord d'un intercalaire.

Il se dégagea à grand-peine de sa ceinture de sécurité et attrapa sa mallette dans le coffre à bagages.

La tête tout contre celle de Krumme, Erlend scruta avec recueillement les petits traits entre les chiffres huit et neuf et se représenta les deux êtres en miniature.

– Mon enfant est sûrement plus petit, murmura Krumme.

– Pas du tout ! C'est seulement beaucoup plus tard qu'apparaissent les différences individuelles.

Il se mit à songer à tous les habits dans le placard du bureau et s'efforça d'imaginer comment une Eleonora haute de huit centimètres et demi parviendrait un jour à les remplir, à courir avec, à les salir, jusqu'à ce qu'ils soient trop petits !

Lorsqu'ils avaient retrouvé Jytte et Lizzi à Kastrup de bonne heure ce matin, elles portaient pour la première fois de nouveaux pantalons de grossesse. La ceinture des autres les serrait, avaient-elles expliqué. Davantage Lizzi que Jytte, mais ce genre de choses variait énormément, étant donné que les femmes portaient leur enfant différemment.

– Quand je suis sur le ventre, j'ai l'impression d'être couchée sur une balle de tennis, avait dit Jytte.

– Mais ne te couche pas sur le ventre ! s'était écrié Erlend. Tu vas l'écraser.

– Ne t'inquiète pas, Erlend ! avait-elle répondu. Il y a les eaux tout autour.

C'était Jytte qui allait conduire la voiture de location depuis Værnes. Une voiture inconnue dans une ville inconnue, pour elle c'était un jeu d'enfant, elle avait travaillé comme monitrice d'auto-école pendant quelques années avant de se reconvertir dans l'aromathérapie. Krumme conduisait si rarement qu'Erlend n'était pas rassuré quand il prenait le volant, et lui-même n'avait pas le permis. À quoi bon, alors qu'il existait des taxis. Ou la mère de son enfant, qui avait imprimé une carte détaillée trouvée sur Internet. En outre la voiture était équipée d'un GPS.

– On oublie ça ! dit Jytte. J'ai horreur des GPS, je ne supporte pas cette voix glaciale, elle me rend folle ! Elle est d'une agressivité passive absolue. « Maintenant tournez à droite ! Maintenant tournez ! MAINTENANT TOURNEZ ! » L'agression n'a rien de particulièrement passif au bout du compte…

– Moi j'aurais bien aimé en avoir un, rétorqua Krumme. Quand on était de sortie en ville, qu'on avait bu un peu trop de cognac et qu'il fallait rentrer chez soi, ça aurait été bien agréable d'avoir au bout d'un cordon autour du cou une voix de femme passive-agressive, qui me dise d'aller à droite ou à gauche.

– Heureusement que tu m'as ! dit Erlend. J'ai un septième sens qui me ramène toujours chez nous dans le jacuzzi, quel que soit l'endroit où je me trouve à Copenhague.

C'était une grosse voiture, ils devaient tenir à cinq dedans et avoir de la place pour les bagages et les sacs de duty-free. Il n'avait aucune idée de la marque. Toutes les voitures se ressemblaient à ses yeux.

— Je veux m'asseoir devant, exigea Erlend. Rien que l'idée d'être serré contre les genoux affreux de Neufeldt…

— Alors tu tiendras la carte, dit Jytte.

— Je lirai la carte, tu veux dire ?

— Tu nous as expliqué toi-même que tu as du mal à reconnaître la ville. Et puis je crois que tu es un petit peu éméché. Quand on sera sur la route de la ferme, tu pourras me diriger. Il faut d'abord qu'on trouve l'hôtel. Allons-y, si on ne veut pas mourir de chaleur ! Et ayons une aimable pensée pour ceux qui ont inventé la clim !

Lizzi et Jytte ne tarirent pas d'éloges devant le paysage, quand ils quittèrent Værnes et longèrent le fjord de Trondheim, avec ses petits îlots verdoyants et la vue sur Tautra et les hauteurs de Fosen qui semblaient flotter au loin, derrière des bancs de brume bleutée.

— Mais c'est à Bynes qu'on a le plus magnifique panorama, déclara Krumme. C'est beaucoup plus beau qu'ici. Et la ville de Trondheim est belle aussi, j'ai hâte de la découvrir. Après tout, on n'en sera qu'à vingt minutes de route. Elle a mille ans et une cathédrale extraordinaire !

— On devrait avoir une voiture là-bas, suggéra Lizzi. À la ferme. On ne peut pas toujours compter sur celle de Torunn.

— Bien sûr qu'on aura une voiture, renchérit Krumme. Un petit mini-van, on sera six quand même.

— Tu as vu cette luxuriance du paysage avec les montagnes là, de l'autre côté ? Presque comme des corps de femme ! s'exclama Jytte.

Erlend la regarda, ses bras solides et bronzés tendus vers le volant, la joie dans son regard, sa fraîcheur. Sous sa chemise en soie rouge elle portait son enfant, c'était incroyable.

– Ça rappelle un peu la Nouvelle-Zélande, fit Neufeldt, et il n'en dit pas plus, ni que c'était beau ou hors du commun ou très différent du Danemark.

Pour autant qu'on sache, il pouvait haïr la Nouvelle-Zélande comme la peste. Il était vraiment imbuvable ! En outre il s'était assis au milieu de la banquette arrière, serré contre Krumme à droite.

– Est-ce que je vous ai parlé de ma dernière vitrine ? demanda Erlend. Je n'ai mis que deux jours à la réaliser, mais c'est surtout pour l'idée qu'ils payent. On l'a inaugurée avant-hier.

– Raconte ! dit Lizzi.

– C'est une boutique de vêtements, avec ce genre d'horribles fringues, des baggys et des capuches sur tout ce qui se porte au-dessus de la taille. Un mélange de goth, de street et d'Eminem, ce genre-là. Et bon sang, qu'est-ce qu'on peut faire d'autre que de les enfiler sur des mannequins ?

– Se dispenser de mannequins, dit Neufeldt.

– Ce n'est pas si simple que ça, rétorqua Erlend.

Quelle proposition débile ! pensa-t-il.

– Les vêtements doivent se voir, continua-t-il. On peut évidemment les suspendre à des fils et supprimer les mannequins, mais les vêtements doivent sauter aux yeux. Ceux qui les achètent se baladent souvent la nuit, donc la vitrine est d'autant plus importante. Un client adulte remarque quelque chose d'intéressant dans une vitrine et il franchit la porte de la boutique pour aller regarder de plus près, la vitrine doit alors stimuler une envie, servir d'appât pour passer à l'acte, autrement dit entrer. Ensuite c'est aux employés de jouer. Mais là, la vitrine doit faire en sorte qu'ils reviendront peut-être plusieurs jours plus tard. Aussi la force du message est-elle essentielle. Il doit être quasiment persuasif !

– Bon, venez-en au fait ! dit Neufeldt.

Erlend inspira à fond et expira lentement par le nez. S'il arrachait le GPS du tableau de bord et le lançait à toute volée par-derrière de la main gauche, il transformerait la tête réputée géniale de Neufeldt en une masse sanguinolente. Ses genoux s'étaient encore rapprochés, il aurait dû avoir un marteau, comme ceux que certains agents de recouvrement peu scrupuleux utilisaient sur les genoux des créanciers.

– Eh bien, j'ai fait une vitrine d'une vitrine !

– Là, je ne comprends pas, dit Jytte.

– Comme je dispose d'un réseau très vaste, j'ai contacté des tagueurs. Les plus cotés, pour qui tout tourne autour du statut et de la signature. C'est ainsi que j'ai appris qui était le meilleur du moment, avec le plus grand nombre de chefs-d'œuvre dans les lieux les plus importants.

– « Chefs-d'œuvre » ? coupa Neufeldt.

– Ils les considèrent comme ça. Et le roi en ce moment, c'est josF. C'est lui qui a taggé pour moi la fausse vitrine. C'est un aimant pour la catégorie sociale visée. J'ai donc dressé cette vitrine à cinquante centimètres à l'intérieur de la vraie. J'ai regroupé les mannequins derrière, en rapprochant les têtes, comme s'ils avaient une idée démoniaque. Cette vitrine-là, josF l'a taggée, et devant on a fait une bande de trottoir, avec du vieux goudron et quelques pavés. On y a planté quelques touffes d'herbe et jeté des mégots et deux ou trois bombes de peinture vides. Et ça a l'air absolument authentique ! Ils sont aux anges dans la boutique. Et le mieux, c'est que personne n'ose tagger la vraie vitrine. Personne ne tagge par-dessus ce qui est signé josF. Ce serait carrément suicidaire.

– Qu'est-ce qu'il a demandé pour faire ça ? s'enquit Jytte.

– Vingt super sweats et trois à capuche moches au possible, répondit Erlend.

– C'est original ! dit Lizzi. Tu es vraiment doué.

– On n'est pas bientôt dans le centre-ville ? lança Neufeldt.

L'hôtel se trouvait dans les nouveaux quartiers de la ville où se dressaient beaucoup d'immeubles d'habitation de cinq ou six étages. Ils passèrent devant le *Royal Garden*, il ne voulait pas y loger, l'associant exclusivement à de mauvais souvenirs, le moment atroce où sa mère était à l'agonie et l'échec scandaleux du précédent voyage. Débarquer au beau milieu du suicide de son propre frère, le sourire aux lèvres et des sacs pleins de surprises ! Quel fiasco ! Il espérait sincèrement qu'au cours de la présente visite ils échapperaient à un nouvel enterrement. Seigneur, ça devait suffire.

En arrivant à la réception du *Rica Nidelven*, après que Jytte eut joué avec leurs nerfs en garant la voiture au millimètre près dans le parking souterrain de l'hôtel, Neufeldt s'exclama avec un enthousiasme qu'Erlend ne lui connaissait pas encore :

– Voilà ce qu'on peut appeler une réception d'hôtel ! Tout simplement magnifique ! La hauteur en fonction de la profondeur de la salle, et regardez comment ils ont fait entrer l'extérieur à l'intérieur ! La rivière. En jouant avec l'eau !

Et lui qui, dans la voiture, avait présenté une vitrine taggée. Il sentit soudain une boule au ventre à la pensée que Neufeldt allait venir à la ferme et savoir d'où il était issu, c'étaient ses maudites racines. Un endroit minable qui avait engendré un type minable qui se vantait de vitrines.

– Dépêche-toi de récupérer les clés, Krumme ! Il faut que j'aille au petit coin, ça doit être quelque chose que j'ai mangé.

– Ou bu, rétorqua Krumme.

Ils convinrent tous de se retrouver à la réception dans une heure. Ils iraient acheter plein de bons produits pour les projets de dîners à Neshov de Krumme.

– Jytte ! Demande à la réception où ils vendent le fin du fin ! Nous, on file, j'ai une envie urgente ! dit Erlend.

Il se précipita vers les portes de l'ascenseur, au bruit des roulettes de sa nouvelle valise Rimowa en aluminium. Il savait que, quoi qu'ils fassent, c'était jeter des perles aux pourceaux, en ce qui concernait Neufeldt. Krumme le suivit en haletant.

– Est-ce que tu as vraiment si mal au ventre ?

– Non. C'est la tête.


Il se débarrassa de sa valise sur un sofa, tandis que Krumme s'extasiait de cette jolie suite sur deux niveaux.

– Viens voir cette vue, petit mulot ! Trondheim est une ville phénoménale.

– Tu as encore ce mot-là à la bouche…

Dans sa valise il avait une bouteille supplémentaire de Gammel Dansk et trois bouteilles de Bollinger. C'était en plus de leur quota autorisé, et de celui des filles. Ils devraient pouvoir survivre du vendredi au dimanche. Il ouvrit la bouteille de snaps et alla chercher un verre à vin dans un buffet vitré sur lequel trônait un grand compotier. Les fruits étaient encore couverts de gouttelettes froides, quelqu'un avait dû les apporter à la hâte juste avant, pendant qu'ils réglaient les formalités à la réception. Il remplit le verre et but deux bonnes gorgées.

– Je HAIS ce type ! C'est un con fini !

Krumme se détourna de la vue et le dévisagea longuement, puis il déclara :

– Écoute, Erlend, ce n'est pas souvent que j'en ai marre de toi, mais en ce moment c'est le cas ! Pas... de toi, mais de toute cette histoire à propos de Kim. On se l'arrache dans le monde entier, et il vient ici avec nous, il va faire les dessins pour qu'on dépose notre demande d'autorisation de travaux, et une quantité de plans et de schémas pour qu'on puisse les réaliser. Dis-moi, est-ce que tu regrettes ?

– Quoi ? Les enfants... ?

– Non ! De faire de Neshov notre lieu de vacances !

– Mon Dieu, Krumme, il me rend dingue...

– Ça suffit maintenant !

– Bon ! Pour toi, je vais faire une petite pause. Mais il se serrait beaucoup contre toi sur la banquette arrière, non ? Il n'était pas en train de te peloter scandaleusement sous le couvert de son ample short ?

Krumme renversa la tête et éclata d'un rire retentissant comme seul un petit corps tout rond en était capable.

– Excuse-moi ! dit Erlend.

Puis il vida son verre. Il devrait endurer seul, en son for intérieur, le fait que Neufeldt le considérerait comme un être minable. Il y avait un lieu et un temps pour tout. En tout cas, pour certaines choses. Il vida le minibar de tout ce qui était eau et jus de fruits, qu'il fourra par terre sous le bureau. Puis il y coucha les bouteilles de Bollinger en les superposant et claqua la porte. Il ouvrit un sachet de cacahuètes et se versa une nouvelle rasade de snaps, tout en écoutant les bruits que faisait Krumme dans la salle de bains où il prenait une douche pour la deuxième fois de la journée. Il regarda autour de lui, c'était vraiment une gentille petite suite. Avec une chambre, sûrement aussi agréable, en haut de l'escalier. Mais Krumme n'avait presque pas le courage de faire l'amour quand il faisait aussi chaud, et lui-même n'en avait pas davantage pour monter les marches et voir comment c'était là-haut. Au lieu de ça, il ouvrit une fenêtre et se pencha au-dehors, tout en allumant une cigarette.

Il laissa généreusement Lizzi s'asseoir devant avec Jytte quand ils quittèrent l'hôtel, la voiture chargée de sacs de duty-free et de courses chez Ultra. Krumme ferait cuire des moules à la vapeur avec du chili et de la coriandre, puis il concocterait un plat créatif à base de flétan frais et une quantité de garnitures. Krumme ne pensait pas qu'ils avaient de mixer plongeant à Neshov, il avait donc fallu aussi en acheter un, il en avait besoin pour la sauce verte froide du poisson qu'il allait faire avec de la menthe, de la crème, de l'ail et un tas d'autres gourmandises. La boutique des Vins et Spiritueux était juste à côté d'Ultra, et Erlend s'y était senti attiré comme par un aimant.

— On va acheter quelques bouteilles de plus que Torunn pourra garder. Ça doit être sec comme le désert de Gobi là-bas.

Il avait pris deux bouteilles de cognac pour elle et trois autres de Bollinger pour lui, puis il avait réglé, le visage impassible. Il était incroyable qu'un pays où la boisson coûtait ce prix-là puisse engendrer des alcoolos, soit ils faisaient partie des couches sociales les plus fortunées, soit ils avaient gagné aux courses.

Il avait insisté pour s'asseoir au milieu de la banquette arrière afin de diriger Jytte, écartant ainsi le corps de Krumme de celui de Neufeldt. Il préférait supporter lui-même le contact. Il renifla discrètement en direction de Neufeldt, mais ne sentit qu'une faible odeur de pure transpiration, récente, et un parfum corporel qu'il ne parvint pas à déterminer, mais qui pourrait être Calvin Klein. C'était un bon point en sa faveur, il n'utilisait pas un déodorant de supermarché.

– Tu n'auras qu'à suivre les panneaux pour Flakk au prochain carrefour, dit Erlend. On est maintenant à Ila. Trondheim s'arrête ici en fait. En tant que commune. Vous croyez qu'on peut fumer dans la voiture ? Il y a la clim.

– Non, dit Krumme.

Ils se retrouvèrent le long du fjord qui, sous la canicule, ressemblait à une nappe de brouillard unie et bleue. Ils dépassèrent l'embarcadère du ferry, et rencontrèrent les premières fermes, les petits bois, les vastes étendues de blé vert et les champs rayés de fraisiers. Ils durent doubler trois tracteurs et en rencontrèrent d'autres en sens inverse. La ligne jaune au milieu de la route disparut. Quand ils eurent dépassé Rye et Opland, et que tout le district de Bynes s'étendit devant eux, Jytte se déporta sur le côté et arrêta la voiture.

– Il faut que je sorte voir, dit-elle. Je coupe le moteur, il faut que j'entende aussi.

La chaleur les enveloppa, celle de l'asphalte, et du soleil qui cognait. Ils restèrent immobiles sur le bord de la route. Des bruits lointains de tracteurs, le bourdonnement des insectes, c'était tout. Un troupeau de vaches paissait dans un pré au loin, juste à l'endroit où le terrain s'incurvait et disparaissait en descendant vers le fjord, elles ressemblaient à des pommes de pin, on les voyait à peine bouger.

– Quel air ! s'extasia Lizzi. Pur ! Absolument pur ! Dire qu'à Amager on croit respirer un bon air ! Mais ce n'est en réalité que l'air pollué de Kastrup.

– Alors pensez que les enfants viendront ici ! dit Krumme. Ce sera phénoménal pour eux, ce sera le paradis de leur enfance.

– Au printemps, ça ne sent pas du tout pareil, remarqua Erlend. Quand ils épandent le fumier.

– C'est une saine odeur, répliqua Jytte. Car ça signifie moins d'engrais chimiques dans la terre. Et puis elle doit vite se résorber.

– Pas assez vite, reprit Erlend. Mais on n'est pas obligés de venir à ce moment-là.

– Oh que si ! s'écria Krumme. Le printemps est la plus agréable de toutes les saisons.

Quand ils arrivèrent dans la cour, vers trois heures, un gros 4×4 était garé à côté de la voiture de Torunn. Un petit chiot noir accourut si rapidement vers eux que Jytte dut s'arrêter au milieu des graviers pour ne pas l'écraser. Un homme bronzé, en jean clair et T-shirt blanc, surgit en courant et le souleva de terre. Ce devait être le remplaçant au prénom ridicule. Erlend l'avait secrètement surnommé Cochonnet, mais en le voyant il comprit que ce n'était pas du tout approprié. Il déglutit. C'était un homme avec des muscles qu'on n'obtenait pas dans un centre de remise en forme, ses pectoraux et ses biceps avaient l'air durs et massifs, allongés sans être surdimensionnés. Quand l'homme se retourna et s'éloigna un peu de la voiture tandis que Jytte avançait jusqu'à l'endroit où les autres étaient garées, le regard d'Erlend s'attarda sur un large dos où le tissu de coton était tendu entre les omoplates, et qui descendait vers deux fesses parfaites avec le petit creux caractéristique de chaque côté, signe d'une musculature forte, d'un cul en acier. Le jean bâillait un peu derrière, mais de la manière la plus correcte, un tantinet négligente. Il avait beau faire chaud, Krumme lui devrait un câlin aujourd'hui, qu'il le veuille ou non, car on voyait de loin que ce Kai Roger était hétéro, et même si ça n'avait pas été le cas... Krumme et lui avaient depuis longtemps opté pour la monogamie. Ils avaient parmi leurs amis plusieurs couples qui ne considéraient pas le sexe pur comme une infidélité, en respectant néanmoins certaines règles : jamais plus d'une seule fois avec le même type, et ne jamais s'embrasser sur la bouche. Si Erlend entraînait le remplaçant dans la grange à la seconde même et s'adonnait à un sexe sauvage baigné de sueur dans les bottes de paille, il n'en aimerait pas moins Krumme tout autant après ça. Mais ce qui le retenait en pareille situation, c'était l'idée que Krumme à la seconde même puisse entraîner le remplaçant dans la grange et s'adonner à un sexe sauvage baigné de sueur.

L'idée était insupportable. Et en croisant le regard de Krumme, il sut qu'ils avaient vu la même chose, pensé la même chose. Il appuya sa cuisse contre la sienne.

– Quelle chaleur ! dit Krumme.
– Il ne fait pas si chaud que ça, rétorqua Erlend.
– Peut-être pas...

Torunn vint à leur rencontre, le père était assis à l'ombre de la remise et les observait sans se lever. Les portes de la porcherie étaient grandes ouvertes.

– Maintenant vous sentez l'odeur, fit Erlend tout bas.

Au bout de la grange il aperçut une sorte de rampe en bois toute neuve, dont les gonds brillants ressortaient sur les vieilles planches du mur. Le dépôt de cercueils de Margido devait se trouver à l'intérieur. Il se demanda comment Neufeldt allait réagir en apprenant qu'ils stockaient des tas de cercueils à la ferme. Tous se livrèrent au rituel des poignées de main et des présentations, Jytte et Lizzi embrassèrent Torunn et débordèrent d'enthousiasme pour lui dire que c'était tellement beau ici, et qu'elles étaient ravies d'être venues et de faire sa connaissance. Il n'y avait aucune affectation, Erlend savait que ce n'étaient pas de simples paroles en l'air, elles le pensaient sincèrement, elle serait la tante norvégienne de leurs enfants. Cependant Torunn ne répondit que par des mots creux, « merci », « ravie », « bienvenue ». Quand ce fut son tour, il ouvrit largement les bras :

– Ma petite nièce, viens voir ton oncle Erlend !

Il passa les bras autour d'elle et sentit une résistance, une mauvaise grâce qu'il ne comprit pas. Elle avait maigri, et elle ne le regarda pas tout à fait dans les yeux. Peut-être avait-elle un chagrin d'amour ? Pendant que les autres s'amusaient du chiot, il lui dit à voix basse, sans la lâcher :

– Comment vas-tu, ma petite nièce, hein ? J'ai plein de beaux cadeaux pour toi. Des tas de choses en duty-free, des cosmétiques achetés à Kastrup et deux bouteilles de cognac rien que pour toi, on ne va pas tout boire. Et des cigarettes ! Et Krumme va faire de bons petits plats…

Il la lâcha, il avait aperçu la table de ferme en bois qui était dans la cour.

– Vous l'avez trouvée ? Oh, c'est exactement à cet endroit-là que j'imaginais cette table ! Mais ces horribles chaises ne vont pas avec ! Il y a des bancs, vous ne les avez pas vus ? Et qu'est-ce que vous avez mis sur les chaises, des rideaux ? Oui ! Ce sont des rideaux ! Seigneur, Torunn…

– C'est d'un effet extraordinaire, déclara Neufeldt. Complètement ethnique.

– Ethnique… ? dit Erlend.

– *Mismatch*. Parfaite discordance. Superbe. Il n'y a pas deux tissus qui aient le même motif. Et les couleurs ! Regardez comme elles tranchent sur le reste des tons et des lignes qu'on a ici, toutes seules, comme des pièces uniques, sur le vert de la terre, le blanc et le rouge rustique des murs.

– Et voilà les silos ! lança Erlend.

– Je ne suis pas aveugle, dit Neufeldt.

– Il faut rentrer les provisions, s'empressa d'interrompre Krumme en bousculant un peu Erlend, sinon on pourra bientôt manger les moules directement du coffre.

Erlend fut deux secondes seul avec Krumme dans la cuisine, où il siffla entre haut et bas :

– Ce monsieur est architecte ! Et voilà qu'il commence à s'exprimer sur les motifs ! Ces chaises ne resteront pas là ! Je trouverai les bancs dans la grange et je les recouvrirai de draps blancs ! Et si je ne trouve pas de draps, nom de Dieu ! je me servirai des vieilles nappes damassées de maman, et on pourra s'y asseoir et péter dessus. Pas question d'avoir des pièces uniques dans la cour sans que ce soit moi qui les place avec une intention particulière !

– Allons, allons, petit mulot… Tu as promis.

Torunn vint les aider à faire de la place pour tout dans le frigo, ils durent entasser ce qu'elle avait sur les côtés. Erlend alla jusqu'au congélateur avec trois bouteilles de champagne, il ouvrit la porte et respira la bouffée d'air froid en écoutant son pouls battre furieusement. Il rangea les bouteilles et examina le contenu. On aurait dit qu'il y avait eu une tempête de neige dans le congélateur, il était blanc de givre, les paquets et les sachets en plastique étaient couverts d'amas de cristaux de glace. Il remarqua, dans un coin, des briques de lait entourées d'un élastique, il en souleva une et gratta la glace qui rendait des lettres au crayon-feutre presque illisibles. « Pâte à gaufres – 99 ». L'élastique se brisa sous ses doigts, il remit la brique à sa place et poussa du pied l'élastique sous le congélateur. Cet appareil n'avait jamais dû recevoir de vrai champagne à frapper dans l'urgence, c'était certain.

Il réalisa tout à coup qu'il n'avait même pas salué le père et ressortit en hâte. Enfin, il fallait voir le bon côté des choses : Neufeldt l'évaluait au sein d'un cadre ethnique, et pas minable.

Le remplaçant se proposa de l'aider à chercher les bancs dans la grange, Erlend accepta aussitôt. Neufeldt s'assit à côté du père et commença à lui poser des questions sur la ferme, le père répondait avec nervosité, il n'avait pas l'habitude d'être l'objet d'autant d'attention.

– Plusieurs générations, oui… l'entendit-il répondre.

Neufeldt était allé chercher une bière pour chacun d'eux, et en voyant le père boire au goulot, Erlend accusa le coup en silence, tandis que le remplaçant se dirigeait vers la grange et qu'il lui emboîtait le pas.

Une chose était sûre : il était hors de question que Neufeldt soit mis au courant des secrets de famille et de qui était père ou frère de qui, hors de question qu'il pénètre dans leur sphère intime et se jette sur les fantômes récemment sortis du placard. Il fallait qu'il pense à avertir Jytte et Lizzi, car elles connaissaient toute l'histoire de la paternité. Il les aperçut derrière les bâtiments, main dans la main, elles descendaient vers la grève en suivant le sentier et la clôture de pierres entre deux champs. Il y avait un petit hangar à bateau en bas, peut-être allaient-elles y faire l'amour ? Le chiot, épuisé par tant de caresses et de salutations, s'était couché à l'ombre sous la table, à côté d'une ancienne boîte de glace à la vanille blanche remplie d'eau, où des brins d'herbe et de petits copeaux flottaient à la surface.

– Vous êtes très différent de vos frères ! dit Kai Roger.

– J'espère bien, répliqua Erlend.

– De Tor surtout. Mais vous ressemblez un peu à Margido, au-dessus des yeux.

– Il doit sans doute débarquer ici tout le temps maintenant, non ? Chercher des cercueils ? Seigneur…

– Je ne sais pas combien de fois il vient. Mais les couronnes supplémentaires sont bonnes à prendre pour Torunn.

Ils étaient dans la pénombre, entourés de fourches de tracteur rouillées, de tonneaux, de vieux outils et de milliers de choses indéfinissables que Tor avait conservées, empilées les unes sur les autres, fourrées sous d'autres choses encore. Une épaisse couche de poussière recouvrait chaque surface plane, et des toiles d'araignée, ayant fait leur temps ou bien déplacées, scintillaient dans les rayons du soleil qui s'infiltraient entre les planches.

– Au secours ! J'avais oublié que j'ai une peur bleue des araignées ! s'écria Erlend. Je n'ose pas approcher de quoi que ce soit !

Kai Roger éclata de rire.

– Montrez-moi du doigt, alors ! Là où vous croyez que ces bancs peuvent se trouver ! Je dégagerai les araignées et tout ce qu'il faudra.

– En plus, j'y pense, je porte des pantalons qui valent assez cher…

– Ne vous inquiétez pas ! Je dégage, vous réfléchissez et vous montrez du doigt.

– Est-ce que vous êtes amoureux, Torunn et vous ?

– Quoi ?!

Kai Roger le regarda en face, devint grave, inspira profondément puis expira en baissant les yeux vers le plancher poussiéreux.

– Non. Elle est très distante… Ne s'intéresse même pas au chiot. En tout cas, pas spécialement.

– Mais est-ce qu'elle vous aime bien ? demanda Erlend en allumant une cigarette.

– Je n'en sais rien. Elle est impossible à cerner. Je suis ici matin et soir, mais je ne suis que du vent pour elle.

Kai Roger lui tourna le dos et se mit à tirer sur une corde qui était attachée à une moitié d'échelle.

– Et vous l'aimez, vous ?

– Bon sang, mais bien sûr ! Aujourd'hui je suis venu en dehors des heures de porcherie pour vous saluer à votre arrivée. Mais quand j'ai dit ça, elle s'est contentée de hausser les épaules.

Torunn devait être folle ou malade. Elle souffrait peut-être d'un cancer, du diabète ou d'une tumeur au cerveau, sans le savoir. Lui-même se sentait infidèle rien que de discuter avec lui. Il se considérait comme un remarquable connaisseur du genre humain, et cet homme-là représentait le nec plus ultra. Gentil, intelligent, patient et… séduisant. Phénoménal !

– Vous vous…

– Non. Même pas embrassés, dit Kai Roger. Après l'été je chercherai du boulot ailleurs, je ne peux pas continuer comme ça. J'ai l'impression d'être un fieffé imbécile, mais il faut que quelqu'un l'aide, elle est toute seule à gérer ça.

– Vous venez d'une ferme, vous ?

– Oui. Mon frère était l'héritier, il l'a reprise il y a quelques années.

– Alors ce n'est pas seulement Torunn que vous aimez, mais la ferme aussi… ?

Kai Roger rit.

– Je ne peux pas vraiment dire que j'aime la ferme telle qu'elle est là, ça ne ressemble à rien ici. Ce sera un énorme travail de la remettre en état, et il faudra soit poursuivre l'élevage, soit changer complètement d'activité. Mais Torunn refuse de parler de ça, c'est un sujet qui n'existe pas pour elle… Bon Dieu, je vous raconte tout ça et je vous connais à peine…

– Soyez rassuré ! C'est l'effet que les homos produisent sur les gens, je m'en rends compte tout le temps.

– Vous êtes son oncle, hein ? Alors ce n'est pas trop grave…

– Exactement ! Et maintenant qu'on est arrivés, il va y avoir du mouvement… du vent dans la chemise, dit Erlend, tout fier de se souvenir de l'expression norvégienne.

– Mais vous allez repartir.

– Je vais lui remonter le moral, ne vous en faites pas ! Allons, il faut qu'on trouve les bancs. Essayez dans le coin là-bas, sous la fourche de tracteur ! Ils font à peu près trois mètres de long. Et vous viendrez dîner avec nous ce soir dans la cour, laissez la voiture ou rentrez à pied ! On aura droit à de grosses quantités d'alcool pendant le repas !

Kai Roger commença à tirer sur la fourche, elle était enfouie sous un amas de poussière, la pointe des dents et une partie de la griffe étaient rongées, on aurait cru de la dentelle brune.

– Je ne sais pas si Torunn voudra que je...

– Faites-moi confiance, Kai Roger ! Comme tout le monde !

Le regard d'Erlend erra sur les épaules, les bras, la nuque en sueur, les fesses.

Torunn devait sans aucun doute être folle ou malade.

– J'ai nettoyé le grand salon de fond en comble, et ce n'est pas là qu'on va dîner ?

Erlend s'affairait avec des draps blancs qu'il disposait sur les bancs. Il avait d'abord étalé les rideaux en long dessus, et plusieurs couvertures de laine, tandis que les draps recouvraient l'ensemble.

– On ne va quand même pas subir la chaleur du salon ! répondit-il.

– J'avais pensé que… s'il pleuvait, dit-elle.

– Alors tu n'avais pas non plus besoin de faire le ménage ! On n'aurait pas remarqué la poussière ! Tu te crées des problèmes inutiles, Torunn ! Ce n'est pas sain.

Elle monta dans la salle de bains, s'enferma à clé, s'assit sur le bord de la baignoire et sentit l'émail froid sous la paume de ses mains. Elle fixa des yeux la clé, le trou de la serrure, la poignée de porte en métal brillant ceinte de plastique blanc. Pourquoi avait-elle nettoyé ce salon ? Il avait parfaitement raison. Bien sûr qu'ils devaient manger dehors. Et s'il avait plu, il n'y aurait pas eu de soleil et, par conséquent, toute la poussière serait demeurée invisible. Bon sang, elle n'était plus capable de penser intelligemment ! Elle s'aspergea le visage, se passa un peu d'eau sous les bras. Ils devaient dîner à neuf heures, quand Kai Roger et elle auraient fini à la porcherie. À neuf heures ! Et Kai Roger dînerait aussi avec eux. Elle les entendait dans la cour, les voix des Danoises, celle de Kai Roger, ils jouaient avec le chiot, Kai Roger décrivait probablement en détail tout ce qu'il avait appris et les bêtises qu'il avait faites.

Lorsqu'elle descendit, Erlend emportait une pile d'assiettes du grand salon, les blanches avec un liseré doré tout autour. La radio était posée sur la fenêtre ouverte de la cuisine, branchée sur une station musicale.

Krumme s'activait dans la cuisine comme si c'était la sienne. Il portait une chemise hawaïenne colorée qui pendait par-dessus son gros ventre, et le diamant rayonnait à son oreille. Son visage était trempé de sueur. Il coupait finement différentes sortes de légumes qu'il mettait sur un plat et recouvrait d'un film plastique. Là il était en train d'ôter les graines d'un chili.

– Prends une bière et profite de la vie ! dit-il. On ira en acheter d'autres demain. Et puis on mangera un splendide filet de dinde que j'ai rapporté de chez nous, mariné dans l'huile avec de la moutarde, du soja et...

– Ça devrait être bon.

Il but de longs traits de bière au goulot.

– Tu sais, ajouta-t-il en riant, un jour où j'étais en train de laver et de couper un chili à l'appartement, j'avais une énorme envie de pisser et je n'y ai pas pensé ! Le cerveau avait complètement déconnecté ! Alors tu imagines ce qui s'est passé quand j'ai sorti junior ! J'ai cru que j'allais mourir, dis donc ! Et je ne savais pas du tout quoi faire ! Finalement j'ai versé de la crème dans un grand verre et je l'ai trempé dedans, et c'est à ce moment-là qu'Erlend est rentré !

Il jeta la tête en arrière et rit à gorge déployée, elle émit elle-même quelques petits ricanements, porta la bouteille à sa bouche, avala une toute petite gorgée.

Le grand-père, une nouvelle bière à la main, était assis sur une chaise en plastique sans rideau et souriait, des traces brunes aux coins des lèvres.

– Est-ce qu'on a des grands vases, Torunn ?

– Il y en a sûrement quelque part, je vais regarder.

– Jytte et Lizzi, vous pouvez peut-être aller cueillir quelques beaux bouquets pour décorer la table ? On va fêter et trinquer dans les formes !

– On y va ! dit Lizzi.

Lizzi était grande et gracieuse, Jytte petite et ronde, elles riaient beaucoup, se touchaient souvent. L'architecte fit un tour du côté des silos, les tapota, les mesura des yeux. Il n'avait pas spécialement l'air de quelqu'un de connu dans le monde entier, comme Erlend le lui avait expliqué au téléphone. Peut-être qu'on devenait comme ça quand on gagnait des millions, qu'on se moquait bien de sa propre image. Mais ce n'était pas le cas de Krumme qui, lui aussi, était multimillionnaire.

Elle savait qu'il y avait de gros vases en cristal dans le buffet du salon, elle alla les chercher. Ils étaient si lourds qu'elle avait du mal à en tenir un dans chaque main.

– Des vases en cristal ! Parfait ! Pas de nappe sur la table, ce seront le cristal et la porcelaine qui se marieront avec le bois gris, on vit à l'époque des contrastes ! s'écria Erlend.

Il tourna avec exubérance autour de la table pour trouver l'emplacement optimal. Puis il se procura des pichets d'eau pour remplir les vases.

Jytte et Lizzi voulurent les accompagner dans la porcherie lorsqu'elles revinrent avec des bouquets composés de cerfeuil sauvage, de grandes marguerites et de longs épis aux grains verts.

– Je n'ai pas d'autres combinaisons, déclara Torunn.

– Mais moi j'en ai ! Dans la voiture, fit Kai Roger en courant les chercher.

– Est-ce qu'elles sont toutes propres ? cria Torunn.

– Bien sûr !

– Ça n'a pas d'importance pour nous, dit Jytte.

– Si, rétorqua Torunn. Il ne faut pas qu'elles aient été portées dans une autre porcherie, il y a des règles de protection animale à suivre, très strictes. En fait, elles sont si strictes que vous qui venez d'un autre pays n'êtes pas du tout censées pénétrer dans la porcherie. Donc vous ne pourrez pas toucher les animaux.

– Mais on ne s'est pas approchées d'une porcherie danoise depuis qu'on était gamines, affirma Lizzi.

– Le règlement est ainsi fait, ce n'est pas pour vous embêter, dit Torunn en écartant les lèvres comme pour sourire.

– Vous êtes amoureux l'un de l'autre, Kai Roger et vous ? demanda Lizzi.

– Non.

– Pourquoi pas ? Il doit être parfait !

« Mais pas moi », allait-elle répliquer. Heureusement il arriva avec les combinaisons et ils purent entrer dans la porcherie.

Les truies étaient apathiques et lentes dans leurs mouvements, mais elles se rendirent compte d'emblée qu'elles entendaient des voix inconnues.

– Mon Dieu, elles sont énormes ! s'exclama Jytte en prenant la main de Lizzi.

Torunn fut tout à coup envahie par un profond sentiment de jalousie. Voilà aussi comment elle avait vu les porcs un jour, avec un emballement candide et débordante d'admiration pour son père. Sa présence lui manqua terriblement, celle du temps où il ne s'était pas encore blessé à la jambe, où il n'avait pas perdu le contact avec la porcherie, où tout avait encore un sens pour lui. Elle entendit sa propre voix répéter ce que son père lui avait expliqué la toute première fois, combien elles pesaient, le problème des pattes qui devaient supporter ce long corps, la hiérarchie qu'elles établissaient entre elles. Mais elle entendit aussi que sa voix ne reflétait pas le même enthousiasme que celui dont son père avait fait preuve. Elle se souvint de la lueur qui brillait dans ses yeux pendant qu'il parlait, du bras qu'il tendait fièrement audessus des loges comme s'il lui dévoilait un trésor extraordinaire. À quel point elle l'avait trahi !

– Mais qu'est-ce qu'il y a comme mouches ici ! remarqua Jytte.

– C'est impossible de s'en débarrasser, dit Torunn.

Il y avait probablement une cinquantaine de mouches sur chacune des truies.

– Mais ce serait pire encore s'il s'agissait d'insectes qui piquent, ajouta-t-elle.

– Il faut qu'on voie les porcelets maintenant ! s'écria Jytte.

Elles la suivirent main dans la main et poussèrent des cris aigus à la vue de la première portée, tassée tout au fond de la loge. Les petits groins mouillés se tordaient d'un air inquisiteur. Quand Kai Roger et elle étaient seuls, ils venaient tout près, avides de caresses et de compliments.

– Tu as vu comme ils sont mignons... Si parfaits et si petits... Mais le petiot là-bas, regarde ! Il est moitié moins gros que le plus costaud ! constata Lizzi.

Torunn évoqua les mamelles de la truie, expliqua que tous les porcelets avaient leur trayon attitré en l'espace de quelques jours, mais qu'il y en avait toujours un qui se trouvait écarté et devenait le souffre-douleur des autres.

– Vous pouvez en prendre un ? Quel dommage qu'on ne puisse pas le tenir nous-mêmes... regretta Jytte.

Torunn se baissa et souleva un porcelet par une patte de derrière, comme son père le lui avait appris.

– Qu'est-ce que vous FAITES ? s'exclama Lizzi. Il doit avoir drôlement mal !

– C'était ce que je croyais aussi. Avant. Mais si on l'attrape de la même façon qu'un chiot, par exemple, il se met à crier comme si on allait l'égorger, dit-elle.

Du moment qu'elle le maintenait bien, il resterait tranquillement dans ses bras, et ce fut dans cette position-là que Jytte et Lizzi l'admirèrent de près. Il clignait de ses petits yeux bleus aux cils blancs comme la craie, et les reniflait.

– Il est tellement mignon que j'en ai une montée de lait, murmura Jytte avec recueillement.

– Mon Dieu, oui ! dit Lizzi. Ce petit nez. Absolument parfait.

– Bon, mais il va falloir que je m'y mette, déclara Torunn.

Elle relâcha le porcelet dans la loge, où il courut vers ses frères et sœurs qui se rassemblèrent autour de lui en le flairant.

– Qu'est-ce que vous avez l'habitude de faire, alors ? demanda Lizzi.

– Faire… ? Ce qu'on fait dans une porcherie, vous voulez dire ?

– Oui.

– Enlever le fumier, changer la paille, aller chercher les aliments et la litière de tourbe, vérifier qu'ils sont tous en bonne santé. Aujourd'hui, je crois que je vais laver l'allée centrale à grande eau, ça aide à chasser les mouches, et puis ça rafraîchit un peu.

– Vous pouvez peut-être aussi arroser les porcelets ?

– Non, ça fait trop de boue. Mais je les lave un petit peu avec des torchons…

– C'est vrai ! cria Kai Roger de l'autre bout de la porcherie. Ils ont droit à un lavage à la main personnalisé ! C'est presque une cure thermale pour cochons !

Jytte et Lizzi rirent bruyamment, les murs en résonnèrent, plusieurs truies assises sur leur arrière-train se levèrent, elles branlèrent la tête et remuèrent les oreilles dans leur direction. Ce n'était pas souvent qu'elles entendaient rire.

La table était fin prête quand elle sortit dans la cour. Elle remarqua les serviettes, des serviettes de Noël. Elle n'en achetait jamais, Erlend avait dû trouver celles-ci dans le buffet. Kai Roger fit sortir le chiot de la voiture, où il le laissait toujours pendant qu'ils étaient occupés à la porcherie. L'architecte était déjà assis à un bout de la table, et le grand-père à l'autre bout. Elle eut l'impression que ce n'était pas la cour qu'elle connaissait. Des fleurs dans le cristal qui miroitait sur la vieille table, tellement de personnes à la fois, des odeurs de cuisine qu'ils ne sentaient jamais ici d'habitude, d'ail et de fines herbes, les draps blancs sur les bancs, qui flottaient légèrement. Le ciel passait du rose à l'orangé au-dessus de la longère, la journée de demain serait aussi chaude et dégagée qu'aujourd'hui. Jytte et Lizzi, qui aidaient Krumme dans la cuisine, sortirent en portant de grands saladiers pleins de moules, et du pain coupé en dés.

– J'apporte l'aïoli moi-même, cria Krumme par la fenêtre ouverte.

– On aurait peut-être dû aussi prévenir Margido, dit Erlend. Mais il sait bien qu'on est arrivés, il va sûrement venir faire un tour.

– Il faut que je prenne une douche avant de manger, déclara Torunn.

– Pas la peine ! s'écria Erlend. On a senti cette odeur toute la journée ! C'est l'heure du champagne !

– Je ne vais pas me doucher non plus, renchérit Kai Roger qui faillit lui caresser l'épaule.

– Je préfère une bière, dit l'architecte.

– Vous n'aimez pas le champagne ! s'esclaffa Erlend.

Il prit la corbeille de pain des mains de Lizzi et la posa au milieu de la table.

– Moi, ajouta-t-il, je ne pourrais tout bonnement pas vivre…

– J'adore le champagne, coupa l'architecte.

– Quoi ?! Que voulez-vous dire ? demanda Erlend.

– Mais je ne bois pas de Bollinger. C'est de la lavasse.

– « De la lavasse » ? Vous avez dit « de la lavasse » ?!

– Oui.

– KRUMME ! hurla Erlend. Ton Kim prétend que notre Bollinger, c'est de la lavasse !

Krumme sortit en courant de l'appentis avec deux assiettes creuses dans les mains.

– Si vous aviez eu un Agrapart blanc de blancs, je me serais fait une joie à l'idée d'en boire une coupe, dit l'architecte.

Il passa lentement les deux mains dans ses cheveux. Torunn vit le corps d'Erlend se raidir entièrement.

– La cuvée Millenium… ?

– Mon préféré, répondit l'architecte. À partir du moment où on a goûté à ce qui se fait de meilleur, ça devient un crève-cœur de boire du second choix.

– Tous les goûts sont dans la nature, dit Krumme. Je vais te chercher une bière, Kim. Et toi, tu vas chercher le champagne, petit mulot. Allez, viens !

Ils rentrèrent ensemble, Krumme tenait toujours ses assiettes. Quelques secondes plus tard, il ferma la fenêtre de la cuisine et la porte d'entrée, Torunn entendit la voix de fausset perçante d'Erlend sans pouvoir distinguer les paroles. La voix de Krumme était impossible à saisir. Jytte et Lizzi étaient restées debout, immobiles, l'une contre l'autre, Lizzi avait pris Jytte par les épaules.

– Pourquoi dites-vous une chose pareille ? demanda Kai Roger. Vous êtes en froid, ou quoi ?

Il s'assit à côté du grand-père, juste en face de l'architecte. Il y avait de la colère dans sa voix. Torunn se dit qu'elle pourrait au moins aller se laver les mains et les aisselles. Avec le liquide vaisselle

dans la cuisine. Elle avait l'habitude de filer droit
sous la douche après la porcherie.

– Il a besoin qu'on lui rabatte son caquet, dit
l'architecte.

– Vous êtes homo, vous aussi ? Il n'y aurait pas de
la jalousie dans l'air là-dessous ? répliqua Kai Roger.

– Restez cool ! fit l'architecte.

– Il me semble que c'est à vous qu'il faut dire ça !
martela Kai Roger.

– Je refuse… commença le grand-père.

– ÇA SUFFIT ! cria Torunn. Mais, bon sang,
est-ce que vous allez arrêter ? Le dîner est servi, on
mange maintenant !

Simplement en finir avec ce repas, les voir
remonter dans la voiture de location et disparaître,
voir Kai Roger descendre l'allée au petit trot avec son
chiot en laisse, monter enfin dans la salle de bains, se
doucher, prendre un verre de cognac et fumer une
cigarette à la fenêtre de sa chambre… elle y avait
porté les deux bouteilles. Et derrière le rideau, le
verre Duralex attendait.

Elle entra dans la maison. Erlend se tenait à crou-
petons à côté de la cuisinière à bois, la tête dans ses
mains, il pleurait en se balançant d'avant en arrière.
Krumme était debout, une main contre le bord de la
table en formica, le menton appuyé sur le tapis
d'amour de sa poitrine.

– Mais qu'est-ce qui se passe ici enfin ?
demanda-t-elle.

– Erlend se sent écrasé, répondit Krumme en
levant la tête.

Elle lut le désespoir sur son visage mais n'éprouva
aucune compassion. Elle prit le liquide vaisselle dans
le placard sous l'évier et tourna les deux robinets de
façon à obtenir la bonne température, se savonna les

mains et les aisselles, rinça abondamment, avec soin, au bruit de l'eau qui éclaboussait et des sanglots d'Erlend.

– Je vais aller lui parler, dit Krumme.

Erlend sanglota plus fort.

– Écrasé par quoi ? demanda Torunn. L'andouille qui a l'air d'un clochard ?

Les sanglots s'arrêtèrent net.

– Qu'est-ce que tu as dit, Torunn ? fit Erlend d'une voix nasillarde.

– Un clochard.

Il se releva lentement, arracha quelques feuilles de papier essuie-tout et se moucha au moins cinq fois en inspirant par la bouche, qu'il ouvrait de façon théâtrale. Puis il jeta le papier dans la cuisinière, se frotta les yeux à plusieurs reprises, rajusta son pantalon et dit :

– Bon, je vais chercher le champagne. Il est allé au congélateur et au frigo, il devrait donc être absolument parfait, même s'il faut le boire dans des verres à vin. Et toi, tu apportes l'aïoli, Krumme, pour la deuxième fois. Et je veux bien avoir ma nièce tout juste récurée comme voisine de table. Les moules attendent.

Elle s'étonnait que Krumme ait autant de patience envers lui. Que l'amour de quelqu'un soit aussi fort. Krumme s'assit en face d'elle et d'Erlend, et elle vit le pied nu de Krumme s'avancer vers le mollet d'Erlend pour le caresser, une fois qu'ils furent installés. Krumme était obligé de se pencher sur le côté pour l'atteindre, mais il croyait le faire en toute discrétion. Erlend fit comme si de rien n'était, il sourit à Torunn et déboucha le champagne d'un geste précis et routinier, laissant un peu de gaz s'échapper du goulot avant de dégager le bouchon. Il ignora complètement la bouteille de bière de l'architecte mais, quand il eut fini de servir le champagne, il remplit d'eau minérale les verres de Lizzi et Jytte en exagérant le jeu de mains.

– À votre santé ! Puissent le bonheur, la prospérité et la réussite se déverser dans votre vie ! En cascades ! déclara-t-il.

– Et buvons à Neshov ! renchérit Krumme. Et à la santé de Torunn !

– Et à celle des bébés qui vont naître ! dit Lizzi.

– Et qui, Dieu merci, auront bientôt des cheveux sur la tête, ajouta Erlend. Et des sourcils.


Ils durent montrer au grand-père comment d'abord vider une première moule, afin de pouvoir ensuite se servir de la coquille comme d'une pince pour manger les suivantes.

– Et comme d'une cuiller. Pour prendre le bon jus dans le fond, dit Jytte.

– Mais on a des cuillers à la maison, dit le grand-père.

– Ça n'a pas le même goût, reprit Jytte.

– C'est formidable ! lança Kai Roger. Il faudrait faire la fête dans la cour tous les soirs, Torunn !

Les mains du grand-père tremblaient et peinaient, il n'y arrivait pas. Torunn se leva et alla lui chercher une fourchette et une cuiller, qu'il accepta avec reconnaissance.

– Mais c'est vraiment délicieux, dit-il en s'excusant.

Il se mit aussitôt à piquer dans une nouvelle coquille. Le jus lui dégoulinait sur le menton.

– Il y a une suite ! annonça Krumme. Mais ce n'est pas facile de cuisiner sur ces plaques électriques. Je sais bien que le gaz est ultra-rapide par rapport à l'électricité, mais quand même…

– Désolée, fit Torunn.

– Mais ma chère Torunn, ce n'était pas une critique envers vous !

Krumme lui tendit la main par-dessus la table.

Les autres virent qu'elle pleurait avant qu'elle ne s'en rende compte elle-même. Erlend passa son bras autour d'elle :

– Mais qu'est-ce qui ne va pas ? demanda-t-il.

Il écarta doucement les cheveux de son front, coinça quelques mèches derrière son oreille, lui caressa l'épaule, la dorlota.

– Désolée, murmura-t-elle. Je suis tellement fatiguée…

L'architecte se leva en disant :

– Il faut que je prenne une photo.

– Quoi ? fit Erlend. Pendant que Torunn pleure ?

– Cette table est tout simplement *beyond* ! Des vases en cristal, du bois antique et des fleurs d'été avec des serviettes de Noël ! Et des personnes qui pleurent pour la touche finale ! Et la lumière ! Celle d'une nuit d'été norvégienne ! J'adore cet endroit ! Et les silos seront merveilleux ! Je vous promets !

– Très bien, répondit Erlend. Vous pouvez prendre votre photo. Mais attention à la douane au retour, s'il vous reste encore un peu de ce que vous venez d'ingurgiter. La bière n'agit pas comme ça.

– Pas de danger ! rétorqua l'architecte. Il n'y aura plus rien quand on repartira.

Il sortit un petit appareil numérique de sa poche.

– Kim a aussi une formation de photographe, dit Krumme.

– Je m'en serais douté, reprit Erlend. Et quelles autres qualifications a-t-il encore ? Sage-femme ?

Astrophysicien ? Cosmonaute amateur ? Viens, Torunn ! On emporte la bouteille et on va derrière la maison contempler le soleil se coucher sur les hauteurs de Fosen. Le plat principal peut attendre un tout petit peu, hein, Krumme ?

Ils s'assirent dans l'herbe. Une bande de terre en friche courait derrière la longère, sur toute la longueur du bâtiment, avant le départ des champs. L'herbe était haute et chaude, mais grisâtre et couchée par la chaleur de la journée.

– Il faudra qu'on s'installe un coin ici, dit Erlend. Une jolie petite terrasse qu'on pourra utiliser le soir. On ne voit rien quand on est dans la cour.

– Oui…

– Es-tu vraiment si fatiguée ? Tiens, tends-moi ton verre ! Kai Roger t'aide, pourtant ?

– J'ai uniquement envie de dormir. Tout le temps.

– C'est que tu es déprimée. Il faut que tu en parles à ton médecin. Que tu prennes des énergisants.

– Non.

– Tu as une peine de cœur ? Le type d'Oslo que tu fréquentais ?

– Christer ? Non, il y a longtemps que je n'ai pas pensé à lui…

Une autre planète. La balade en traîneau tiré par les chiens dans la vallée de Maridal. Un froid glacial, mais une chaleur brûlante aux côtés de Christer. Des peaux, du chocolat chaud, des chiens, le feu dans la cheminée et la trahison. Ce salaud d'homophobe qui croyait qu'elle accepterait tout parce qu'il savait bien faire l'amour. Elle se demanda quelle heure il était maintenant à Tokyo, Christer l'aurait su, assis devant son écran d'ordinateur en train d'acheter et de vendre, de gagner de l'argent dans son cocon d'égoïsme. Elle ferma les yeux, s'y revit une fraction de seconde. Les trajets en voiture jusqu'à son chalet, l'espérance au creux de l'estomac, ses bras puissants autour d'elle, son odeur. Si banal et si agréable. Et extrêmement dangereux. Une manière de se perdre tout entière, et d'aimer ça. Heureusement, elle avait été assez lucide pour lui tourner le dos à temps, avant qu'il ne l'efface complètement, qu'il fasse d'elle une partie de lui-même et rien d'autre. Être avec lui, c'était comme disparaître.

– Kai Roger est fou de toi.

– Non.

Elle ouvrit les yeux et les fixa sur le ciel qui commençait à s'embraser, plein ouest. Le soleil se trouvait derrière des couches diaprées de vapeurs, avec des bandes horizontales d'un bleu pâle. Pourquoi qualifiait-on ça de « beau » ? C'était un pur mélange de météorologie et de physique, et là où la pollution était la plus grande, les couchers de soleil étaient souvent les plus spectaculaires, avait-elle lu quelque part.

– Oh si ! Et il est désespéré que tu ne le regardes pas.

– Je le vois tous les jours.

– Ressaisis-toi ! Tu comprends bien ce que je veux dire. Et puis, Torunn, il est tout simplement… euh… je ne trouve pas de mots pour… Il est à croquer, voilà !

– C'est sûrement la ferme qu'il veut.

Erlend changea de position dans l'herbe.

– Mon Dieu, j'espère ne pas avoir de taches vertes sur mon pantalon. Ce n'est pas la ferme. C'est toi. Et la ferme. C'est courant à la campagne, ça. Tomber amoureux de quelqu'un qui hérite d'une ferme. Les filles aînées. Et les garçons. Notamment les garçons.

C'est une attirance tout à fait normale, que tu dois prendre au sérieux. Ça fait un tout ! Tu ne peux pas lui donner une chance ? Donne-moi ton verre !

– Tu peux boire le reste, je suis crevée.

– Mais on va manger la suite, maintenant ! Et tu sais que Krumme est le dieu des casseroles !

– Avec cette idiote de cuisinière électrique.

– Que mon idiote de mère a usée jusqu'au bout. Ce n'est pas ta faute.

– Margido voulait en acheter une neuve. Mais il a acheté un aspirateur, une machine à laver et un sèche-linge au lieu de ça.

– Ah bon ? Il est très généreux !

– C'est comme ça qu'il achète sa tranquillité, dit Torunn.

– Et quand on parle du loup… J'entends une voiture, et ça ne peut être qu'une seule personne. Il vaut mieux que j'aille le saluer…

Margido portait un costume clair et un T-shirt bleu clair en dessous, il paraissait dix ans plus jeune, méconnaissable. Bientôt, seule la porcherie serait encore le règne de la normalité, pensa Torunn. Margido serra les mains tout autour de la table.

– J'avais prévu de passer un peu plus tôt, mais on affiche complet. C'est la canicule, dit-il. Je suis aussi venu chercher… un article, pour l'emporter à Saint-Olav.

– Un cercueil ? demanda l'architecte. Si j'ai bien compris, la grange est pleine de cercueils ?

Il rit la bouche ouverte, la langue frétillante. Aucun doute, Erlend avait raison, on ne se comportait pas subitement comme ça en buvant de la bière.

– C'est exact, répondit Margido.

– Vous avez dit qu'il y avait énormément de travail en plus à cause de la chaleur ? reprit-il.

– Les personnes âgées la supportent mal. En outre on est obligés d'attendre le jour même des obsèques pour déposer le cercueil dans la nef de l'église. L'hiver, on peut le faire la veille au soir et éviter le plus fort de la circulation. C'est beaucoup plus simple.

– Non, vous ne pouvez pas foncer sur la route en plein jour avec un cadavre en guise de cargaison ! dit l'architecte.

– Asseyez-vous, Margido ! déclara Krumme. Nous allons manger du flétan au four avec une sauce à la menthe, Erlend va vous rajouter un couvert.

– Non, je…

– Si, vous allez goûter en tout cas.

Elle s'offrit de faire le café que Krumme, Erlend, Jytte et Lizzi voulurent prendre après le dîner. C'était une façon de s'éclipser dans la cuisine et d'être un peu seule. Margido était reparti, l'architecte avait pu visiter l'entrepôt et il n'avait pas arrêté de rire pendant dix minutes après le départ de Margido.

– L'ethnique atteint de tout nouveaux sommets ! cria-t-il. Il ne manque plus maintenant qu'un authentique lutin norvégien logeant dans la petite maison de guingois là-bas !

Il était bientôt dix heures et demie, une drôle d'heure pour boire du café, mais ils n'auraient évidemment pas de porcs à nourrir demain matin, ils se réveilleraient dans le confort de leur hôtel. Elle les observait par-dessus le rideau pendant que la bouilloire chantait. La lumière indigo du soir qui les surplombait dessinait des ombres bleues, leurs bouches remuaient en silence, personne n'avait rouvert la fenêtre fermée par Krumme. Elle entendit les rires de Jytte à travers les vitres, les bouquets étaient hauts et épanouis, les épis de blé oscillaient légèrement. Le grand-père essuyait son assiette avec un morceau de pain qu'il faisait tourner à n'en plus finir, et il en grignotait un petit bout de temps à autre. Une soirée comme celle-ci était une expérience incroyable pour lui. Et son père. Comment aurait-il apprécié les moules et la sauce à la menthe ? C'était un scénario surréaliste difficile à imaginer.

En prenant les tasses dans le placard, elle resta plantée à contempler celle qui se trouvait tout au fond sur l'étagère, la tasse en forme de cochon dont la queue servait d'anse. Elle la lui avait offerte comme cadeau de Noël juste avant le décès de la grand-mère. Elle n'y avait pas touché depuis qu'elle était arrivée ici. Elle s'empressa de la sortir et de la jeter dans la poubelle sous l'évier.

Elle serait obligée d'aller se coucher avant qu'ils ne repartent, elle n'aurait bientôt plus le courage de rester en leur compagnie. Toute la conversation tournait autour des enfants et des chiots.

– Vous avez choisi de ne pas avoir d'enfants, Torunn ? demanda Jytte.

Tandis que celle-ci versait l'eau bouillante sur son café soluble, Erlend, de son côté, faisait toute une histoire à propos de la quantité qu'il convenait de mettre dans la tasse en fonction de sa taille, et Krumme dut lui venir en aide.

– Non, ça s'est trouvé comme ça, répondit-elle.

– Vous avez trente-sept ans ? dit Lizzi.

– Oui. Bientôt trente-huit.

– Ce n'est pas encore trop tard, reprit Lizzi. J'ai une amie qui a accouché de son premier à quarante-deux ans. Un bébé bien vivant et bien constitué !

– Je ne crois pas que… commença-t-elle.

– Imagine comment ce serait chouette ici avec des enfants, si nous venions avec les nôtres ! s'écria Erlend. Une vraie réunion de famille ! Oh, Torunn, tu ne peux pas t'y mettre ?

Il donna un coup de coude à Kai Roger, qui avait choisi de regarder dans une tout autre direction que celle de Torunn.

– Il faut que j'aille au lit maintenant, j'ai la por-cherie demain matin, dit-elle en se levant.

Le grand-père était déjà monté se coucher, après maints remerciements et courbettes à l'adresse de Krumme.

– Déjà ? Il n'est pas encore onze heures, s'étonna Erlend.

– Ça vaut pour moi aussi, dit Kai Roger. On se lève tôt à la campagne. Merci pour cette excellente soirée ! Le repas était délicieux ! Viens, Borat ! On a un bout de route à faire à pied tous les deux, ce soir et demain matin !

Krumme promit à Torunn qu'ils allaient tout ranger derrière eux, et ils se reverraient demain. L'architecte prendrait les mesures exactes des silos, ils pénétreraient à l'intérieur pour voir dans quel état ils étaient. Kai Roger chercha son regard, mais elle évita de rencontrer le sien autrement qu'en balayant des yeux tous les invités, tout en leur souhaitant une bonne nuit. Lorsqu'elle monta l'escalier, il lui fallut se tenir au mur, elle alla droit dans la salle de bains et vomit dans la cuvette des toilettes. Elle songea sou-dain au guépard qu'elle avait vu dans la petite cage à Majorque, pendant les seules vacances dans le Sud de sa vie. Le guide accompagnateur leur avait promis d'aller visiter un petit zoo, et elle s'était inscrite sur la liste. Mais ce crétin de guide n'avait pas compris qu'il ne s'agissait pas d'un zoo, mais d'un lieu de transit pour les animaux récemment capturés et destinés aux grands parcs zoologiques d'Europe. Les flamants roses couraient en tous sens, les ailes rognées, incapables de voler, et le guide croyait que leurs ailes étaient ainsi faites. Et dans une petite cage, simple caisse avec un couvercle en grillage, un guépard, la gueule écumante, tournait en rond sur lui-même, elle ne mesurait pas plus d'un mètre sur deux. Les gens se pressaient tout autour, et elle avait appris que l'animal n'était prisonnier que depuis vingt-quatre heures. Elle avait eu beau l'apercevoir quelques secondes seulement, elle n'oublierait jamais ce qu'elle avait lu dans ses yeux, la rage et la panique d'un fauve, mêlées à une angoisse indicible.

Elle entendit alors la sonnerie de son portable dans sa chambre, où elle l'avait mis en charge. Elle s'essuya la bouche avec du papier hygiénique, se redressa péniblement de sa position à genoux.

C'était sa mère, elle avait appelé au moins sept fois ce soir, pourquoi diable ne répondait-elle jamais ?

– Je ne l'ai pas entendu, il était à recharger.

Pourquoi ne téléphonait-elle jamais pour prendre des nouvelles des autres ? Elle ne passait quand même pas la journée entière à s'occuper des cochons ?

– Je ne sais pas, les jours s'enchaînent. Est-ce qu'on peut se parler demain ? Je suis morte de fatigue, je me mets au lit beaucoup plus tôt d'habitude, j'ai de la visite du Danemark, et on a mangé tard dans la cour.

Tiens donc, ça, c'était possible, alors que le dîner au *Palmier*, ce n'était pas possible.

– Mais ça fait un bout de route jusqu'au centre-ville. Je dois vraiment me coucher maintenant. On discutera plutôt demain, dit-elle.

Cependant elle savait qu'elle n'allait pas lui téléphoner. Elle coupa la communication et éteignit complètement le portable. Elle entendit le grand-père tousser et devina qu'il était encore éveillé, qu'il écoutait les voix et les éclats de rire dans la cour. Pensait-il au temps jadis, lorsqu'ils s'attablaient dehors ? Le soir peut-être, quand les rires fusaient autour de la table, des rires qui s'étaient éteints du jour au lendemain, à la mort du grand-père Tallak ?

Elle prit une douche, s'assit au bord de la fenêtre en simples culotte et petite chemise, se versa une larme de cognac et alluma une cigarette. Sur la table de chevet il y avait, sous emballage plastique, des boîtes de différentes crèmes et un nécessaire de voyage avec ombre à paupières, mascara et rouge à joues. Le coucher de soleil crépitait et lui brûlait les yeux. En se réfléchissant dans le fjord de Trondheim, il devenait deux fois plus intense. Elle tremblait en portant le verre à ses lèvres et en pensant au regard du guépard, elle tremblait parce qu'elle comprenait soudain qu'elle allait finir par les trahir tous.

Les vivants aussi, maintenant, en plus des morts. Et ceux qui n'étaient pas nés. Ils n'avaient pas besoin d'elle, ils avaient seulement besoin qu'elle réside ici. Elle aurait pu être n'importe qui. Une héritière robot. Ou rien du tout. Elle se mordit durement les jointures, ferma les yeux aussi fort qu'elle put, de gros points verts lui défilèrent sur la rétine. Mais le grand-père…

Elle vida le petit peu de cognac dans sa bouche, où il se mélangea à l'arrière-goût de vomi.

Elle frappa doucement à sa porte.

– Tu es réveillé ? murmura-t-elle.

– Oui… ?

Il était couché sur le dos, les trous de son maillot de corps s'agrandissaient et certains se rejoignaient. Des touffes de poils gris sortaient par ceux du milieu de la poitrine. Jytte riait bruyamment dehors, des bouteilles s'entrechoquaient, Erlend parlait d'une voix excitée et criarde, le rire de l'architecte se mêla à l'hilarité subite d'Erlend.

Les yeux du grand-père luisaient dans la pénombre que donnaient les rideaux, clignaient d'étonnement vers elle. La taie d'oreiller était en flanelle à carreaux, elle l'avait mise elle-même. Elle demeura dans l'embrasure de la porte.

– Je n'y arriverai pas, murmura-t-elle. S'ils veulent venir à la ferme, il faut que je reste ici.

– Je ne vais sans doute pas tarder à mourir. Tu as beaucoup de travail avec moi.

Il avait la voix cotonneuse, ses deux dentiers trempaient dans leur verre. Elle se mit à pleurer, mais n'entra pas davantage dans la pièce. Il tripotait nerveusement le bord de la couette, remontée à mi-hauteur.

– C'est seulement que… je n'y arriverai pas, dit-elle tout bas.

– Tor… ?

– Oui.

– Pas moi… ?

– Non. Tu es le seul que… je ne sais pas. Je t'aime beaucoup.

– Tu m'aimes… ?

– Oui.

Il ferma les yeux, elle ne s'approcha toujours pas de lui, sinon elle n'aurait pas la force de le quitter.

– Qu'est-ce que tu voulais dire, l'autre soir ? Quand les portes étaient ouvertes. Tu disais que c'était… quelqu'un.

– Je répondais à ta question.

– Je suis vraiment désolée, je n'aurais jamais dû te demander ça, ce jour-là. J'ai regretté aussitôt. Mais maintenant je suis curieuse de savoir ce que tu voulais dire. Quand on était couchés, le soir.

Elle attendit, elle était sur le point de faire demi-tour et de partir quand il murmura :

– Un soldat.

Il ferma les yeux. Ses lèvres rentrées se mirent à trembler.

Elle sentit brusquement son cœur cogner dans sa poitrine.

– Un soldat… ? Dont tu étais…

– Oui.

– Norvégien ? murmura-t-elle.

– Non.

– Mais alors… pourquoi accordes-tu tant d'importance au 17 mai s'il était allemand ? demanda-t-elle, d'une voix presque inaudible, en s'agrippant au chambranle.

Le grand-père tourna la tête vers le mur, elle l'entendit renifler tout bas. Dehors, Erlend hurlait presque de rire et parlait purement danois.

– Il haïssait Hitler, voulait rester ici, devenir… norvégien.

– Rester ici ? Une fois la paix revenue ?

– Oui.

– Il a connu la paix ? Vous l'avez connue, tous les deux ? Ensemble… ?

Ses larmes qui coulaient la chatouillaient, elle se frotta la joue.

Il soupira un peu, sans retourner la tête de son côté, elle l'entendit respirer fort par le nez.

– Oui… Mais il… Mais ils l'ont pris…

– Excuse-moi ! N'en dis pas plus… Je ne voulais pas. Excuse-moi !

– Regarde ! dit-il.

Il tendit le bras droit en arrière et ouvrit le tiroir de la table de nuit. Il le tira avec une telle force que celui-ci sortit de ses coulisses et bascula par terre, il ne fit pas le moindre effort pour regarder. Au lieu de cela, il se mit sur le côté et lui tourna le dos, le visage face au mur. Alors elle l'entendit distinctement pleurer, il ne chercha pas à le cacher. Elle marcha lentement sur le tapis, sentit les motifs tissés sous ses pieds nus et se pencha sur le contenu du tiroir qui s'était renversé. Des livres défraîchis, une petite loupe noire, quelques punaises, une plaquette de paracétamol où il ne manquait qu'un comprimé, une boîte intacte de trois mouchoirs, bien pliés l'un à côté de l'autre, sur le couvercle en plastique poussiéreux de laquelle était imprimé en lettres dorées élancées : « Hygo Taschentücher. »

Et une petite photo d'identité.

Elle la tint à la lumière du soir qui s'infiltrait par la fente des rideaux, c'était un jeune homme en uniforme allemand, si extraordinairement jeune, au regard franc et fier, dirigé vers le photographe. La photo était extrêmement usée. Elle tenait le jeune visage entre ses doigts, tandis que le grand-père sanglotait. Elle allait éclater, avait envie de poser la main sur son épaule, mais savait que ce serait une erreur, cela suffisait maintenant. Avec soin, en se forçant à respirer par le ventre, elle rassembla les objets dans le tiroir, réalisa que ces mouchoirs lui avaient été offerts par le jeune soldat qui, vraisemblablement, les avait lui-même reçus de chez lui, d'une mère qui souhaitait que son fils, tout là-bas dans le Nord, en ait de beaux à sortir de sa poche sous les yeux des autres. Elle posa la photo par-dessus, repoussa le tiroir à sa place, tourna sur ses talons et quitta la pièce, referma doucement la porte derrière elle.

La vie du grand-père… Si jeunes et si naïfs. Croire que ce serait possible. Elle enfonça son visage dans l'oreiller et hurla, la bouche grande ouverte, en silence. Ils s'affairaient bruyamment dans la cuisine, juste au-dessous d'elle. Demain, après la porcherie, quand elle rassemblerait le peu qu'elle avait ici et qu'elle prendrait la route, elle ne voulait pas penser au grand-père, mais au sèche-linge au sous-sol, qui ne servirait jamais. Margido pourrait peut-être le rapporter et se faire rembourser. Voilà ce à quoi elle voulait penser, à ça et à rien d'autre, elle n'avait pas le choix, elle serait incapable de supporter cette souffrance, en plus de la sienne.

Elle se coucha en position fœtale, recroquevillée, sentit toute la ferme l'enserrer, six générations, lui coller à la peau.

Il avait horreur de travailler le samedi. Le dimanche, ça allait, car d'une certaine façon le week-end était fini. Mais le samedi il préférait ranger dans l'appartement, laver son linge et passer l'aspirateur, regarder les factures, lire les suppléments des journaux. Et pourtant il était ici, à l'hôpital, en train de faire une toilette mortuaire, muni de gants et d'un masque. Le seul point positif, c'était que la pièce était agréablement climatisée, il en aurait presque oublié la chaleur dont l'air vibrait seulement à trois portes de là. Heureusement, la voiture se trouvait dans le parking souterrain où il faisait frais. Il devrait bientôt veiller à faire quelque chose sur le front des véhicules. Il avait besoin d'un nouveau fourgon, bien sûr. Avec air conditionné. Surtout dans la perspective du transport des cercueils en été, pour se rendre jusqu'aux églises et en revenir.

Dès qu'il aurait fini ici, il s'en retournerait chez lui et s'adonnerait à la routine du samedi, il achèterait les journaux au passage. Et, dans le courant de l'après-midi, il irait faire un tour à Neshov. Il s'y sentait un peu obligé, puisqu'ils étaient là. Il avait bien aimé les deux jeunes femmes, Jytte et Lizzi. Peut-être un peu bruyantes, mais sympathiques, avec une franche poignée de main. Il s'était imaginé des ventres rebondis et avait été très soulagé qu'elles soient simplement en chemise un peu ample. Il ignorait laquelle des deux portait l'enfant d'Erlend. Et ce dîner… Le Danois s'y entendait drôlement bien en cuisine. Une table pareille dans la cour de Neshov, ça avait dû être un événement pour le vieux, même s'il ne disait pas grand-chose, s'il gardait seulement les yeux fixés sur ce qu'il mangeait, et si la serviette de Noël avait l'air d'un bavoir attaché sous son menton. En revanche, il ne débordait pas de sympathie pour cet architecte. Un vulgaire m'as-tu-vu dans son comportement comme dans son allure. Il n'avait sans doute pas côtoyé la mort de près non plus, à en juger par sa débordante jubilation en ayant l'occasion d'entrer dans l'entrepôt et de prendre photo sur photo. Comme si ça valait la peine de photographier des piles de cercueils.

La défunte devant lui était une jeune fille de quatorze ans, emportée par une tumeur au cerveau. La perruque qu'elle s'était fait faire après avoir perdu ses cheveux, à la suite du traitement par chimiothérapie, devait la suivre dans la tombe. Après l'avoir lavée, enduite de crème, et lui avoir obturé l'anus, il la couvrit délicatement d'un linceul un peu trop grand pour elle. Il glissa le surplus de tissu sous elle, elle ne pesait rien, on aurait dit un oisillon sorti de son œuf, étiré, sans ses plumes. Elle portait à la main droite une petite bague dont la pierre avait la forme d'un cœur rose. Son visage avait une expression étrange, due à l'absence de cheveux, de sourcils et de cils. Il devinait à peine qu'elle s'était elle-même dessiné des sourcils et se demanda pendant quelques secondes s'il devait en repasser les traits. Il se décida à le faire et trouva un crayon à sourcils brun dans sa trousse. Par petites touches, il imita les propres sourcils de la jeune fille. La perruque était faite de cheveux châtains coupés court, avec une frange. Il en couvrit la cicatrice de l'opération et son crâne froid et luisant, comme s'il s'agissait d'une poupée. Il s'arrêta pour la contempler.

La mort. Son travail.

La mort était définitive. Tous les choix de la vie étaient faits, impossible de les reprendre.

Cette adolescente n'avait pas encore eu le temps de faire beaucoup de choix. Mais qu'en serait-il pour lui, lorsqu'un jour on lui prodiguerait de tels soins. Tout serait terminé, la vie aurait touché à sa fin, vécue jusqu'au dernier soupir. Mais jusqu'au bout, on était obligé de vivre en faisant des choix, en acceptant leurs conséquences.

Peut-être cette jeune fille avait-elle de la chance, malgré tout, d'avoir échappé à une longue existence pleine de choix dont on ne comprenait pas l'erreur catastrophique avant qu'il ne soit trop tard. C'était une pensée macabre mais il se l'autorisa néanmoins, avant de se forcer à revenir à des préoccupations plus quotidiennes.

Lundi, il rencontrerait pour la première fois le fils cadet de Lars Bovin, Peder. Il viendrait déjeuner avec eux au bureau, Mme Marstad préparerait des tartines de saumon, de rosbif et de crevettes. Ils n'avaient pas souvent l'habitude de faire bonne chère. Les conversations avec les proches des défunts n'ouvraient guère l'appétit et, quand ils n'étaient que tous les trois, chacun prenait sur son étagère du réfrigérateur fromage, saucisson ou autre charcuterie ordinaire. Il n'était pas beaucoup question de flétan au four et de sauce à la menthe, pensa-t-il, le plus sophistiqué qu'ils s'accordaient étant les plats cuisinés tout prêts

Fjordland, qu'il réchauffait dans de l'eau bouillante quand ils devaient travailler jusqu'au soir.

Il plaça le mouchoir replié près de la tête de la jeune fille, sur l'oreiller en soie. Ses proches lui en couvriraient eux-mêmes le visage dimanche soir, lorsque sa dépouille serait simplement exposée en présence des parents et des grands-parents. Ils ne voulaient pas de mise en bière. Il était rare que les proches d'une adolescente foudroyée par le cancer désirent une telle cérémonie. Une intense colère venait alors s'ajouter au chagrin de ceux qui restaient et qui ressentaient l'absurdité et l'injustice. Ils continueraient à voir ses amies du même âge, insouciantes et en bonne santé. Il fallait que les parents soient croyants pour souhaiter la mise en bière en pareil cas. À l'église c'était différent, la cérémonie religieuse faisait partie des obsèques. Mais se retrouver seuls à écouter Margido leur énoncer la parole de Dieu et dire une prière avec eux, non, ils préféraient s'en dispenser. Les teneurs de l'éthique humaine, en tout cas, faisaient la sourde oreille, et de plus en plus de gens s'adressaient à des entreprises de pompes funèbres plus importantes, qui disposaient de leur propre local pour y tenir des cérémonies civiles. On établissait le programme des obsèques à venir sur des principes d'éthique humaine ou d'autres religions.

Personnellement, il n'aurait jamais pu s'y résoudre, il n'était pas aussi tolérant au fond, il devait bien se l'avouer.

Il en était là de ses réflexions lorsque son portable se mit à sonner et afficha le nom d'Erlend sur l'écran. Il ôta le gant à usage unique de sa main gauche.

– Oui, c'est Margido.

Torunn n'était plus là. Elle était introuvable. Disparue. Erlend criait si fort que ça grésillait dans l'appareil, il dut l'écarter un peu de son oreille.

– Mais comment ça, qu'est-ce que tu racontes ? Disparue… ?

Erlend et les Danois venaient d'arriver à Neshov, ils avaient trouvé le vieux assis dehors au soleil, tout seul, qui pleurait toutes les larmes de son corps ! Et dans la chambre de Torunn, ils n'avaient pas trouvé ses vêtements, pas plus que ses affaires de toilette dans la salle de bains. Erlend aussi pleurait maintenant, tout en se lançant dans une longue description de cosmétiques qu'il lui avait achetés à Kastrup, d'une marque hyper chère, et qui étaient la seule et unique chose qu'elle avait décidé de laisser. Il considérait ça comme le signe de quelque chose, comme un indice !

– Un indice de quoi ? Si elle a pris ses affaires avec elle, c'est qu'elle est partie, alors. Elle n'a pas disparu, dit Margido.

Son cœur s'était mis à battre de façon très rapide et anarchique. Il avait vu ça venir, il l'avait vu mais avait tourné le dos, il avait sa part de responsabilité, quoi que Torunn ait choisi de faire. Ou choisi de ne pas faire…

Erlend sanglotait, Margido entendait en fond sonore la voix de Krumme qui le consolait tout bas.

– Je vous rejoins, dit-il. Il faut d'abord que je finisse ici. Je serai là-bas dans une heure.

Il reconduisit la jeune fille dans la chambre froide, vérifia une dernière fois que tout était correct sur la fiche à son nom, rangea derrière lui, puis regagna sa voiture et quitta le domaine de l'hôpital, les vitres ouvertes de chaque côté. Il pensa à son visage de la veille, son regard toujours fuyant, son manque d'appétit, ses rares paroles. Il lui avait demandé si le lave-linge fonctionnait correctement et elle avait acquiescé, mais rien dit de plus. Les rires n'avaient pas cessé de résonner dans la cour, même pendant le peu de temps qu'il y était resté à goûter le poisson, mais les rires l'entouraient sans jamais l'atteindre. Il l'avait accompagnée dans cette situation, il s'était enquis de ce qu'elle en pensait, et la seule question qu'il lui avait posée, c'était à propos de la machine à laver, pour savoir si elle marchait. Il se redressa sur son siège et croisa son propre regard dans le rétroviseur, observa son front luisant de sueur, sentit ses paumes moites glisser sur le volant. Il avait prié pour elle, formulé mot après mot, phrase après phrase, son adresse au bon Dieu, au lieu de parler avec elle de ce qui importait. Lorsqu'elle était arrivée au moment où Tor s'était blessé, il avait considéré que ça allait de soi, il avait cru qu'elle venait parce qu'elle s'en sentait l'obligation morale, parce qu'elle était l'héritière et que c'était pour elle un devoir. Pas une fois il ne lui avait demandé pourquoi elle avait subitement quitté Oslo afin d'assumer cette responsabilité, et même toutes les tâches à la ferme, et pourquoi elle avait laissé Tor renvoyer l'aide ménagère sans protester.

Le vieux était assis les yeux fermés, la nuque appuyée contre le mur de la remise, les mains entre ses cuisses, avec une espèce d'impuissance nonchalante. Un mort serait assis de cette façon-là, pensat-il, sans aucune contraction des muscles, uniquement soutenu par une chaise et un mur. Erlend avait enfoui sa tête dans ses mains, les quatre autres étaient installés avec lui à la grande table de la cour. Ils avaient devant eux des tasses dépareillées, une assiette pleine de viennoiseries, avec une cerise confite rouge sur la noix de crème à la vanille qui surmontait chacune, un sucrier, une briquette de crème, un bocal de café soluble et une bouilloire. Ils avaient repoussé les deux vases avec les bouquets à l'autre bout de la table, comme pour éloigner la fête de la veille. Les visages étaient graves et exprimaient un certain désarroi. Il devait maintenant jouer son rôle de professionnel, réfléchir de façon constructive et s'orienter vers des solutions, ne pas se laisser dominer par les sentiments. Krumme vint à sa rencontre quand il descendit de voiture.

– Elle est probablement partie, déclara Krumme.
Le Danois lui serra la main, alors qu'ils étaient encore assis là ensemble quelques heures auparavant.
– Elle n'a pas laissé de mot dans sa chambre ? demanda Margido. Ou autre part ?
– Non.
– Et son portable ? Vous lui avez sans doute téléphoné, je suppose. C'est pour ça que j'attendais d'être ici avant de…
– Erlend a appelé des centaines de fois et envoyé des SMS. Aucune réponse.
– Et elle était déjà partie quand vous êtes arrivés ?
– Oui.

Il alla de l'autre côté de la longère, resta debout le regard tourné vers le fjord et appela Kai Roger, qui eut l'air complètement abasourdi en apprenant la nouvelle. Torunn n'était plus là ? Elle était partie… ?
– Il semblerait, oui. Elle a emporté toutes ses affaires en tout cas. Mais elle ne vous a rien dit pendant que vous étiez à la porcherie ce matin ? Qu'elle voulait prendre quelques jours de repos, ou…

Rien du tout. D'ailleurs comment expliquer qu'elle prenne un congé sans prévenir, alors qu'elle avait de la visite du Danemark ? Ça n'avait aucun sens.

– Non, vous avez raison.

Kai Roger allait essayer de l'appeler dès qu'ils auraient raccroché.

– Je ne pense pas que ce soit la peine. Il est impossible de la joindre. Ni par téléphone, ni par SMS, apparemment.

Kai Roger se tut un instant, Margido entendit sa respiration s'accélérer, comme s'il était sur le point de pleurer. Est-ce que Margido croyait qu'elle pouvait attenter à ses jours ? finit-il par demander.

– Je n'en sais rien. À ce moment-là, elle n'aurait peut-être pas pris ses affaires, elle serait simplement partie avec la voiture. Mais je vous dis, je n'en sais rien. En fait, je pense que vous la connaissez mieux que moi.

Alors Kai Roger déclara tout de go que Torunn était persuadée que Tor s'était suicidé par sa faute. Qu'elle avait le sentiment de l'avoir trahi complètement, en ne lui répondant pas aussitôt que, bien sûr, à plus long terme, elle reprendrait la ferme, quand il lui avait posé la question, le jour même où il s'était rendu à la porcherie avec les comprimés et l'alcool.

– C'était à ce point-là ? murmura Margido.

Effectivement. Et ça l'avait vidée de toutes ses forces, selon Kai Roger, de vivre avec ce sentiment de culpabilité en plus de ne pas savoir ce qu'elle voulait faire de la ferme.

– Alors il n'y a plus qu'à attendre qu'elle donne de ses nouvelles.

Si jamais elle donnait de ses nouvelles.

– On ne peut pas se dire ça. Je crois que Torunn est assez forte pour s'en sortir, dit Margido. Mais la porcherie…

Kai Roger allait s'en charger jusqu'à nouvel ordre. Et dès qu'il aurait fini le transport de gravier qu'il avait entrepris aujourd'hui pour un voisin, il irait à Neshov sans tarder.

– Merci beaucoup !

Jytte posa une tasse de café devant lui.

– On peut quand même prendre les mesures des silos, déclara l'architecte de but en blanc. Seulement au cas où.

– Évidemment ! s'écria Erlend. Pourquoi ne le ferait-on pas ?

Le visage bouffi de larmes, il sortit d'un geste de colère un petit flacon en plastique de la poche de son pantalon et se vaporisa un liquide clair dans chaque œil.

– Je comprends la situation, dit l'architecte.

– Ah bon ! Vraiment ? rétorqua Erlend.

– Il faut que cette ferme soit exploitée, Krumme me l'a expliqué, c'est la condition requise pour qu'elle devienne votre lieu de villégiature.

– Et quand Krumme et vous avez-vous discuté de ça ? demanda Erlend d'un ton méprisant.

– Il y a une heure, répondit l'architecte.

– Kim… dit Krumme. Tu ne peux pas…

– Mais c'est parfaitement exact, intervint Margido. On a ici obligation d'exploitation et de résidence. Sinon la ferme sera vendue. Et alors l'État peut jouer de son droit de préemption et accorder les terres aux fermes voisines.

– En laissant les bâtiments eux-mêmes à l'abandon ? s'étonna Lizzi.

– Oui, dit Margido.

– Mais quoi qu'il arrive, on peut... commença Erlend.

Jytte l'interrompit aussitôt :

– On ne veut pas passer nos vacances dans une ferme morte qui n'appartient plus à la famille !

– Bon, on se calme ! fit Margido. Il a pu arriver quelque chose, à Oslo peut-être, à sa mère, et elle aura dû partir sur-le-champ. Ça ne signifie pas forcément qu'elle a décidé de...

– S'il était arrivé quelque chose, elle nous en aurait avertis en cours de route, remarqua Jytte. Elle ne serait pas partie comme ça en éteignant son portable.

– Est-ce que vous avez parlé avec... lui ? demanda Margido en désignant le vieux d'un hochement de tête.

Erlend secoua pathétiquement la tête, avec une douloureuse grimace. Margido comprit, le temps d'un éclair, l'ampleur de son désespoir, il n'avait pas mis les pieds à la ferme pendant vingt ans, et là il revenait à la maison.

– Il ne dit pas un mot, murmura Erlend.

Margido alla s'accroupir devant la chaise sur laquelle le vieux était assis. On avait ôté les rideaux, il était à même le plastique, ça devait lui coller aux fesses par cette chaleur. Il sentit sa forte odeur, pas nécessairement due à un manque d'hygiène, mais l'odeur de la vieillesse, celle qui émanait de la peau des personnes âgées, sèche et douceâtre.

– C'est moi, dit Margido.

Il effleura quelques-uns de ses doigts tournés vers le haut. Le vieux ouvrit les yeux, ne laissant paraître de son regard qu'une étroite fente bleu pâle.

– Est-ce qu'elle t'a dit quelque chose en partant ?

Il referma les yeux, ne répondit pas.

– Où étais-tu quand elle est partie ? As-tu entendu la voiture ?

Le vieux hocha la tête.

– Où étais-tu, alors ? Dans la cuisine ?

Il hocha de nouveau la tête.

– Elle a bien dû te dire quelque chose ? Où elle s'en allait ? À Oslo ?

– Elle pleurait, dit le vieux.

Margido laissa retomber sa tête sur sa poitrine, contempla les vieux chaussons percés, les touffes d'herbe tout autour, l'ombre de la chaise sur le sol, trois ou quatre petits insectes qui se déplaçaient dans la terre brun cannelle.

– Elle n'en pouvait plus… voilà ce qu'elle a dit, murmura le vieux.

Margido releva la tête, regarda ses paupières lisses et leur réseau de petits vaisseaux rouges très fins.

– Et qu'est-ce qu'elle a dit d'autre ?

– Rien. Elle a seulement dit qu'elle n'en pouvait plus…

Il se leva, la tête lui tourna aussitôt.

– Je rentre voir un peu dans la maison, dit-il au groupe autour de la table.


Le bureau de Tor était rempli de cartons, des pleins et des vides, la table de travail couverte de classeurs. Une des étagères était dégarnie, il y avait une épaisse couche de poussière sur le bord, tout du long, et les traces de l'emplacement des classeurs retirés. De gros moutons de poussière et de cheveux s'accumulaient le long des lames du parquet. Elle était d'évidence en train de ranger ici, ou, plus exactement, de jeter. Il déplaça quelques classeurs et des feuilles volantes, un sacré fouillis. Dans un ancien pot de miel pointait en l'air tout un éventail de crayons de différentes longueurs, les larges entailles sur le bois autour de la mine indiquaient qu'ils avaient été taillés au couteau, pas au taille-crayon. Il se rendit ensuite dans la cuisine, où la paillasse était pleine de sachets, de bouteilles, de bottes de légumes sans emballage. Il aurait fallu en mettre une bonne partie au frigo, pensa-t-il distraitement, c'était la preuve que les Danois aussi avaient l'esprit ailleurs. Les assiettes de la veille se trouvaient sur l'égouttoir à vaisselle blanc, le tapis en caoutchouc rose au-dessous était noirci par l'eau qui gouttait. Des rangées de bouteilles vides trônaient derrière l'évier, bouteilles de vin rouge élancées, bouteilles de champagne ventrues.

Il jeta un coup d'œil sur le calendrier de la coopérative, pour voir si quelque chose était noté au samedi 16 juin, mais ce n'était pas le cas.

Il monta l'escalier, dont la peinture était usée en forme de demi-lune au milieu de chaque marche, l'avant-dernière du haut grinçait plus que jamais.

Il n'était pas entré dans cette chambre depuis qu'il était tout petit, celle d'Erlend, que Torunn avait reprise. Une partie du mur, de la taille d'un poster, était d'un ton plus clair qu'ailleurs, mais il ne se souvenait plus de ce qui était accroché là autrefois. La fenêtre était ouverte, et il eut d'emblée une impression de vide dans la pièce, d'abandon pour plus longtemps qu'une simple course en voiture. Le lit était soigneusement fait, un verre était posé sur le rebord de la fenêtre, il le prit et sentit. De l'alcool. Mais impossible à définir. Il se représenta Torunn en train de boire toute seule, quelle honte ! C'était l'image de la tristesse et de la solitude. Une grosse boîte voyante sur la table de chevet attira son regard. Une trousse de maquillage, restée sous plastique. La photo sur l'emballage montrait une profusion de couleurs, des tons bleus, rouges, des verts et des bruns, ainsi que des petites poches pour les pinceaux et les brosses. Mme Gabrielsen aurait été aux anges avec une trousse pareille, c'était elle qui voulait toujours maquiller les personnes décédées de telle sorte qu'elles retrouvent autant que possible leur identité. Si elle savait que, tout seul chez lui, il regardait la cinquième série de *Six Feet Under* !

Tout seul chez lui.

Il avait cru qu'il était sur le point de retrouver une sorte de famille. Erlend n'avait pas été le seul à le croire. Que les racines ingrates sous la ferme des Neshov étaient en train de se régénérer, mais sous de tout nouveaux auspices. De bons auspices, positifs. Ce n'était que maintenant, à cet instant précis, qu'il se rendait compte que c'était cela qu'il avait espéré. Sans pour autant avoir tenté de cueillir cet espoir, de le voir briller dans sa main, de le réchauffer, de le nourrir en agissant lui-même. Sans avoir pris la responsabilité de son propre destin, au lieu de tout laisser entre les mains d'une jeune citadine de trente-sept ans.

Il s'assit sur le lit, enfoui son visage dans ses mains. Le bruissement des épis du côté du fjord lui parvenait par la fenêtre. Et qu'allait-il faire du vieux maintenant ? Il ne pouvait pas rester ici tout seul, c'était impossible. Et les porcs ? La porcherie était pleine d'animaux vivants dont elle avait la charge.

Il éprouva une lourdeur dans tout le corps, un épuisement extrême, une douleur à la pomme d'Adam puis une sensation de chaleur dans le nez, les larmes lui vinrent. Torunn. La petite Torunn acharnée qui passait l'aspirateur, l'ingénieuse Torunn qui avait appris à tenir une porcherie, la patiente Torunn qui avait fait la cuisine et la lessive pour deux vieux qui ne voulaient même pas commencer à porter des lunettes. C'était lui, le coupable. Il en ressentit une profonde honte, il croisa les mains à en faire craquer ses jointures et essaya de formuler une prière en lui-même, mais il n'y parvint pas.

– Oui, je pense que c'est un signe, un indice. Elle ne voulait jamais se pomponner, se faire belle, dit Erlend. Elle préférait être la souris grise qui se fond dans la masse. Laisser ici l'adorable trousse Compact que j'ai payée treize cents couronnes, c'est une façon de dire : va te faire foutre ! Et ça, c'est franchement écœurant ! Elle n'aime pas être vue ! Elle n'a qu'une envie, pour ainsi dire : disparaître !

– Tu exagères, rétorqua Krumme. En outre, tu n'as pas besoin de parler d'elle au passé. Ça ne fait guère que vingt-quatre heures, malgré tout, qu'on était tous ensemble ici.

– Je sais de quoi je parle ! Je m'y entends bien !

Margido était assis avec eux. Erlend sentait la colère monter en lui rien que de le voir.

– Et toi, de quelle façon l'as-tu aidée, hein ? En lui achetant un peu d'électroménager, d'après ce que j'ai compris, mais à part ça ?

– Ça suffit… dit le père, près de la remise.

– Et lui ? Qu'est-ce qu'on va faire de lui… ? reprit Erlend

– Arrête ! insista Lizzi. Ceci n'est bon pour personne.

– JE NE VEUX PAS ARRÊTER ! Les deux dernières fois où je suis venu ici, ça a été la merde, ni plus ni moins, et ça en prend le même chemin pour la troisième fois, bon Dieu !

– Ça me fait penser qu'il faut que je mette les provisions dans le frigo, fit Krumme en se levant.

– Seigneur… dit Erlend.

Ses larmes étaient à nouveau prêtes à jaillir. Heureusement qu'il avait toujours du Cleareyes dans sa poche, ça faisait tellement moche d'avoir les yeux rouges, on aurait pu le prendre pour un vulgaire consommateur de hasch.

– Tu as raison, Erlend, déclara Margido.

– C'est vrai… ? renifla Erlend.

– J'aurais dû être un bien meilleur soutien pour elle, mais je… j'ai seulement… J'aurais dû venir ici avec le notaire, sans lui poser la question d'abord. Maître Berling a la confiance de tout le monde. Il aurait pu lui expliquer, avec calme et indulgence, les différentes possibilités. Au lieu de ça, j'ai pratiquement confié la tâche au remplaçant. Comme s'il pouvait tout remplacer. Je te demande pardon.

– Tu peux te pardonner toi-même. Si j'avais su qu'elle était seule ici à…

– Tu le savais très bien, lança Krumme depuis la remise. Tu repoussais notre venue ici précisément parce que Torunn n'avait pas l'air assez pétillante à ton goût.

– KRUMME !

– C'est la vérité, petit mulot.

– Ce n'est pas la peine de m'appeler « petit mulot » quand tu dis quelque chose d'aussi… d'aussi… vilain !

– Bon sang de la vie ! s'écria Jytte. On se croirait bientôt dans un film de Fellini. Il y a même un architecte fou qui s'enivre pendant le dîner et que les cercueils font hurler de rire.

Erlend jeta un coup d'œil à Neufeldt qui faisait le tour des silos et écrivait sur un grand bloc format A3, chaque fois qu'il prenait des mesures ici ou là à l'aide d'un appareil à infrarouge et ultrason. Krumme venait justement de l'aider pour calculer l'épaisseur des parois en lui montrant l'entrée des silos depuis l'intérieur de la grange. Erlend n'avait pas voulu les accompagner. Incroyable comme Krumme se croyait tout permis quand ça allait mal.

– Pourquoi est-ce qu'on ne téléphone pas à sa mère ou à son beau-père ? demanda Lizzi.

Elle trempa dans le sucrier un index mouillé qu'elle allait soigneusement lécher ensuite. Les femmes enceintes pouvaient faire ce genre de choses sans que personne ne proteste, pensa Erlend, tout le monde savait qu'elles obéissaient simplement à leur instinct corporel.

– C'est une bonne idée, répondit Margido.

Il parlait à voix basse, avait l'air encore plus pâle qu'à son arrivée et transpirait visiblement.

– Tu vas être obligé de re-déménager ton dépôt de cercueils, si ces bâtiments sont appelés à pourrir sur place, dit Erlend.

Margido ne répondit pas.

Il chercha autre chose à ajouter, quelque chose de méchant, mais il avait du mal. Margido n'avait jamais été aussi bien habillé que maintenant, il avait même rasé les petits cheveux de sa nuque.

– Tu as plein de poils dans les oreilles, Margido.

– Quoi ?

Margido leva vers lui un regard empreint d'une telle tristesse qu'il ne pouvait que l'inciter à frapper davantage.

– Tous les hommes de plus de quarante ans ont des poils dans les oreilles, la nature est ainsi faite. J'ai moi-même aussi passé le cap, malheureusement, j'ai commencé à aller chez un Syrien absolument formidable.

– Un Syrien… ? dit Margido, le regard fuyant.

Tiens donc, Kai Roger était d'avis qu'ils se ressemblaient au niveau des yeux. Mais c'était débile. Les siens étaient complètement différents.

– Syrien, oui ! De Syrie ! reprit Erlend. Tu as bien dû entendre parler de ce pays !

– Mais vas-tu bientôt finir ! lança Jytte.

– Vous savez ce qu'il fait ?! Il met sa main en entonnoir autour de l'oreille en tenant un briquet devant, puis il remplit le conduit auditif de gaz et allume. Ça fait : POFF ! Et le conduit est propre !

– Mais ça doit être hyper dangereux ! s'écria Lizzi.

– Absolument indolore, rétorqua Erlend. Je ne l'ai fait faire qu'une fois de chaque côté, mais ça s'est très bien passé. Par contre, je m'occupe de mon nez moi-même, avec une tondeuse pour poils de nez. Électrique. C'était un cadeau de Noël pour mes quarante ans de la part de Krumme, qu'il utilise lui-même en douce. Justement, le voilà ! Regardez le beau nez soigné qu'il a ! Et il court sur ses cinquante ans ! Je peux voir tes poils de nez, Margido ? En fait j'ai un briquet, je peux t'arranger tes oreilles en moins de temps qu'il ne faut pour le dire !

– Je téléphone à sa mère, dit Margido. Cissi Breiseth, ce n'est pas comme ça qu'elle s'appelle ? Et Erlend, je comprends bien que tu sois furieux contre moi. Je t'ai présenté mes excuses.

– Non ! Tu m'as demandé pardon ! Et ce n'est pas du tout pareil !

Margido s'en fut dans la cuisine en disant qu'il allait chercher de quoi écrire. Évidemment que c'était la faute de Margido. Comment Krumme et lui, à Copenhague, auraient-ils pu voir venir une dépression nerveuse existentielle dans une ferme près de Trondheim ? Crétin de chrétien !

– Elle avait peut-être tout bonnement besoin de vacances, dit Krumme.

Il s'assit lourdement sur le banc rembourré en blanc et but une toute petite gorgée de café, désormais à la température ambiante de vingt-six degrés.

– Alors elle aurait peut-être pu attendre demain qu'on soit repartis. Elle ne va même pas goûter à ton délicieux filet de dinde, rétorqua Erlend.

Au bout d'un quart d'heure Margido réapparut. Il tenait son portable à la main, pas contre son oreille. Il baissait la tête d'un air sombre.

– Voilà, j'ai parlé avec sa mère et avec son beau-père, ils n'étaient au courant de rien, elle n'est pas là-bas en tout cas.

– Comment était sa mère ? demanda Erlend.

– Hystérique, répondit Margido. Elle m'a engueulé.

– Pour quelle raison ? Pourquoi est-ce qu'elle t'en voudrait, à toi… ? reprit Erlend.

– Pour la même raison que toi, peut-être, dit Margido.

Le père se leva en titubant, essaya d'attraper l'accoudoir de la chaise en plastique si bien que celle-ci se renversa, il dut se tenir au mur de l'autre main et resta debout ainsi. Erlend l'observa comme de très loin. Un vieillard dont Margido et lui avaient dorénavant la responsabilité. Surtout Margido. Lui-même résidait place de Gråbrødretorv, à Copenhague.

Ce serait à Margido de s'en occuper, de lui obtenir une place dans une maison de retraite ou de lui trouver une nouvelle aide ménagère. Ce fut Jytte qui se précipita vers lui et le prit par le bras.

– Ça va ? demanda-t-elle. C'est la chaleur ?

Il hocha la tête.

– Je veux m'allonger.

– Au lit… ? Maintenant ?

Il hocha encore la tête.

– Il fait trop chaud.

– Vous voulez prendre une douche ? Je peux vous aider ?

– Non.

– On peut descendre à la grève et aller se baigner ! suggéra Erlend. Apporter du champagne et se foutre de toutes ces simagrées !

Il se sentait tout à coup attiré par la fraîcheur du fjord comme par un aimant, l'odeur presque érotique du varech, les cris des oiseaux, le contact du sable et des galets.

– On ne peut pas emmener avec nous un homme aussi âgé, dit Jytte qui le soutenait toujours.

– Non, il n'en aura pas la force, renchérit Margido.

– Mais c'est tout de même une excellente idée, remarqua Krumme. Descendre jusqu'au fjord.

– Nous, on y est déjà allées, dit Lizzi.

– Faire des mamours, ajouta Erlend.

Il eut l'impression de sourire pour la première fois depuis qu'ils étaient arrivés ici aujourd'hui.

– Quelques-uns, répondit-elle avec un clin d'œil.

Margido se racla la gorge. Le père vacillait aux côtés de Jytte.

– Ça fait longtemps que tu t'es baigné dans le fjord… papa ? demanda Erlend.

– Oui… Mais je ne veux pas… commença à répondre le père.

– Mais si, tu veux bien. Tu boiras une bière d'abord, et après tu pourras barboter un peu !

Brûlant du désir de concrétiser un projet qui les empêcherait de se focaliser sur la menace que représentait la soudaine absence de Torunn, Erlend bondit dans la maison, fourra dans un sac deux packs de six bières ainsi que deux bouteilles de champagne et des verres. Il prit un gros morceau de gruyère emballé sous vide, une barquette de tomates cerises, un couteau, le reste de focaccia et la boîte de sel marin qu'ils avaient achetée hier. Lorsqu'il ressortit, Neufeldt remballait ses papiers et ses instruments.

– On va se baigner ! lança Erlend.

– Mais vous n'étiez pas en train de pleurer ? s'étonna Neufeldt.

– Chaque chose en son temps ! Maintenant j'ai retrouvé ma bonne vieille joie de vivre ! Torunn a sûrement pris quelques jours de congé, et elle les a bien mérités !

– Mais comment va-t-on faire pour l'emmener jusqu'à l'eau ? demanda Jytte.

– Il y a un petit chemin carrossable qui descend jusqu'en bas, je vais te montrer, Lizzi, il débouche sur la route… Viens voir… !

Il l'entraîna en haut de l'allée.

– Tu vois les peupliers tout en bas, et la petite plateforme de chargement du lait ? Il y a un chemin là, sur la droite, on le distingue à peine, mais il est là. Très caillouteux, mais comme on a une voiture de location, on s'en fiche si les pneus souffrent un peu. Tu vas pouvoir le conduire.

Il se retourna vers les autres et déclara :

– On n'a pas besoin de maillots de bain, il n'y a jamais âme qui vive là-bas, on peut se baigner en sous-vêtements, et j'emporte une pile de serviettes !

Kai Roger arriva dans la cour au moment où Lizzi et le père la quittaient. Erlend s'approcha de la voiture, Kai Roger baissa sa vitre.

– On descend se baigner !

– Vous avez des nouvelles de Torunn ? Tout va bien pour elle ?

– Non. Pas un mot ! répondit Erlend.

– Et vous allez vous… baigner ?!

– Qu'est-ce qu'on peut faire autrement ? Rester ici à pleurnicher et se lamenter ? Il faut bien continuer à vivre, même si le monde s'écroule autour de nous ! Venez avec nous ! Vous avez bien un boxer sous votre jean ? J'ai des serviettes.

Un bonus inattendu au projet de baignade, pensa-t-il, voir un remplaçant presque nu s'ébattre dans les vagues.

– Je vous suis. Je dois d'abord ouvrir les portes de la porcherie.

– Il faut aussi qu'on discute tous les deux avant ça, dit Margido à Kai Roger.

Puis il se tourna vers Erlend et ajouta :

– Et ensuite je rentrerai chez moi. J'essaierai le numéro de Torunn à intervalles réguliers et je vous avertirai si j'ai du nouveau. Faites-en autant ! Et soyez prudents avec le vieux au bord de l'eau ! Il ne supporte pas beaucoup les émotions.

– Qu'est-ce que tu vas… faire de lui ? demanda Erlend. Quand on sera repartis.

– Je ne sais pas. Il saura se débrouiller seul pendant quelques jours, de toute façon. On attend de voir pour Torunn, et on décidera de ce qu'on fera la semaine prochaine. Il existe des possibilités d'accueil temporaire en maison de retraite, je vais me renseigner. Et on peut peut-être reprendre une aide ménagère, comme celle qui venait... du vivant de Tor.

– Tu ne reviens pas après ? Dîner avec nous ce soir ?

– Non, je ne crois pas.

– Il faut bien manger, de toute façon. Si on ne te revoit pas, merci et à la prochaine alors !

– Salue les autres de ma part !

Ils sortirent le père non sans mal de la voiture et l'installèrent sur une grosse pierre plate, où il s'affaissa en soupirant, le dos courbé et les mains sur les genoux. Sa chemise de flanelle était bleu clair et mal appropriée par cette chaleur. Erlend s'avança et se pencha vers lui.

– Tiens, regarde... je déboutonne ta chemise et je te l'enlève, pour que tu prennes un peu le soleil.

Le père le laissa faire, presque amorphe, tendit les bras de chaque côté, laissa glisser la chemise. Il portait en dessous un maillot de corps troué. Ensuite Erlend lui ôta ses chaussons, dont la vue sur le sable, parmi les galets et les algues, était complètement surréelle ! Il lui enleva ses chaussettes, retroussa laborieusement les jambes de son pantalon jusqu'aux genoux, à petits plis pour que ça tienne. Sa peau était blanche, presque nacrée, avec un soupçon de duvet blond.

– Voilà. Tu es prêt pour aller à l'eau, mais je vais te donner une bière d'abord.

Il déposa ses propres chaussures suffisamment en retrait pour qu'elles ne risquent pas d'être éclaboussées. C'étaient quand même des Ferragamo, dont la tige était si fine et si douce qu'on les aurait crues cousues de prépuce italien. Le père buvait sa bière en fermant fort les yeux et en remuant délicatement les orteils dans le sable. Ce n'était pas une pure plage de sable, mais de gros amas de galets entre de petites étendues sableuses. Ils seraient obligés de l'aider à marcher jusque dans l'eau pour éviter les cailloux. Les longues algues luisantes étaient bercées au rythme paresseux de l'eau, il n'y avait pas un seul bateau sur le fjord, et pratiquement pas un souffle de vent.

– C'est autre chose que la plage d'Amager, dit Lizzi. Tu as vu comme l'eau est claire, Jytte ? On pourrait enlever les galets ici, Erlend, non ? Dégager une petite plage de sable fin ? Elle n'a pas besoin d'être bien grande.

Il hocha la tête. Il était impossible d'imaginer les problèmes d'héritage quand le fjord était si bleu devant soi qu'il faisait presque mal aux yeux. Il ôta son pantalon et sa chemise et s'avança dans l'eau jusqu'aux genoux. Seigneur, comme c'était bon ! Et Kai Roger arrivait. Il échangea un regard avec Krumme, ils allaient passer un moment agréable, ils pourraient rêver ensemble plus tard. L'architecte ne fit pas semblant de se déshabiller, il s'était allongé plus haut dans l'herbe, les mains derrière la nuque et un mouchoir sur les yeux. Ce n'était pas une grande perte pour l'humanité qu'il préfère couvrir son corps de textiles, la vue de ses affreux genoux suffisait largement. Mais le corps tout rond de Krumme était un bonheur pour les yeux, des contours fermes et doux comme ceux d'un ange de Rubens, vêtu d'un boxer en soie avec des personnages de Disney.

Lizzi s'élança devant lui, plongea aussitôt et se mit à nager. Il fut aspergé d'eau et poussa des cris stridents. Ni Jytte ni Lizzi ne portaient de soutien-gorge, elles préféraient se baigner toutes nues, et c'était sans doute par égard pour le père qu'elles avaient gardé leur culotte. Il lorgna de son côté. Le père était toujours assis, les yeux clos, face au soleil, tandis que Lizzi, en petite culotte, farfouillait dans le sac de bières.

– Tu n'as pris que de la bière et du champagne ? s'écria-t-elle. Et pour nous deux, qui allons perpétuer l'honneur de la famille ?

– Zut, j'ai oublié ! Vous devrez boire de l'eau de mer. À moins que je monte en vitesse vous chercher quelque chose ?

– Non, non ! Ton portable vient de sonner.

C'était un SMS de Torunn. « Prends bien soin de mon grand-père ! » Il fit le tour du hangar à bateau en veillant à poser les pieds entre les petits cailloux, le bois flotté et le varech tout sec qui craquait quand on marchait dessus. Lizzi, dans l'eau, lui fit de grands signes au moment où il tournait le coin, il sourit et agita la main. À l'abri derrière le hangar, il chercha le numéro de Torunn. Mais son répondeur était déjà connecté. « Quand reviens-tu ? » écrivit-il. N'était-il pas possible de localiser les portables ? Il lui semblait que la police était en état de le faire, en collaboration avec les opérateurs.

Neufeldt fut soudain devant lui, il avait surgi sans bruit, se trouvait nez à nez avec lui.

– Tu es mignon, murmura-t-il.

Il lui plaqua la main dans l'entrejambe, serra avec précaution mais aussi une certaine poigne, si bien qu'Erlend dut fermer les yeux et se tenir d'une main au mur brûlant du hangar, des taches de soleil voletèrent autour de lui, pénétrèrent en force à travers ses paupières.

– J'ai envie de toi. Je veux te goûter. Je te téléphonerai, murmura encore Neufeldt avant de le lâcher.

Il tourna sur ses talons, repartit en sens inverse, et Erlend l'entendit déclarer tout haut :

– C'est incroyable qu'on réussisse à produire de l'urine par cette chaleur, on aurait pu penser que tout s'évaporait en transpirant.

Krumme éclata de rire et demanda :

– Erlend est toujours au téléphone ?

– Oui, répondit Neufeldt.

Erlend respirait en tremblant, il regarda en bas, constata l'érection. Il fallait qu'il se sorte de là, qu'il redevienne naturel, présent, qu'il fasse comme si de rien n'était, il était d'une famille de paysans, bon sang, les paysans étaient doués pour faire semblant.


– C'était qui ? demanda Krumme.

Erlend repassait devant le hangar, après être allé tremper la main dans l'eau de mer froide et comprimé son pénis jusqu'à ce qu'il rapetisse à l'intérieur de son boxer.

– Un client. Le Klint.

– Les luminaires ? dit Krumme.

– Oui, mon amour, évidemment. On a en fait deux lampes Le Klint chez nous, tu ne suis pas, hein ?

– Mais c'est ton domaine, chéri.

– D'ailleurs elles sont très belles, commenta Neufeldt.

– Vous parlez ! répliqua Erlend.

Il ne regarda pas dans sa direction, mais remarqua du coin de l'œil qu'il s'était allongé à la même place qu'avant.

– J'ai celle de Poul Christiansen, reprit Neufeldt.

– Oui, elle est superbe, dit Erlend. Je vais arranger un peu leur salle d'exposition de la rue Kirkestræde.

– Qu'est-ce qu'elles ont de particulier ? s'enquit Jytte.

Elle mordit dans une tomate, la pulpe rouge et juteuse lui éclaboussa la joue.

– Les abat-jour sont plissés à la main par des femmes d'Odense, dit Neufeldt.

– Depuis soixante ans, ajouta Erlend.

– Ça alors ! Je croyais que ce genre de travail était délocalisé en Asie, s'exclama Krumme.

– Si les plisseuses disparaissent, on aura autant de manifestations que le jour où les Suédois se sont mis à produire du Gammel Dansk ! reprit Neufeldt. Tu devrais faire un papier là-dessus, Krumme !

– Ce n'est pas une mauvaise idée ! Tu pourrais peut-être essayer de rappeler Torunn, Erlend !

Erlend composa le numéro, colla le portable à son oreille.

– Uniquement le répondeur, dit-il. Maintenant on va tous se baigner ! Vous aussi, Kai Roger !

– Je n'ai pas un boxer aussi beau que les vôtres.

– Ah, quel dommage ! Vous allez presque être obligé de vous mettre à l'eau tout nu ! lança Erlend.

Erlend avait retrouvé une légèreté d'expression dans laquelle il ne se reconnaissait pas. Mais Kai Roger resta planté au sec.

Erlend et Jytte prirent le père entre eux deux. Il protesta, mais ils ne cédèrent pas. Le chiot courait comme un fou autour d'eux, plongeait la tête sous l'eau et creusait dans les cailloux, après quoi il se secouait violemment.

– Seulement patauger un peu, sentir l'eau du fjord sur la peau, dit Erlend.

« Prends bien soin de mon grand-père. » Margido n'aurait jamais fait ça pour lui. Ils marchèrent doucement dans l'eau, le père tournait la tête vers lui, pour être sûr de ne pas voir les petits seins gonflés de Jytte. À tâtons il posait les pieds entre les galets, et quand l'eau lui arriva au milieu du mollet, il poussa un petit soupir.

– C'est agréable, non ? demanda Erlend.

Il se rendit compte qu'il n'avait aucun mal à se comporter normalement. Il ne s'était rien passé. C'était l'instant présent qui comptait, un vieillard qui avait besoin d'exactement la même chose que lui : se trouver ici et maintenant.

Le père hocha la tête.

– Oui.

– Elle va sûrement revenir, tu verras. On avance un peu plus loin, jusqu'aux genoux en tout cas, au niveau de ton pantalon. Mais… tu recommences à pleurer ?

– Non.

– Mais si. Alors on va arranger ça. On va boire un verre de champagne, ici, dans l'eau. Jytte, je le maintiens. Va nous chercher un peu d'élixir de vie. Et deux verres ! On va avoir de l'eau jusqu'aux genoux dans le fjord de Trondheim et être un petit bout de Norvège ! Hein, papa ?

– Oui.

– Et je viens d'avoir une idée. Krumme !

– Inutile de crier, petit mulot ! Vous n'êtes pas à plus de quatre mètres du bord.

– Tu sais ce qu'on va faire ? On va virer un demi-million sur son compte. Tu ne crois pas qu'avec ça, elle va revenir à de meilleurs sentiments ? Que ça va lui montrer les possibilités d'avoir une base ici ? Il y a longtemps qu'on aurait dû le faire. Cette cuisinière électrique…

– Peut-être pas si bête, non, dit Krumme.

Il sortit les verres du sac. Jytte s'escrima avec le bouchon du champagne.

– Vous êtes fous ! fit Kai Roger. Un demi-million… ?

– Il va falloir retaper un peu la ferme, dit Erlend. Et on pensait que tous ces projets allaient démarrer ce week-end. Un demi-million, ce n'est que le début. Mais ce que je viens de réaliser, c'est qu'on a fait une erreur en venant nous pavaner ici et en payant tout au fur et à mesure. Il est évident que Torunn doit aussi avoir son mot à dire. Avec un demi-million, elle pourra elle-même prendre les choses en main, avoir la maîtrise de son existence.

– Tu es génial, chéri, affirma Krumme.

Jytte perdit au moins un décilitre de champagne avant d'atteindre les verres.

– Quel dommage, dit Erlend. Il va falloir que tu apprennes, tu seras la mère de mon enfant. Je lui envoie un SMS immédiatement.

– Buvez d'abord ! conseilla Krumme. À votre santé !

Le père s'agrippa à son avant-bras pour porter le verre à sa bouche de son autre main, il était debout dans l'eau, tremblant, incroyablement léger à soutenir. Il vivait ici depuis quatre-vingts ans. Est-ce qu'il se baignait dans le fjord quand il était petit ? Courait sur les galets pour inspecter ce que la mer avait pu rejeter d'intéressant ? Il fit clapper sa langue après la première gorgée, son dentier émit un clic.

– Je veux m'asseoir maintenant, dit-il.

– On remonte alors. Voilà, tu t'es baigné ! répondit Erlend.

Krumme lui donna son propre verre vide, avança délibérément dans l'eau, s'enfonça tout entier d'un seul coup, refit surface et s'élança à la nage.

– Il flotte bien quand même, constata Erlend. D'où l'expression « un bouchon à la mer ».

Il tremblait à l'idée de dire adieu au père. Demain matin ils feraient du tourisme dans la ville, il fallait donc prendre congé ce soir, après le dîner. S'il avait eu accès à un ordinateur, il aurait transféré la somme sur-le-champ. Faute de quoi, il envoya un SMS : « On te verse un demi-million dimanche soir. Nouvelle cuisinière ? Ou carrément nouvelle cuisine ? Et salle de bains ? Ton grand-père t'attend. Bisous de tes oncles :-)) »

– Ça va s'arranger, confia-t-il à Krumme.

Ils étaient tous les deux à préparer le dîner, pendant que Kai Roger s'occupait de la porcherie.

– Elle va retrouver son bon sens, continua Erlend. Dire que l'argent ne fait pas le bonheur, ça doit être le plus gros mensonge du monde.

– Espérons que tu as raison ! Tiens, fais la purée ! *Butter butter butter*.

Krumme et lui avaient mangé dans un restaurant cajun à New York et, avec le steak, on leur avait servi une purée délicieuse. Erlend avait ensuite demandé au serveur quel était le secret de cette purée, et le serveur lui avait rapporté les paroles du chef : « *Butter butter butter.* »

– On s'habituerait facilement, déclara Kai Roger en prenant place à table dans la cour.

– Bière ou champagne ? demanda Erlend.

Neufeldt posa une bouteille sur la table.

– J'ai apporté du vin rouge, dit-il. Du Piémont. Un ginestrino. Il aurait fallu le faire décanter en carafe quelques heures, mais on réussira bien à le boire.

– Krumme va vous trouver un tire-bouchon, fit Erlend.

Le père était aux toilettes, il mettait beaucoup de temps dans l'escalier. Lizzi et Jytte étaient assises au coin de la longère, admirant la vue et s'admirant elles-mêmes. Quand Neufeldt fut parti dans la cuisine chercher le tire-bouchon, Erlend se retourna vers Kai Roger et dit :

— À propos d'argent, j'ai également besoin de votre numéro de compte. Pour que vous puissiez lui faire ses courses. À mon père. Il va être seul ici jusqu'à ce que Torunn revienne.

— Je ne pense pas qu'il suffira de faire des courses. Il ne sait pas se faire à manger.

— Il restera à danser devant le buffet, vous croyez ?

— Oui.

— Mais nous, on s'en va maintenant.

— Margido devra trouver une solution. Une aide ménagère peut-être ?

— Mais vous venez ici matin et soir ! Vous pouvez bien jeter un petit coup d'œil ! Ce n'est pas la peine d'embaucher une aide ménagère, alors que Torunn est peut-être juste au coin de la rue.

— Grosse charge de travail, sinon ?

— Que voulez-vous dire ? demanda Erlend.

— Vous ne croyez pas que vous devriez vous-même rester auprès de lui jusqu'au retour éventuel de Torunn ?

— Bien sûr qu'elle va revenir ! Et moi, je suis débordé de travail.

En réalité il était libre toute la semaine suivante, mais il n'était pas question pour lui de rester ici, il avait prévu de soigner son bronzage sur sa terrasse, en pensant aux sourcils bien formés d'Eleonora et à la couleur possible de ses cheveux.

— De toute façon, je n'accepterai pas d'argent pour ça. Il est bien à plaindre.

– Mais pour la nourriture que vous allez acheter, vous comprenez ! Donnez-moi votre numéro ! Tenez, écrivez-le sur cette serviette ! On va emprunter le stylo de l'architecte mondialement connu.

– Non.

Krumme et Neufeldt apportèrent les plats.

– Vous ne voulez pas vous baigner, et vous ne voulez pas d'argent, dit Erlend. J'abandonne.

Le père resta assis devant son assiette, les mains sur les genoux. De la morve claire lui coulait du nez et tombait sur son filet de dinde mariné et ses champignons poêlés au lard fumé. Erlend sentait de petites poussées d'adrénaline lui chatouiller le ventre en le regardant. Margido aurait dû venir passer la nuit ici, pensa-t-il, pourquoi ne l'avait-il pas lui-même proposé ? Le père n'était jamais resté seul à la ferme auparavant, Margido devait bien le savoir, bon sang !

– Allez, mange maintenant ! insista Erlend.

– Moi je reviendrai demain matin de toute façon, dit Kai Roger.

Le père hocha la tête, se couvrit le visage avec une serviette de Noël, inspira à fond, si bien que la serviette se creusa devant sa bouche.

– Ça va ? demanda Krumme.

Il lui effleura le bras qui tenait la serviette. Le père acquiesça. Mentit pour ne pas les alarmer. « Il n'a jamais voulu gêner personne, pensa Erlend. Là il était conscient que c'était le cas. Je ne veux pas devenir vieux, pensa encore Erlend, pas être une charge pour des gens qui ont suffisamment de soucis eux-mêmes. »

Quand la voiture quitta la cour, le père était installé dans le petit salon. Il était dix heures et demie. Personne ne leur fit de gestes d'adieu. Kai Roger était assis à l'avant avec le chiot sur les genoux, ça lui éviterait de rentrer à pied ce soir.

– Je vous remercie de ce bon week-end ! dit-il lorsqu'ils le déposèrent sur les hauteurs de Brå.

Tout le Gaulosen s'étendait devant eux, dans la lumière de la nuit d'été, un épais tapis vert foncé de buissons d'argousiers entre des plans argentés d'eau saumâtre. Les petites truites montaient à la surface, où elles faisaient des ronds qui se rejoignaient.

Erlend descendit de la banquette arrière et passa à l'avant. Au moment où Lizzi redémarra, il entendit la sonnerie de son portable. C'était un SMS de Torunn. « Je ne reviendrai pas. Quoi qu'il arrive. Tu n'as pas besoin de virer d'argent. »

– C'était Torunn ? demanda Krumme.

– Non, dit Erlend. Seulement une blague stupide de la part d'un collègue à l'agence, tellement stupide que je n'ai même pas envie de la lire tout haut.

Elle s'assit sur le lit du dessous et dut baisser la tête à cause de celui du dessus. Elle avait sous les yeux un seau en plastique rouge, posé sur un tabouret, avec une grande louche en étain accrochée au rebord. Sur le seau, le numéro quatorze était écrit au feutre noir, un peu effacé par endroits.

Elle tenait à la main une clé, accrochée à un porte-clés fait d'une plaquette de bois où figurait le même numéro. Pas au feutre noir, mais pyrogravé. Elle le regarda, le frotta un peu, se dit qu'elle devrait se dépêcher de rentrer le sac avec les bouteilles de cognac. Mais elle n'avait pas la force de bouger, son corps avait le poids d'un continent.

Elle entendit des gamins crier dans le chalet voisin et le bruit d'un trampoline un peu plus loin, les rebonds sur la toile. Les jeunes qu'elle avait vus arriver juste avant elle, et qui s'étaient vu attribuer le chalet de l'autre côté, avaient commencé à écouter Cat Stevens. Il y avait toute une série de mouches mortes le long de la fenêtre. C'était la seule du chalet, qui ne faisait guère plus de dix mètres carrés, et devant laquelle se trouvaient une table en pin, sans rien dessus, et quatre chaises. Une unique plaque de cuisson était posée sur une autre table, à côté du tabouret avec le seau. Elle était débranchée et le cordon électrique était tout poisseux. Le long de la E6, seuls les chalets de camping les plus rudimentaires étaient disponibles sans réservation, quand on arrivait tard le soir.

Elle frottait sans arrêt la plaquette marquée quatorze et fixait le seau. Elle ne savait plus où elle pouvait aller chercher de l'eau, elle n'avait pas retenu ce que le propriétaire du camping lui avait expliqué. Elle ne se souvenait que des mots « interdiction de fumer ». Elle devait sentir le tabac, vu qu'elle avait fumé cigarette sur cigarette dans la voiture, tout le long de la route jusqu'ici. En silence. Elle n'avait pas allumé l'autoradio, ni passé de CD. Elle avait seulement écouté le bruit de l'air chaud qui s'engouffrait par la vitre ouverte, et pensé que Margido devrait récupérer l'argent du sèche-linge. Elle avait fait un long détour en passant par Fjellheimen, parce qu'elle ne supportait pas le bruit des autres voitures devant et derrière elle. Elle s'était arrêtée au point le plus haut, avait songé marcher un peu dans la mousse, sentir le rocher sous elle, respirer de l'air un peu plus frais, mais elle n'avait pas fait autre chose que poser ses pieds sur la route gravillonnée, tout en restant assise. Quand elle était repartie, elle était incapable de se rappeler combien de temps elle était restée dans cette mauvaise position, la tête de côté sur l'appuie-tête.

Le seau rouge était un bon objet à regarder. Il faudrait le remplir d'eau propre, froide. C'était bien d'y penser. Le seau et le sèche-linge, elle ne devait penser qu'à ça. Et au cognac. Les gamins pouvaient crier et sauter, Cat Stevens n'avait qu'à chanter, elle n'était pas concernée. Mais elle aurait préféré avoir la force de bouger, plutôt que de se contenter de passer son pouce sur le bois. Elle baissa la tête davantage et examina son jean coupé, contre sa peau légèrement brunie, les franges qui pendaient étaient un peu mouillées, il y avait des gouttes sur sa peau aussi. Était-elle en train de pleurer ? *Le cognac. Je dois aller le chercher. Et de l'eau dans le seau rouge.* Elle referma la main sur la plaquette de bois avec le numéro quatorze, essaya d'exercer une pression avec ses doigts, de faire en sorte qu'elle se propage dans son avant-bras, puis dans son épaule, elle vibra jusqu'à la nuque. *Lève-toi !* pensa-t-elle. *Soulève tes fesses de ce matelas en mousse dégueulasse sur lequel des milliers de touristes ont couché !* Elle appuya ses deux mains sur le bord du lit et poussa, avec une force qu'elle imagina inouïe, mais tomba par terre à genoux, réussit à amortir sa chute, sentit du sable fin sous ses paumes, ainsi qu'une vague odeur d'urine. Sans doute un enfant qui avait pissé sur le plancher, et soudain un souvenir surgit dans sa tête : quand, après la mort de son père, elle avait dû vider son seau hygiénique qui était dans la penderie de l'entrée, l'emporter jusque dans les cabinets de dehors, en verser le contenu sur l'amoncellement de bouteilles vides dans le fond du trou, entendre gicler et éclabousser dans tous les sens, avant de mettre de l'eau ammoniaquée dans le seau, de rincer abondamment et de tout reverser dans le trou une fois de plus. Désormais le seau hygiénique se trouvait dans la remise, un seau turquoise avec une assise bordée de noir.

La façon dont il était allongé. Comme s'il se reposait. Sans nez, sans une partie de sa joue. Sans doigts à la main droite. Elle dégobilla violemment, sur le plancher. Une saucisse Leiv Vidar entourée d'une galette de pommes de terre avec des oignons crus et du ketchup, et de l'eau minérale. L'odeur de vomi l'emporta aussitôt sur celle d'urine. Boum, boum, boum ! C'était le trampoline. Cat Stevens. *Wild World*, elle l'avait chez elle, sur un CD avec un dessin amusant sur la pochette. Elle se hissa à la table où était posée la plaque électrique. Elle n'avait même pas d'eau pour se rincer la bouche. Et il fallait qu'elle nettoie, qu'elle rince, elle se rendait compte que ça puait autour d'elle, qu'elle puait elle-même. Elle prit le seau, ôta la louche et la posa sur la table, puis enjamba la mare de vomissure grumeleuse et sortit. Une petite fille était debout à côté de la voiture.

– Bonjour M'dame !

– Bonjour !

– Tu es norvégienne, toi ?

– Oui.

– Moi je sais reconnaître les plaques des voitures. Mais tu n'as pas de N sur la tienne !

– Non. Tu sais où…

– Ils en vendent ici. Des N. Papa a dit que j'en aurai un pour mettre sur le mur de ma chambre. Si je me réveille en pleine nuit et si je ne sais pas de quel pays je viens, je n'aurai qu'à regarder le N et alors je saurai ! De Norvège !

Stevens avait maintenant entonné *Sad Lisa*. Elle se demanda comment elle aurait la force d'entendre le reste de ce CD en étant aussi près que ça. Ça devait être assez inhabituel que des jeunes écoutent Stevens. Elle regarda dans leur direction tout en déglutissant plusieurs fois. Ils étaient cinq, allongés sur des couvertures dans l'herbe, tenant insouciamment leurs bouteilles de bière à la main. La musique provenait de l'autoradio, la portière de la voiture était ouverte, la batterie serait bientôt à plat s'ils continuaient comme ça, ils devaient bien avoir du rock, du rap ou autre chose que ça à mettre. La fillette n'en finissait pas de parler.

– Tu sais où il y a de l'eau ?

– De l'eau… ? dit la petite. Tu n'es pas contente alors ?

– Contente ?

– Je t'ai dit que j'allais demander à papa d'en acheter deux ! Comme ça toi aussi, tu auras un N !

– Ah ! Mais ce n'est pas la peine. Et puis d'abord il faut que je trouve de l'eau.

– Là-bas, regarde !

La fillette montra du doigt un robinet monté sur un poteau, avec une plaque de bois en dessous. Le robinet fuyait, la plaque était noircie d'humidité.

– Tu es de mauvaise humeur ?

– Mauvaise humeur ? Non. J'ai seulement besoin d'eau.

– Alors je peux rester avec toi !

La gamine s'en fut à cloche-pied devant elle, sautant deux fois sur chaque pied, elle avait des jambes minces et bronzées, un short rose bonbon et un haut assorti. Une longue mèche au milieu de ses cheveux châtains était également teinte en rose. Torunn avait aussi besoin de trouver de quoi manger. À côté de la réception du camping, il y avait une petite épicerie dont la porte était surmontée des chiffres 7-24. Heureusement qu'elle avait eu l'idée de s'arrêter à Otta et d'acheter un sac de couchage léger d'été ! Elle devait s'en tenir au côté pratique des choses, en gérer une et une seule à la fois. Ne pas penser. Ne pas trop exiger d'elle-même. Par exemple ne pas faire la route jusqu'à Oslo d'une seule traite. Mais fallait-il qu'elle aille à Oslo ? Le fallait-il vraiment ? Margrete dans l'appartement en face du sien, sa mère à Sandvika, la clinique à quelques minutes à pied. Elle aimerait revoir Gunnar. Qui allait être papa. Pour de vrai. Elle-même ne comptait sans doute plus. Là non plus.

– C'est ici ! C'est moi qui ouvre le robinet !

Deux toutes petites mains bronzées se croisèrent l'une sur l'autre, la concentration se lisait sur le visage de la gamine comme s'il s'agissait d'une formidable épreuve de force. L'eau jaillit d'un bec qui l'envoyait dans tous les sens, au hasard, quelqu'un avait dû dévisser le brise-jet. Torunn posa le seau par terre, avança vers l'eau qui coulait, ferma les yeux et sentit la fraîcheur, se frotta bien les mains, les remplit et les porta à sa bouche à plusieurs reprises pour boire, puis se frotta le visage et les cheveux.

– Tu avais soif, dis donc ! Grand soif ! Comme moi quand j'ai sauté drôlement longtemps sur le trampoline !

La petite fille, oui. Elle l'avait oubliée pendant les quelques secondes sous l'eau. Elle tendit le seau sous le robinet et, en touchant le fond, l'eau l'éclaboussa jusqu'en haut des bras. Ça faisait du bien. Elle s'efforça de sourire à la petite.

– Tu es triste, alors ? Si tu n'es pas de mauvaise humeur ?

– Peut-être un peu.

– Maman est triste quand ils ne sont pas gentils avec elle à son travail. Et ça arrive. Des fois. Elle est agent de police.

– Ah bon.

– Mais alors elle met de la musique très, très fort et elle nous envoie jouer dehors, et puis elle se met à danser d'une drôle de façon. Je l'ai espionnée. Et après, elle est encore contente.

– Ah bon.

Elle jeta un coup d'œil au chalet voisin, d'où devait venir la fillette puisque le trampoline était là. Ce chalet était au moins trois fois plus grand que le sien mais, à en juger par les apparences, du même acabit, avec seulement davantage de lits superposés, davantage de pièces. Une femme était assise sur un transat dehors, avec une pile de journaux et une bouteille de vin par terre à côté d'elle. De la main qui tenait le verre, elle remonta les lunettes qui lui descendaient sur le nez. Un homme était en train de remplir un sac en plastique de bouteilles de limonade vides, qui ressortaient par l'ouverture.

– Mais prends donc un autre sac ! entendit-elle la mère s'écrier.

– Tu as combien de frères et sœurs ? demanda Torunn.

– Zéro, répondit la fillette. Les autres, ils sont seulement venus là. Pour jouer avec le trampoline. Mais j'en ai marre, moi. Ils ne veulent pas parler avec moi, ils veulent sauter, c'est tout ! Tu comprends ?

– Je crois, oui. Tu as... quel âge ?

– Cinq ans et demi !

– Tu vas bientôt aller à l'école, alors ?

– Oui. À la rentrée.

– Vous avez le droit de rester à jouer si tard ?

– Mais c'est les vacances ! Et papa dit que demain il va peut-être pleuvoir, alors on peut rester debout aussi longtemps qu'on veut pour profiter du beau temps !

– Il va falloir que je rentre le seau chez moi. Et que j'aille chercher mes affaires dans la voiture.

– Chez toi ? Tu n'habites quand même pas ici ?

– Non. Je suis seulement...

– Je dis ça pour rire. Tu as sûrement payé et tout !

Elle posa le seau plein d'eau devant le chalet, puis elle alla à la boutique acheter un paquet de rouleaux de papier essuie-tout, cinq sacs plastique, un sandwich, un pack de six bières, deux paquets de serviettes humides jetables, et un tube de dentifrice. Elle avait laissé le sien sans raison à la ferme. Il avait un dentier et n'utilisait pas de dentifrice.

Elle rapporta le sac de la voiture et déroula le nouveau sac de couchage sur le lit du dessous. Le tissu bleu brillant couvrit l'horrible housse en coton rayée du matelas mousse. Couvrit les taches. Elle devait toujours enjamber la mare sur le plancher. Elle versa du cognac dans un verre, celui-ci n'avait pas l'air propre mais elle s'en contrefichait. Elle en avala trois grandes gorgées, but une bonne quantité d'eau à la louche sans se demander qui avait pu faire la même chose avant elle, et s'assit sur le sac de couchage. Il sentait le plastique. La voix de la fillette et celle d'un autre enfant montaient dans les aigus. Le cognac atteignit l'estomac, elle eut l'impression que son corps se ramassait en une boule apaisée. Elle sortit un rouleau du paquet en déchirant l'emballage, déroula de longues bandes qu'elle jeta sur le vomi, le papier s'en imbiba aussitôt et les taches sombres dessinèrent une sorte de carte avec des montagnes et des vallées. Elle but une nouvelle gorgée de cognac, observa la topographie qui se découpait de plus en plus. Ne pas penser aux porcs, dans la chaleur de la porcherie, ne pas penser à leurs regards, à leurs attentes, au contact des soies raides sous ses paumes, au ventre tout doux des porcelets, aux cils clairs au-dessus des yeux bleus. Un sanglot lui serra la gorge, elle se représenta la rampe du camion de l'abattoir, les pas laborieux sous le poids de corps qui ne s'étaient encore jamais déplacés sur un plan incliné, les coups d'œil indécis vers un ciel qu'ils n'avaient jamais vu avant, les regards myopes balayant largement les champs verdoyants dont ils ignoraient tout, y compris l'existence de la couleur verte. Ciel bleu et prés d'herbe fraîche, dire qu'il était possible de flâner sous tout cet azur, dire qu'il était possible de s'enfoncer dans toute cette verdure, de s'y allonger, de s'y reposer, d'y ressentir bien-être et appartenance. Ils devaient voir tout ça pour la première fois juste avant de mourir. Elle laissa tomber le verre par terre, mit les mains sur sa tête, serra les mâchoires si fort que ses molaires en crissèrent. Il fallait qu'elle boive davantage, qu'elle parte plus loin, encore plus loin. Elle chercha le verre à tâtons, il avait roulé jusqu'au vomi, elle l'essuya soigneusement avec du papier. Si elle combinait avec une bière, elle réussirait à boire plus vite, le gaz carbonique éloignerait la nausée. Elle enjamba l'amas de papier et arracha une bouteille au pack de six, se mit à chercher un décapsuleur dans un petit panier en plastique avec des couverts dedans, en vain. Pour finir, elle tint simplement la bouteille contre le bord de la table en pin et frappa. La capsule sauta jusque sur le lit du dessus, et il y eut une encoche plus claire dans le bois.

Elle but. Entre deux respirations, elle but tantôt à la bouteille, tantôt au verre, tout en regardant par la fenêtre maculée de crottes de mouches. Trois enfants bondissaient et rebondissaient, faisaient des saltos, tombaient, riaient, tendaient les bras sur les côtés et ressemblaient à de petites croix volantes, se poussaient, c'étaient des enfants, et en vacances, ils ne savaient sans doute même pas quel jour on était. Ou peut-être si, s'ils avaient l'habitude d'avoir plus de bonbons le samedi soir, Gunnar lui achetait toujours une pochette dans laquelle il y avait des pastilles, des chocolats et une petite figurine à monter soi-même.

L'ivresse finit par rassembler son corps en une entité obtenue de haute lutte. Elle respira profondément par le ventre. « Un demi-million ». Qu'est-ce qu'ils s'imaginaient ? « Ton grand-père t'attend. Bisous de tes oncles :-)) »

Elle prit un des sacs en plastique vides et se mit à ramasser le papier trempé. Elle arrosa le plancher avec la louche, remit du papier dessus et frotta ce qui restait. Elle avait mal au ventre quand elle se baissait, mais elle sentait qu'elle n'allait plus vomir. Son estomac avait désormais assimilé l'alcool, l'avait adopté, et Cat Stevens n'avait toujours pas fini de chanter. Elle utilisa quatre serviettes à usage unique pour se laver, elles dégageaient une intense odeur de citron. Cela faisait sans doute un bon moment qu'il s'était couché maintenant, qu'il s'était couché seul si personne n'avait eu l'intelligence de passer la nuit à la ferme. « Ne t'en va pas ! » avait-il dit quand elle était partie. « Ne t'en va pas ! » Était-elle méchante ? Tout simplement méchante ? Ce devait être la seule explication. Méchante et égoïste. Elle n'avait pas d'oreiller, pensa-t-elle soudain, elle prendrait ses habits et les fourrerait dans une housse de sac de couchage.

La petite fille accourut à la seconde même où elle apparut à la porte, le sac en plastique solidement noué à la main.

– Papa nous les a achetés ! s'écria-t-elle.

Son sourire illuminait tout son visage et tout son corps. Elle lui tendit un N noir dans un ovale blanc, glissé dans une pochette transparente avec un petit drapeau norvégien en haut dans un coin. Une caravane passa au même moment, tirée par une voiture où des visages rouges et fatigués apparaissaient aux vitres.

– Je n'en ai pas besoin, dit-elle.

– Si ! Comme ça les autres verront que toi et ta voiture, vous venez de Norvège.

La mère de la petite était toujours dans le même transat, la bouteille de vin était à la même place, mais il était impossible de voir combien il en restait dedans. Le père était assis au bord de la véranda, avec un verre à eau plein d'un liquide doré. Ils ne discutaient pas ensemble, c'était elle et leur fille qu'ils observaient. Elle accepta le N de la main tendue de la fillette, fit un signe de tête en direction du père et sourit. Il lui rendit son sourire, hocha la tête avec indulgence, comme pour signaler que lorsque les gamins avaient une idée fixe, on n'y pouvait rien.

Elle passa devant les jeunes, il y en avait désormais deux qui s'embrassaient et une caisse de bières trônait dans l'herbe. Elle jeta son sac plastique dans le container qui empestait déjà.

– Je vais me coucher maintenant, dit-elle à la fillette.

– Nous, on ne se couche jamais avant que maman s'endorme. Quand il fait beau.

Une policière qui devait se défouler en dansant toute seule sur une musique à tue-tête et buvait du vin jusqu'à ce qu'elle tombe de sommeil. Était-elle une bonne mère ? Est-ce que ça avait de l'importance ? De toute façon, bonne mère ou pas, elle ne serait jamais en mesure de protéger cette petite de tout ce qui risquait de lui arriver le restant de ses jours. Elle pourrait finir par dégobiller sur le plancher d'un petit chalet de camping dégoûtant à l'âge de trente-huit ans ou presque, face à une vie dénuée de sens.

– Comment t'appelles-tu ?

– Therese. Et toi ?

– Torunn.

– Torunn ? C'est un nom de grande personne, hein ?

En s'en retournant au chalet, elle s'arrêta près des jeunes.

– Ça vous ennuierait de baisser un peu le son ?

Le même CD de Cat Stevens passait à nouveau.

– *What ?*

– *Excuse-me, but the music is a bit loud.*

– *You think ? Really, it's not loud at all.*

Avant même de réfléchir, elle se dirigea droit vers la portière ouverte et la claqua, Cat Stevens fut coupé au beau milieu de *Where do the children play ?*

– *But hello Lady ! Give us a break here !*

– Bonne nuit, Therese.

– Bonne nuit, Torunn. Je vais voir quelle lettre il y a sur leur voiture.

Elle aurait préféré laisser la porte ouverte, mais elle la ferma et ouvrit la fenêtre à la place, elle ne donnait pas du côté des jeunes. Elle tira les rideaux, jaune moutarde avec d'étroites rayures marron, tendus sur un simple fil de fer-blanc. Elle s'empressa de prendre une nouvelle bière, de se verser encore du cognac. Elle savait qu'elle s'endormirait, avec ça, mais qu'elle se réveillerait au bout de quelques heures, et alors ce serait l'horreur si elle ne continuait pas à boire, seulement elle ne serait pas en état de conduire demain, mais elle pourrait évidemment rester jusqu'à lundi, au moins jusqu'à ce que le pire soit passé. Elle grignota un tout petit bout de sandwich, il était au jambon blanc et au fromage, avec une feuille de salade imprégnée de beurre. *You may still be here tomorrow but your dreams may not...* Merde ! Le son portait jusque de l'autre côté du chalet, ils avaient réouvert la portière et mis encore plus fort. Une peau. Elle devait se procurer une peau plus épaisse, une solide carapace. Comment s'y prenait-on ? Et qu'était-il advenu de l'ancienne protection ? Quand l'avait-elle eue pour la dernière fois ? La première chose qu'elle ferait en rentrant chez elle, ce serait de jeter ce CD à la poubelle.

Elle s'assit à la table et examina le N, le sortit de la pochette, le sentit, il avait une odeur agréable, comme celle des bottes en caoutchouc toutes neuves. Elle jeta un coup d'œil par la fente des rideaux. La fillette et ses parents avaient délaissé le trampoline, le transat et la véranda, les rideaux étaient fermés chez eux aussi. Elle alluma une cigarette et souffla la fumée par la fenêtre, se servit d'une des bouteilles de bière vides comme cendrier.

Elle se réveilla à quatre heures en sanglotant. Elle était trempée de sueur et sentit qu'elle avait ses règles. Sa joue reposait à même le matelas en mousse, qui était mouillé à cet endroit-là et puait le corps, les cheveux gras et sa propre haleine. Elle ouvrit les yeux, scruta la pénombre grise de la nuit et aurait bien voulu voir ce N en face d'elle, mais il était resté sur la table. Elle avait rêvé. Elle se frotta les yeux, elle n'y échappait pas, pas même dans son sommeil.

*Elle était en train de verser de l'eau sur les pommes de terre dans l'évier, lorsqu'elle s'en rendit compte.*

*— Il y a une drôle d'odeur ici, dit-elle.*

*Personne ne répondit.*

*Elle mit le nez dans l'évier, sentit attentivement.*

*— Ça sent l'urine ! reprit-elle.*

*Elle regarda son père, il ne leva pas les yeux de son journal.*

— *Dis-moi, tu pisses dans l'évier ?*

— *Oui, dit le grand-père depuis le salon.*

— *TA GUEULE ! hurla le père.*

— *Mais bon sang, on est dans une cuisine ! Tu ne fais quand même pas...*

— *Tous les jours, dit le grand-père.*

— *Non mais ça ne va pas ! s'écria-t-elle.*

*Elle reposa brutalement la casserole sur la paillasse. Son père s'humecta les lèvres plusieurs fois, croisa son regard.*

— *Non seulement tu sens fort parce que tu ne te laves pas correctement, mais par-dessus le marché tu pisses dans l'évier, au beau milieu de la cuisine ? J'habite ici, moi aussi, pour l'instant, figure-toi ! Et ça, je n'accepte pas ! Cochon !*

— *Ça te fait moins à vider. Du seau hygiénique.*

— *Mais tu ne peux pas aller pisser dehors ? Ce n'est quand même pas difficile de tourner le coin de la maison avec ton déambulateur, il n'y a plus ni verglas ni neige.*

— *C'est ma maison. Mon évier.*

— *Tiens donc ! Il me semble pourtant qu'il n'y a pas bien longtemps, tu disais que c'était aussi ma ferme ! Dont je ne veux pas.*

— *Tu n'en veux pas ? dit-il.*

— *Pas précisément aujourd'hui, s'empressa-t-elle d'ajouter. Maintenant je fais à manger, et toi, tu arrêtes de pisser dans l'évier. L'incident est clos.*

— *Donc tu n'en veux pas. Mais alors... ça ne sert à rien. Il n'y a plus de raison qui tienne. J'envoie tout le troupeau à l'abattoir, tous sans exception, je ferme boutique. Je téléphone à Eidsmo immédiatement.*

*Il commença à se lever, chercha appui sur le déambulateur.*

— *Arrête tes bêtises ! Assieds-toi !* ordonna-t-elle.

*Elle se mit à éplucher les pommes de terre, lui tournant ainsi le dos, mais du coin de l'œil elle apercevait le grand-père dans le salon, il était assis face à l'entrebâillement de la porte, ses nouvelles lunettes lançaient des reflets.*

— *Il faut que ça serve à quelque chose. Et si tu ne veux pas reprendre, alors...*

— *Mais je ne peux pas prendre la décision simplement comme ça,* dit-elle.

— *Tu as trente-sept ans. Il y a des gamins de cinq ans dans ce pays qui savent déjà qu'ils devront reprendre la ferme de leurs parents.*

— *Mon Dieu ! Et avant, alors ? Quand ta mère vivait et que tu gérais l'exploitation ? Moi j'étais à Oslo et n'avais pas la moindre idée de ce qui se passait ici. C'était pour quoi, alors ? C'était pour qui ? Ne me dis pas que c'était pour moi !*

— *Maman vivait, elle était ici. Ça servait à quelque chose d'une certaine manière.*

— *C'était ta mère ! Elle était vieille !*

— *Je ne trouvais pas.*

*Elle se coupa avec l'épluche-légumes, mais elle s'en fichait, l'eau lavait le sang, elle continua à éplucher.*

— *S'il n'y avait pas eu cette histoire de jambe... Jamais de la vie tu n'aurais exigé de moi que je...*

— *Je croyais que tu voulais bien. Depuis Noël et la mort de maman.*

— *Mais je n'en sais rien, je te dis ! Pas maintenant en tout cas. Peut-être par la suite.*

— *Il faut que je sache si tu acceptes, si ça sert à quelque chose. Sinon ce n'est pas la peine. Ça ne tourne pas comme il faudrait. Tu dois songer à ça. Tu es l'héritière.*

— *L'héritière. Ah ! et qu'est-ce que je suis censée faire, hein ? Vendre mon appartement à Oslo et investir ici, c'est ça ? Maintenant ?*

— *Oui.*

— *Mais tu es devenu complètement cinglé ?* lança-t-elle en se retournant vers lui. *Tu es constamment d'une humeur exécrable, tu pisses dans l'évier de la cuisine, et moi je devrais... Oublie ça !*

— *Oublier ça ?*

— *Oui. Oublie ça !*

— *Bon. J'oublie ça.*

Elle se redressa et regarda les taches sur le sac de couchage tout neuf. Elle commença à s'essuyer avec du papier et des serviettes jetables, prit un tampon o.b. dans sa trousse de toilette et un vieux T-shirt dont elle recouvrit le sang sur le sac de couchage. Ce serait sec d'ici le lendemain matin. Soudain elle fut prise de tremblements, d'abord au niveau des tempes, puis ils se propagèrent dans les mâchoires et jusqu'aux dents, qui se mirent à claquer. Elle versa en hâte de l'alcool dans son verre et le but d'un trait, avala ensuite de l'eau tiède du seau, se recoucha et ferma les yeux. Il était sûrement réveillé maintenant, lui aussi, dans l'air lourd de la canicule, il avait plus de deux fois son âge, et de ce fait deux fois plus de pensées.

Un bébé pleurait non loin de là, en nage et désemparé dans un endroit inconnu, elle ne supportait pas d'entendre ces pleurs, elle se boucha les oreilles avec ses mains, celles-ci sentaient le sang mais elle n'avait pas envie d'allumer la lumière pour les relaver, la lumière était ce dont elle avait le moins envie à ce moment précis. Si seulement ça avait été l'hiver, glacial et d'un noir d'encre ! Pas cette lumière morte et damnée autour d'elle, ce silence rempli d'inconnus endormis, échoués dans un camping pour une existence provisoire qu'ils qualifiaient de vacances. Elle se leva de nouveau et s'assit à la table, alluma une cigarette et but encore de l'eau, ouvrit les rideaux pour laisser entrer un peu d'air. Le bébé s'était arrêté de pleurer. Elle alluma son portable. Il n'y avait pas de nouveaux SMS d'Erlend, mais trois messages de sa mère sur le répondeur qu'elle se refusait d'écouter. Et un SMS de Kai Roger.

« Je vous en prie ! Je suis fou de vous ! »

Elle l'éteignit et ôta la batterie, qu'elle posa à côté de l'appareil sur la table, regarda longuement le N. Seul le souvenir de la joie rayonnante de la fillette en le lui remettant l'empêcha de froisser l'autocollant ou d'essayer de le déchirer, peut-être avec les dents. Et elle comprit soudain qu'il n'y avait qu'un seul endroit où elle pouvait se rendre maintenant, qu'une seule personne qu'elle pouvait rejoindre, où tout concorderait, où celle qu'elle était devenue désormais se fondrait complètement dans le décor.

Il avait beau être impatient de retourner à Neshov s'occuper du vieux, il ne put s'empêcher d'être fasciné par ce que les proches racontaient. Il était à Lade, chez une famille de trois qui, la veille encore, était de quatre. Le père, Tommy Fromm, avait rejeté la dernière portion d'air de ses poumons rongés par le cancer, il aurait bientôt eu soixante ans et laissait derrière lui une femme, ainsi qu'un fils et une fille adultes. Et une sorte d'aura les entourait, une joie dont petit à petit il comprenait la raison. Car Tommy avait eu tout le temps de préparer sa mort, et il y avait un profond amour derrière tout ce qu'il avait prévu.

La veuve avait une liasse de papiers sur les genoux, des feuilles manuscrites.

– Alors vous avez bien noté les chants qu'il veut à l'église, dit-elle, et le solo de saxophone ?

– Oui, dit Margido.

– Et à la sortie de l'église, tout le monde aura droit à une rose rouge. Tommy partait du principe que tous ceux qui assisteraient à ses funérailles l'aimaient bien, et il souhaite le montrer en leur offrant une rose rouge.

– On s'en occupe.

– Il en faudra suffisamment, insista le fils, je crois que l'église sera plutôt pleine. Mieux vaut en avoir de trop, à nos frais bien sûr, que de ne pas pouvoir en donner une à quelqu'un.

– Soyez tranquille ! On travaille en collaboration avec les fleuristes et on prévoit la quantité nécessaire.

C'était le repas funèbre ensuite qui était le plus singulier.

– Vous êtes cordialement invité, dit la veuve. Et le pasteur aussi, je le lui ai déjà dit.

Tommy Fromm avait préparé lui-même tous les plats. Il aurait eu soixante ans dans une semaine et avait espéré que son inhumation aurait lieu le jour de son anniversaire. Cela faisait déjà longtemps qu'il s'affairait à la cuisine, et lors de sa dernière sortie, il avait marqué d'une croix, sur le catalogue des Vins et Spiritueux, les vins qui convenaient pour chaque plat. Le feu d'artifice aussi était acheté.

– Vous allez avoir un feu d'artifice ensuite ? s'étonna Margido.

– Oui, répondit la fille. Malgré la clarté du ciel d'été. Papa avait toujours un feu d'artifice pour son anniversaire, qu'on fêtait d'habitude dans notre chalet sur l'île de Stokkøy. On le tirait là-bas. Mais cette fois-ci, ce sera en ville. Il avait coutume de dire que, si les Américains pouvaient le faire le 4 juillet, il pouvait bien le faire fin juin.

– Il se peut que ce ne soit pas…

– Autorisé ? Alors on paiera l'amende qui suivra, rétorqua la veuve. On veut une belle fête, exactement comme il l'aurait souhaitée.

– Je vous remercie beaucoup, mais ça dépendra de mon agenda, dit-il en souriant.

Un tel optimisme était bien la dernière chose qu'il lui fallait. Ce n'était plus le temps des T-shirts bleus, il était revenu aux vieilles chemises en nylon, et même à celles qui avaient légèrement jauni au lavage.

Participer à un repas de funérailles comme celui-là équivaudrait à se pavaner et à glorifier la vie.

– Est-ce qu'on vous a raconté comment il a fait la connaissance du pasteur Ligård ? demanda la veuve.

– Non… dit Margido.

– Tommy passait par hasard en voiture devant chez lui et là il a aperçu quelqu'un qui avait l'air désespéré, à côté d'un énorme tas de gravier. Il a freiné aussitôt et lui a demandé ce qui n'allait pas.

– Il était comme ça, papa, lança le fils en riant. Personne d'autre ne se serait arrêté.

– Et qu'est-ce qui n'allait pas ?

Margido aurait préféré s'en tenir aux préparatifs. Il n'avait pas encore ouvert la brochure présentant les cercueils, posée sur la table devant eux.

– On avait déchargé du gravier à la mauvaise adresse et Ligård n'avait même pas vu le camion, si bien qu'il se demandait à qui téléphoner, reprit le fils. Et vous savez ce que papa a fait ? Il est parti aussitôt louer une grande remorque et il a aidé Ligård à la remplir, à la pelle, de tout le gravier, qu'ils ont ensuite apporté à un club de foot qui en a bien voulu. Il y a passé presque toute la journée ! C'est comme ça qu'ils se sont connus.

Margido leur aurait bien demandé s'ils étaient eux-mêmes croyants, ce qui aurait corroboré sa conception de la réalité, mais il n'osa pas. Vu les chants qu'ils avaient choisis, ce n'était sans doute pas le cas. Tommy Fromm avait dû être tout bonnement un homme hors du commun.

Le chien de la famille passa en force entre ses genoux et la table basse, il brossa les jambes de son pantalon aussitôt.

– On n'a pas encore parlé du cercueil, dit-il.

Heureusement, il avait commencé à pleuvoir quand il était monté dans sa voiture. Une légère pluie estivale qui s'évaporait presque avant de toucher le sol, mais c'était un début en tout cas. Le centre de Trondheim était en train de disparaître sous la poussière du fait de la sécheresse, de l'afflux des touristes et de l'absence de nettoyage des rues. Ici, à Lade, il y avait un arroseur automatique dans un jardin sur deux, et du côté de Bynes on déplaçait de gros canons d'arrosage dans les champs de fraisiers et de pommes de terre. Un bon orage aurait fait du bien, lavé la ville, humidifié les pelouses et accordé aux paysans de Bynes une pause dans l'arrosage, qu'ils apprécieraient.

Il fit jaillir le liquide du lave-glace sur son pare-brise et activa les balais. Il s'était garé au pied d'une haie aux fleurs jaunes et les vitres étaient couvertes d'une fine couche de pollen. Il était trempé de sueur dans l'entrejambe et du haut en bas de la colonne vertébrale, et il ressortit de la voiture pour ôter sa veste couleur sable, qu'il plia soigneusement et posa sur la banquette arrière.

Tout en conduisant, il composa une nouvelle fois le numéro qu'il avait appelé juste avant d'arriver devant la maison de la famille Fromm.

– C'est Margido Neshov. J'ai téléphoné précédemment pour parler avec Elisabeth Stavsjø, mais elle était en rendez-vous. Est-il possible de la joindre maintenant ? Merci.

Il mettait son clignotant pour reprendre la route principale au niveau du Centre de recherches géologiques de Norvège, lorsque la voix de Mme Stavsjø l'interpella.

– Oui, c'est Margido Neshov. Au sujet de l'accueil temporaire de mon père. Vous m'avez dit hier que vous auriez sans doute une meilleure vue d'ensemble aujourd'hui.

Tandis qu'il l'écoutait, il avait une affreuse sensation de mal au cœur, il n'avait guère dans le ventre qu'une tartine de fromage fondu et une tasse de café léger, et pourtant il crut que son petit déjeuner allait remonter quand Elisabeth Stavsjø lui expliqua que toutes les places en maisons étaient occupées et qu'un accueil, même temporaire, était impossible. Tormod Neshov n'était pas malade, vivre seul et ne pas aimer ça, ce n'était pas une raison suffisante pour bénéficier de l'aide publique au troisième âge.

— Mais il est très déprimé. Il n'a pas l'habitude d'être seul et il est absolument incapable de se débrouiller par lui-même. Comme je vous l'ai dit la dernière fois que nous avons parlé ensemble.

Mais Margido habitait à Trondheim ? Et ce n'était quand même pas loin de Bynes ?

— Certes, mais je dirige ma propre entreprise. Et je suis extrêmement occupé.

Il préféra ne pas indiquer dans quelle branche il était, il avait peur qu'elle lui lance une boutade, du genre qu'il devait bien savoir quand les lits des maisons médicalisées étaient disponibles, puisqu'il faisait partie de ceux qui les vidaient. Il avait l'impression qu'elle était justement le genre de femme à énoncer les choses crûment. Elle n'avait sans doute pas un travail facile et elle devait être lasse de tourner autour du pot.

Elle suggéra l'aide à domicile, tout en laissant entendre que ce serait presque encore plus difficile à organiser en ce moment, alors que les vacances venaient de commencer.

— Je sais. Je me suis renseigné. Il n'est pas assez malade pour ça non plus.

Il avait aussi téléphoné à l'aide ménagère qui s'était occupée de Tor auparavant, Marit Bonseth, mais il était tombé sur un répondeur où une joyeuse voix masculine annonçait que la famille était partie camper en Suède pour les vacances et que la maison était reliée à un centre de surveillance, si c'était un cambrioleur qui appelait. L'homme ne donnait pas de date à laquelle ils seraient de retour.

Margido était donc obligé d'assumer sa responsabilité jusqu'à nouvel ordre, déclara Elisabeth Stavsjø, avec le reste de la famille.

– Il n'y a que moi ici.

Il pouvait contacter le médecin de Tormod Neshov, lui demander de prescrire des calmants, quelque chose contre la dépression.

– Des pilules euphorisantes ? Pour un vieillard de quatre-vingts ans ?

Oui, par exemple.

– Alors que tout ce dont il a besoin, c'est de simples repas et d'un peu de conversation ? Et d'aide pour faire sa toilette ?

La conversation, il n'était pas du tout sûr que le père en ait follement envie, mais il fallait bien dire quelque chose.

Elle se dit désolée, sans regret dans la voix, mais telle était la situation. C'étaient les hommes politiques qui ordonnaient les coupes sombres, elle-même n'y était pour rien.

– Je n'ai pas non plus insinué ça, dit Margido.

Il pouvait rappeler dans une semaine.

Torunn ne leur avait pas donné signe de vie. Cela faisait bientôt quinze jours qu'elle était partie. Tous les soirs il appelait Erlend pour savoir s'il avait eu des nouvelles. Erlend n'avait pas l'air de s'en faire, il était d'avis que tout finirait par s'arranger, mais un soir ce fut Krumme qui répondit sur le portable d'Erlend. Ils se trouvaient alors à Bornholm avec Jytte et Lizzi, et Erlend dormait sur la plage pendant que Krumme faisait la cuisine, à ce qu'il dit. Il faisait un temps splendide, et ils avaient loué des vélos et pédalé toute la journée. Margido avait peine à imaginer Erlend et Krumme assis sur une selle, mais il avait opiné du bonnet en attendant d'en venir au fait.

Non, ils étaient toujours sans nouvelles. Mais l'argent qu'ils lui avaient versé leur avait été retourné.

– L'argent… ?

Ils lui avaient donné une coquette somme afin qu'elle puisse elle-même gérer une partie de la remise en état de la ferme, la cuisine et la salle de bains par exemple.

– Ça devait représenter un bon paquet alors ?

Un demi-million.

– Un demi-MILLION ? s'écria Margido.

Il savait qu'ils étaient riches, mais transférer un demi-million d'un pays à un autre, est-ce qu'à la limite c'était légal ?

Erlend et lui avaient, dès le départ, l'intention de transférer beaucoup plus que ça. Rien que les silos coûteraient plusieurs millions, et ils voulaient aussi restaurer dignement la longère.

– Mais elle ne veut donc pas de cet argent. Ce qui doit vouloir dire qu'elle ne veut pas revenir. Et Erlend, qu'est-ce qu'il en dit ?

Oh, Margido le connaissait. Erlend balayait le problème d'un revers de la main et estimait qu'elle reviendrait à de meilleurs sentiments pourvu qu'on lui laisse un peu de temps. Neufeldt s'activait à dessiner les plans et Erlend débordait d'idées pour la décoration intérieure. Erlend n'était pas de ceux qui laissaient les circonstances négatives de la vie le ronger trop longtemps à la fois. En outre, il pensait qu'en donnant le temps à Torunn, en n'insistant pas, ils lui montraient qu'ils respectaient son désir de s'éloigner, son besoin de prendre du recul à plus long terme.

– Oui, il y a sans doute une certaine logique à ça, avait répondu Margido.


Il se mit à pleuvoir un peu plus fort quand il traversa Trolla, mais pas suffisamment pour renoncer à la vitesse intermittente des essuie-glace. Vers l'embouchure du fjord, cependant, pointait un énorme banc de nuages prometteurs d'un gris bleuté, ils auraient peut-être enfin la douche du ciel à laquelle tout le monde aspirait.

Les portes de la porcherie étaient ouvertes, le bruit de la voiture suscita de lointains couinements et grognements. Un porcelet se mit à hurler comme un fou et en entraîna d'autres pour former un chœur, puis ils se calmèrent peu à peu. Les draps d'Erlend étaient restés sur les bancs, et les vases sur la table, mais ils étaient vides maintenant, Margido avait lui-même jeté les bouquets fanés au bord du champ. L'intérieur des vases présentait les traces d'un dépôt jaunâtre laissé par l'eau des fleurs. Ils attendraient là que l'eau de pluie toute fraîche les remplisse et les lave. Il rassembla les draps et les rideaux dans ses bras et rentra le tout sous l'appentis.

– Bonjour ! Ce n'est que moi !

Personne ne répondit.

La veille il avait réchauffé du pot-au-feu de mouton en boîte en y ajoutant un peu de sel, et il s'était assuré que le vieux mangeait un petit pain avec son bouillon pendant qu'il le regardait, avant de se dépêcher d'aller ensuite à l'imprimerie.

Quand il entra dans la cuisine, l'assiette était encore sur la table, la cuiller posée dedans. Le vieux était assis dans le salon, sans rien dans les mains. Ni la radio ni la télé n'étaient allumées. Et Margido fut brusquement agacé de découvrir une tasse et, à côté, le bocal de café soluble ouvert, le couvercle traînant par terre.

– Le café va perdre son arôme si tu ne fermes pas le bocal, dit-il en ramassant le couvercle.

Il remarqua les gouttes qui tombaient du robinet de l'évier, relié au petit chauffe-eau juste au-dessus. Il n'imaginait guère que le vieux se lave les mains quand il était seul ici.

– Dis-moi, tu verses de l'eau du robinet directement sur ton café ?

Il ne répondit pas.

– Torunn a acheté une bouilloire ! Ce n'est tout de même pas difficile de la remplir d'eau et d'appuyer sur le bouton !

– Long et compliqué.

– Long ? Tu es si pressé que ça ?

– Je n'ai plus envie.

Margido se mit à plier les rideaux et les draps, il respira à fond plusieurs fois, en partant du ventre, les boutons de sa chemise en nylon le serraient au niveau des bourrelets.

– Mais Kai Roger a dû passer te voir ce matin ?

– C'est quoi l'intérêt ?

– L'intérêt ? Essentiellement que tu ne sois pas tout seul. Il y a toujours des gens qui viennent par ici.

– Non.

– Tu préférerais que ce soit comme avant ? se surprit-il à dire. Avec maman ? Qui te commandait tout le temps ? Tor aussi ?

– Non.

– Alors ne te plains pas ! Pense que tu es bien tranquille ! Et les livres, la télé, la radio… ça ne te passionne plus ?

– Non.

– Si c'est pour répondre non à tous les coups, il vaut mieux que tu te taises !

Il posa la pile de rideaux et de draps sur la chaise aux pieds chromés que personne n'utilisait plus, celle qui était dans le coin, contre la paillasse. Il alluma la radio au milieu d'un reportage sur les couples qui se séparaient quand ils avaient perdu un enfant, parce que le père et la mère ne vivaient pas leur deuil de la même façon. Il ne voulait pas être comme ça, dur et méchant.

– As-tu pris ta douche ?

Le vieux détourna la tête. Son menton tremblotait comme s'il serrait les mâchoires.

– J'ai apporté les journaux.

– Bon.

– Je mets de l'eau à bouillir pour faire du café digne de ce nom. Tu en voudras bien ?

Il en profita pour téléphoner au bureau, vu qu'il n'avait rien d'autre à faire, et coordonna les tâches du reste de la journée, ils n'avaient pas de nouvel enterrement avant jeudi, mais ce jour-là, en revanche, ils en avaient deux, plus un le vendredi. Mme Gabrielsen et Mme Marstad étaient au courant de la situation dans laquelle il se trouvait et le déchargeaient au maximum. Mme Marstad s'était même proposée d'aller dans une famille où il fallait faire sur place la toilette du mort. Le fils de Lars Bovin était embauché avec une période d'essai, mais il voulait d'abord partir en vacances. Et pourtant il savait fort bien que le travail ne manquait pas en été. C'était un point négatif que Margido n'avait pas manqué de constater, le jeune homme commençait sa carrière dans l'entreprise de pompes funèbres Neshov par trois semaines de congé. Son père avait quand même bien dû lui expliquer que l'été et la canicule se traduisaient par un pic de décès, bon sang !

Le dentier du vieux se mit à cliqueter lorsque, de ses lèvres tremblantes, il souffla sur le café dans la tasse qu'il tenait fébrilement à la main. Margido ravala les sanglots muets venus du fond de sa poitrine, baissa les yeux vers le motif du formica dont les vagues grises ondulaient sous l'usure de la surface brillante.

– Je ne crois pas que Torunn reviendra, déclara-t-il. On va être obligé d'abattre les porcs.

– On… ?

– Kai Roger.

– Peut-être que Torunn reviendra alors, dit le vieux.

– Que veux-tu dire ?

– Quand les porcs ne seront plus là.

Margido s'efforça de capter son regard, mais le vieux fixait la tasse de café qu'il tenait toujours juste devant sa bouche.

– Un sucre, dit-il.

Margido se leva et alla chercher la coupelle sur la paillasse.

– Est-ce qu'elle a dit ça ? Que les porcs de Tor, c'était trop pour elle ?

La radio diffusait un air d'accordéon. Des gouttes de pluie dégoulinaient de la fenêtre. Le vieux trempa dans le café le bout d'un carré de sucre qu'il fourra dans sa bouche. Est-ce que ça pouvait être aussi simple que ça ? Que le travail à la porcherie ait été la cause de son effondrement ?

– Elle a dit ça ? Mais réponds donc ! D'ailleurs tout ce sucre n'est pas bon pour toi.

– Pas…

– Excuse-moi ! Je n'avais pas l'intention de…

Il tendit la main et effleura son épaule, mais le vieux se déroba.

– Excuse-moi !

Tout à coup Margido aurait voulu remonter le temps, jusqu'à l'époque où il ne venait jamais ici parce qu'il s'était disputé avec sa mère, les sept années où il s'était tenu à l'écart. Tout était tellement plus simple alors, même si la manière dont Tor et sa mère traitaient le vieux lui tourmentait l'esprit.

Il aurait bien aimé être chez lui, dans son Stress-less, les pieds sur le repose-pieds, une tartine de fromage dans une assiette posée sur les genoux, un verre de lait glacé sur la table à côté, un nouvel épisode dans le lecteur DVD. L'hiver. Froid dehors, sauna dedans. L'anticipation, la mort, et des obsèques où l'on pouvait disposer le cercueil dans la nef la veille au soir.

– Eh bien, téléphone !

– Quoi ?

– À Kai Roger ! Envoie-les à l'abattoir !

– On peut peut-être en vendre quelques-uns. C'est un peu bête d'abattre un porc qui n'a pas atteint le poids requis. La saison du barbecue bat son plein !

– Oui.

– Torunn n'a pas appelé ici ? Ne t'a pas appelé ? demanda Margido.

– Non.

Il posa sa tasse de guingois sur la table, faillit la renverser.

– J'ai essayé d'obtenir temporairement une place en maison pour toi, mais c'est complet.

– Oui.

– Tu n'es pas assez malade. Mais je vais prendre un rendez-vous chez ton médecin, je t'y emmènerai, et il te prescrira des comprimés.

– Des comprimés… ?

Leurs regards se croisèrent une petite seconde, celui du vieux était décontenancé et interrogateur.

– Pas les mêmes que Tor ?

– Non, dit Margido. Des comprimés qui feront que tu ne seras plus constamment aussi abattu.

Avant de téléphoner à Kai Roger, il appela la mère de Torunn. Elle avait aussi promis de l'avertir si elle

apprenait quoi que ce soit. Elle décrocha dès la première sonnerie et fit semblant de ne pas se rappeler
qui il était.

– Margido Neshov. L'oncle de Torunn. On a parlé
ensemble plusieurs fois.

Ah oui. Elle s'en souvenait maintenant. Effectivement, elle avait eu des nouvelles de Torunn.

– Quand ça ? demanda Margido.

Ça faisait une semaine.

– Mais pourquoi ne m'avez-vous pas… ?

Elle avait complètement oublié de l'appeler. Le
pouls lui battit plus fort, il haïssait cette femme qu'il
n'avait rencontrée qu'une seule fois, il y avait près de
quarante ans, la haïssait avec une ardeur en aucune
manière compatible avec sa foi.

– Qu'est-ce qu'elle a dit, alors ?

Rien, répondit Cissi Breiseth, elle n'avait pas parlé
avec elle, elle avait seulement reçu un SMS indi-
quant que Torunn voulait qu'on la laisse tranquille un
bout de temps, elle souhaitait réfléchir, elle ne supportait plus le stress.

– Ah bon. Merci.

Il mit fin à la communication sans plus de façons,
se leva, tourna le robinet, recueillit un peu d'eau
froide dans le creux de la main et s'en frictionna le
visage. Le frisson occasionné par la différence de
température lui donna, à point nommé, le sentiment
de maîtriser la situation, malgré tout. Elle voulait
réfléchir, décider. Elle saurait sans doute prendre les
bonnes décisions, c'étaient tout de même de bonnes
nouvelles. Il regarda la pluie, l'arbre de la cour frémissait sous les gouttes qui le martelaient. Il y avait
une grosse tache rouge sur le côté droit du rideau,
probablement de la confiture. Le vieux se coupa plusieurs tranches de pain et les couvrit de confiture,

sans les beurrer d'abord, c'était incroyable qu'il ne soit pas capable de se servir d'un couteau à beurre, ou peut-être faisait-il simplement exprès, jouait au démuni et au déprimé, pour forcer Margido à venir loger à la ferme, à lui tenir compagnie.

La tache sur le rideau n'était pas la seule chose qui attirait le regard. Un peu partout dans la cuisine et dans le salon, le vieux avait imprimé la trace de ses faits et gestes. Aliments écrasés et gouttes de café sur le lino, une ceinture de miettes de pain devant le plan de travail, là où était la planche à découper. La porte du frigo était pleine de marques de doigts autour de la poignée, l'évier encombré de verres et d'assiettes sales. Les journaux commençaient à s'empiler. Sous l'évier, il y avait des restes de nourriture autour de la poubelle, qui avait dû déborder plusieurs fois avant que Margido n'ait enlevé le sac. Voilà comment ça commençait chez ceux qui restaient seuls et mouraient au milieu de leurs propres immondices, incapables de ranger ou de nettoyer, n'ayant plus le goût de rien. L'idée qu'un jour l'entreprise Freshy soit forcée de venir ici était à la fois surréaliste et révoltante. Il s'assit lourdement sur la chaise aux pieds chromés.

– Fais-les abattre ! dit le vieux.

– Arrête un peu !

– Ils crient. Je ne supporte plus de les entendre. Les portes sont ouvertes nuit et jour.

– Ce sera à Torunn de décider. Il faut attendre.

– Non. C'est moi qui téléphonerai.

– Toi… ?

– Oui.

– Tu veux téléphoner pour les envoyer à l'abattoir ? Toi qui n'es même pas fichu de prendre une douche ?

– Je n'en pourrai plus. Bientôt.

– Moi non plus, en fait, rétorqua Margido.

Il prit sa tête entre ses mains, planta ses coudes sur la table. Quand il était petit, il gambadait ici et croyait qu'il était heureux, que tout était immuable, que le temps était arrêté, que les jours d'été ne finiraient jamais, qu'il y aurait inévitablement du pain tout frais dans la cuisine, que le grand-père Tallak serait toujours présent, avec ses larges hanches dans son pantalon de toile de laine qui pendait comme une gigantesque poche sous ses bretelles. Si seulement il pouvait reposer sur des prés d'herbe fraîche et laisser le bon Dieu le mener vers les eaux tranquilles et le faire revivre. Où irait-il prendre des forces, sinon auprès de Dieu ? Et là il était méchant avec le vieux, se rendait compte de l'énorme distance qui les séparait. « Que ta volonté soit faite sur la terre comme au ciel ! Pardonne-nous nos offenses comme nous pardonnons aussi à ceux qui nous ont offensés ! »

Il écarta les mains de son visage et déclara :

– Veux-tu venir loger chez moi quelques jours ? Ça ira peut-être mieux ? Je serai parti toute la journée, mais tu auras la télé. Je reçois la télé par câble et j'ai beaucoup de chaînes, il y a toujours quelque chose à regarder, toute la journée.

– Hein ?

– Chez moi.

Le vieux tendit la main vers son café, saisit l'anse sans soulever la tasse, observa ses propres doigts.

– Je n'ai pas de chambre d'amis, seulement un sofa dans le salon. Je pourrai y coucher, toi tu prendras mon lit.

– Non.

– Non… ?

– Je ne peux pas partir d'ici. Peut-être que Torunn…

– Tu crois qu'elle va réapparaître tout d'un coup ?

– Oui.

Ils se turent un long moment. Le vieux commença à pleurer. Margido avait l'impression que la cuisine tournait autour de lui, lui coupait le souffle, forçait son cœur à battre lentement, douloureusement. Il avait cinquante-deux ans et pouvait faire une crise cardiaque n'importe quand, toutes les statistiques le prouvaient, il était aussi en surpoids.

– S'il te plaît ! murmura-t-il. Il faut qu'on trouve une solution tous les deux. Tu es… mon frère aîné. Tu devrais…

– Non.

– Mais arrête de dire non tout le temps ! Ça m'énerve ! Pardon !

– Je n'ai plus la force.

Les larmes s'accumulèrent autour des poches et des rides sous ses yeux, le bouton du milieu de sa chemise de flanelle était dégrafé, laissait voir un maillot de corps délavé.

– Tu n'as pas besoin de mettre un maillot de corps par cette chaleur.

Le bruit d'un lointain coup de tonnerre envahit la cuisine.

– Il va y avoir de l'orage. Pourvu que le blé ne se couche pas.

– C'est trop tôt pour ça, dit le vieux en reniflant durement.

– Peut-être qu'on devrait… prier ensemble.

Cette fois il ne dit pas non, mais secoua la tête. Margido joignit les mains et les plaça sous son menton.

– Seigneur Dieu, chez toi est la fontaine de la vie. À ta lumière nous voyons la lumière. C'est en toi que nous vivons, que nous agissons et que nous existons. Garde-nous dans la vie comme dans la mort en ton amour, auprès de ton fils Jésus-Christ, Notre Seigneur. Amen.

– Prêchi-prêcha.

– Je m'en vais maintenant, dit-il en se levant. Tire de l'eau froide et fais-la bouillir ! Tu risques une intoxication par le cuivre si tu bois de l'eau du chauffe-eau.

Il fut trempé rien que d'aller de l'appentis à la voiture, tant mieux. Il avait la gorge serrée, nouée autour des mille choses qu'il aurait voulu dire. Au vieux. À Torunn. Tout en démarrant, il chercha son numéro dans le répertoire de son portable, appuya impulsivement sur la touche de prise en ligne, elle répondit à la première sonnerie. Il avait à peine descendu la moitié de l'allée, il freina brutalement sans débrayer, le moteur cala et la voiture bondit en avant comme un lapin.

– Torunn… ?

Oui, que voulait-il ? Sa voix était aussi plate que l'eau, vide à son oreille.

– Mais, Torunn…

Il éclata en sanglots et maudit son propre manque de maîtrise de soi. Il avala rapidement sa salive, plusieurs fois.

– Ne raccroche pas ! S'il te plaît !

Elle n'allait pas raccrocher. Elle lui demanda s'il pleurait.

– Oui. Parce que tout est désespéré. Parce que tu es partie. Parce que je m'en veux tellement. Est-ce que tu vas revenir ?

Elle ne croyait pas.

— Tu ne crois pas ? Ou tu ne sais pas ?

Elle voulut savoir comment allait le grand-père, et à cet instant précis il entendit un sentiment animer sa voix, quelque chose qu'elle avait au fond d'elle-même et qu'elle ne parvenait pas non plus à extérioriser.

— Il ne va pas bien du tout. J'essaie de lui trouver une place dans une maison de retraite médicalisée, mais il n'est pas assez malade. On espère obtenir un accueil temporaire.

Elle ne répondit pas, mais il crut entendre un vague sanglot.

— Tu es dans ton appartement ? Ce n'est pas à Stovner que tu… ?

Non, elle logeait chez un ami. Dans la forêt.

— Mais les porcs, Torunn. Qu'est-ce qu'on… Kai Roger et moi, on se demande si on… Et le vieux croit que tu vas revenir si on les fait abattre.

Ils n'avaient qu'à le faire. Les porcelets pouvaient trouver acquéreur, mais les truies…

Il l'entendit nettement pleurer.

— Chère Torunn. Je m'en veux tellement de ne pas t'avoir soutenue et aidée comme il aurait fallu. Si tu savais combien je…

Le sèche-linge n'avait pas servi. Il pourrait le rapporter et se faire rembourser.

— Le sèche-linge… ? Mais tu n'as pas à t'inquiéter pour ça !

Si, elle y pensait.

— Je pourrai le garder pour moi, je n'en ai pas. N'y pense plus ! Mais donc… on liquide l'exploitation.

Oui. Et là elle devait y aller, elle avait une chienne sur le point de mettre bas.

— Ah bon ? Je ne savais pas que tu…

Ce n'était pas la sienne. Mais celle de celui chez qui elle habitait.

– As-tu repris ton travail ?

Non. Elle était en train de vendre sa part de la clinique, elle arrêtait.

– Mais qu'est-ce que tu vas faire alors ?

Elle ne savait pas.

– Tu peux faire tout ce que tu veux ici à Neshov, Torunn ! Le vieux ira en maison, quoi qu'il arrive, et tu n'auras plus cette responsabilité. Et Erlend et Krumme veulent t'aider financièrement et restaurer convenablement la ferme.

Elle ne reviendrait pas à Neshov, et il fallait qu'elle raccroche maintenant. Sa voix était redevenue toute plate, sans pleurs, maîtrisée.

– Prends bien soin de toi, alors, Torunn ! Je suis désolé.


Il resta longuement sans bouger, le téléphone posé sur les genoux, vit l'écran se mettre en veille. Il se retourna et leva les yeux vers la maison, distingua le vieux debout à la fenêtre du salon, derrière le rideau de pluie, immobile, les bras ballants. Il redémarra et roula au pas jusqu'à la grand-route, sans agiter la main ou indiquer d'une manière ou d'une autre qu'il l'avait aperçu.

DEUXIÈME PARTIE

Kai Roger, debout sous la pluie, parlait d'une voix rassurante aux truies qui montaient lourdement la rampe et pénétraient dans le camion de l'abattoir. Le chauffeur l'aidait à les faire avancer dans la bonne direction. Elles flairaient avec leur groin, remuaient les oreilles en tous sens pour essayer de comprendre de quoi il s'agissait. Elles étaient dehors pour la première fois de leur vie. Margido était là à regarder, et on apercevait le visage de Tormod au-dessus du rideau de la fenêtre de la cuisine. Borat dormait sur le siège avant du 4×4.

– Ça va leur faire un bon bout de route, dit Margido. J'ignorais qu'Eidsmo ne faisait plus l'abattage des porcs.

Kai Roger ne répondit pas, ses pensées étaient ailleurs, avec Torunn, tous les deux dans la porcherie, autour de ces bêtes, matin et soir, adaptés à cette routine. Maintenant le coup d'envoi était donné, la première phase de la fin de tout. Il ne la reverrait plus, elle n'avait pas répondu à un seul de ses SMS ou de ses messages. Qu'elle ne veuille pas rester ici était une chose, mais elle pourrait au moins lui parler, il n'avait rien fait d'autre que lui rendre des services. Il aimerait lui dire qu'il envisageait d'acheter la ferme lui-même, mais de faire autre chose que d'élever des porcs, se lancer dans la culture biologique, aménager la porcherie en locaux de production, proposer des produits fermiers finis, un bon créneau en ce moment où la demande était forte.

Ce fut le chauffeur qui répondit à Margido :

– Ça roule bien jusqu'à Verdal, c'est presque uniquement de l'autoroute. Pour les animaux vivants, ce n'est pas tellement la distance qui importe, c'est davantage le nombre de fois que le camion doit s'arrêter, aux feux, dans les encombrements, etc. Ils se calment incroyablement vite dans le camion.

– Et ceux-là seront transformés en chair à saucisses, reprit Margido.

– Oui, dit Kai Roger.


La porcherie fut loin d'être vidée ce jour-là. Ils avaient deux truies qui n'étaient pas en état de monter la rampe, et quatre portées qui n'étaient pas encore sevrées.

– Et qu'est-ce qu'on fait des deux qui restent ? s'enquit Margido.

Il avait laissé à Kai Roger toute la responsabilité de vider la porcherie du mieux possible.

– J'ai demandé un abattage d'urgence pour demain, dit-il.

– Ah bon. Et ça se passe comment ?

Les truies étaient dans le camion maintenant, elles se frottaient un peu les unes contre les autres, reniflaient par terre, deux d'entre elles s'étaient déjà assises et allaient bientôt s'allonger. Il les avait bien nettoyées plus tôt dans la journée, surtout les cuisses, le chauffeur avait remarqué leur propreté. Ils refermèrent ensemble le hayon arrière du camion, puis Margido signa les documents du chauffeur avant qu'il ne reprenne la route.

— On peut peut-être se mettre à l'abri, avec la pluie qui tombe.

— On va prendre une tasse de café avec le vieux, décida Margido.

— Ils les abattent ici à la ferme, expliqua Kai Roger.

Margido avait préparé trois tasses de café, Tormod voulut prendre la sienne dans le salon. Il ne fit pas grand commentaire sur le départ des porcs, mais il s'exprimait rarement de toute façon.

— Ils envoient une camionnette de l'abattoir, et un vétérinaire doit venir signer un certificat d'abattage d'urgence. Il est préférable de les sortir de la porcherie. Les autres animaux ne doivent pas voir la scène, il y a des règles à ce sujet.

— Comment...

— Avec un pistolet d'abattage. Et les carcasses sont chargées dans la camionnette.

— Ça doit coûter cher, dit Margido.

— Oui, on ne fait pas de bénéfice quand on abat d'urgence. Et en plus, le prix au kilo est inférieur, les carcasses sont estampillées en conséquence. Ça implique que toute cette viande doit obligatoirement être cuite. Sous forme de jambon blanc ou de salami par exemple. Alors que les bêtes qui viennent de partir pourront donner de la viande fraîche.

— Vendue crue ?

— Oui.

— Et on vend les porcelets, dit Margido.

— Heureusement que Torunn n'assiste pas à tout ça.

— Ni Tor, rétorqua Margido.

— Si Tor avait été là, ce ne serait pas arrivé. Oui, les porcelets iront dans une société coopérative d'élevage de porcs à Ranheim. Ils vont venir chercher plus tard dans la journée ceux qui sont sevrés, et les autres d'ici trois semaines. Je continuerai à venir comme d'habitude pendant ce temps-là. Mais il y aura moins de travail.

– Le sort des dernières truies sera réglé après, dit Margido.

– Oui. Et ça sera terminé.

Ils jetèrent un coup d'œil par la fenêtre en même temps. Il se demanda à quoi pensait Margido, peut-être à la même chose que lui. Il le regarda. Son visage habituellement si fermé s'était soudain ouvert d'une étrange manière, c'était curieux à voir. Son nœud de cravate était un petit peu de travers, et il y avait un cheveu à la couture de l'épaule de sa veste.

– C'est affreux, murmura Margido.

– Quoi donc… ?

– De les voir comme ça. À la lumière du jour. Je ne les avais vus qu'une seule fois, et c'était dans la porcherie. Et là c'était un peu…

– Mais on n'a pas eu de mal à les faire monter dans le camion, dit Kai Roger.

Il se rendit compte de la banalité de sa remarque.

– Un peu comme si Tor disparaissait à nouveau, continua Margido.

Il passa rapidement la main devant ses yeux puis regarda à nouveau dans la cour. Kai Roger changea de position sur sa chaise, dont le siège était tout moite. Tormod toussa dans le salon.

– Je pensais surtout à Torunn, dit Kai Roger tout bas.

Margido se retourna vers lui, en l'espace d'une seconde il avait retrouvé son visage habituel.

– Bien sûr. Excusez-moi, Kai Roger ! Seulement je… Pardon !

— Ce n'est pas la peine. De vous excuser, je veux dire. C'était votre frère. Mais je croyais qu'elle voudrait de moi. Je l'ai cru longtemps. Je suis content que vous ayez été franc avec moi.

— Vous savez, dit Margido, je vous ai simplement répété ce qu'elle m'a dit. C'est vous qui imaginez tout le reste. Elle a beau habiter chez un homme, il s'agit peut-être seulement d'un ami. Ça ne signifie pas forcément que…

— Si, je le sens bien. Elle m'a parlé un jour d'un type qui avait des chiens de traîneau, elle m'a dit que c'était amusant de conduire les chiens. Je parie que c'est lui. Et ils étaient amoureux.

— Pas sûr qu'ils le soient encore.

— Il faut que vous fassiez évaluer la ferme.

— Pas avant d'avoir obtenu une place dans une maison de retraite. Chaque chose en son temps, n'est-ce pas ?

Il se retourna vers la porte du salon. Tormod se racla la gorge, et ils entendirent le bruit de ses chaussons, qu'il frottait doucement sur le parquet.

— J'envisagerai alors d'acheter.

Margido croisa son regard, surpris, avec un sourire que Kai Roger ne se rappelait pas lui avoir déjà vu.

— Vous… ?

— C'est si curieux que ça ? J'ai travaillé ici. J'aime bien cette ferme. Ça m'a démangé de la remettre en état. Torunn s'y est tout le temps refusée. Mais ça dépendra évidemment du prix.

— Mais… Vous ne faites pas ça pour…

— Non. Je ne crois pas que Torunn reviendra pour autant. Et si elle revenait, ce serait à la ferme d'un autre homme.

— De toute façon elle devra se conformer à la juridiction, les papiers et tout ça. J'espère sincèrement qu'elle comprendra la nécessité de s'impliquer dans ces formalités, quel que soit l'acheteur. Heureusement, on a un bon notaire. Ce sera peut-être plus facile pour elle d'avoir affaire à lui plutôt qu'à nous, quelqu'un de neutre. Néanmoins, je préférerais que ce soit vous qui achetiez et que le prix fixé soit dans des limites raisonnables.

– Oui, pour l'instant ce n'est pas dans mon intérêt de me mettre à améliorer un peu les bâtiments, rétorqua Kai Roger en souriant.

Il commençait à apprécier Margido, s'était un peu rapproché de lui.

– Je reste ici à attendre ceux qui viennent chercher le premier lot de porcelets.

– J'ai un enterrement dans deux heures, il faut que je m'en aille. À bientôt. Merci beaucoup, Kai Roger.

Il resta dans la cuisine, devant sa tasse vide, à regarder l'arbre dans la cour et la longue table mouillée, avec ses deux bancs nus. Les deux vases étaient toujours là, remplis d'eau à ras bord. C'était ce vendredi-là, où ils avaient passé une si bonne soirée, qu'elle avait dû prendre la décision de partir. Il ne comprenait pas. C'était plutôt un soir comme celui-là qu'on était tenté de penser le contraire, que ça valait la peine de vivre ici. Ils auraient pu être si heureux ici. Il dut fermer les yeux et se représenter Torunn, la voir sourire. Comme il y avait longtemps déjà. Il avait aussi envisagé d'avoir des enfants. En avait rêvé, les avait imaginés. Quel imbécile il avait été !

– Je n'ai plus le courage de me prendre de bec avec toi à ce sujet, dit Krumme, et en tout cas pas aujourd'hui ! La réalité est ainsi. Regarde-la en face !

– Ne me parle pas sur ce ton-là ! Je suis adulte.

– Alors comporte-toi comme tel !

Ils étaient assis, peignoir ouvert, chacun sur son fauteuil Empire dans l'entrée, après s'être allongés dans un jacuzzi tiède pour se rafraîchir un peu par cette canicule. Krumme était déjà luisant de sueur à nouveau. Erlend était exaspéré par le fait qu'il fasse si chaud et qu'ils ne puissent pas se faire bronzer sur la terrasse. Il finirait comme albinos. Et ce serait complètement ridicule de chercher un solarium en plein été.

– Ça ne se fera tout simplement pas, il faut t'y résigner ! ajouta Krumme.

– Mais il n'est pas certain que ceux qui achèteraient la ferme aient besoin des silos ? Si, comme le croit Margido, Kai Roger peut y arriver !

– Mais on n'a pas envie d'aller rendre visite à Kai Roger ! Il va se trouver une femme, il aura des enfants et…

– Ça aurait pu être Torunn. Quand je pense à la manière dont elle nous a tous laissés tomber…

– « Laissés tomber » ? C'est du pur égoïsme de penser de cette façon, Erlend ! Elle a le droit de vivre sa propre vie, et ça n'aura pas été paysanne.

– Si seulement je pouvais lui parler. Lui faire comprendre que…

– La persuader, tu veux dire. Parce que ses projets vont à l'encontre des tiens.

– Oui.

– Ça, ça s'appelle de l'égoïsme, insista Krumme.

– Mais ce serait tellement épatant ! D'ailleurs j'ai déjà le papier peint aux livres et celui de la chambre des enfants, et…

– À propos d'enfants, déclara Krumme.

– Ah, mon Dieu !

Il y eut un silence. Krumme prit une profonde inspiration, puis il expira lentement.

– Moi qui attendais cette échographie avec une aussi folle impatience, dit Erlend. Et maintenant je suis mort d'angoisse. Je suis prêt à tourner de l'œil.

– Moi aussi. Je vais bientôt me trouver mal dans ce fauteuil rien que d'y penser.

Erlend tendit la main vers lui par-dessus la petite table en marbre qui séparait les deux fauteuils, Krumme la saisit, la serra dans la sienne.

– Bec-de-lièvre, dos ouvert, trois jambes, énuméra Erlend. Il n'y a peut-être même pas d'être humain à l'intérieur, seulement de l'eau.

– Ce sont surtout les chiennes qui font des grossesses nerveuses, dit Krumme.

– Les humains aussi ! Principalement les femmes, bien sûr.

– Seigneur ! Dans quel guêpier est-ce qu'on s'est fourrés ?

– Maintenant il est trop tard pour faire marche arrière.

Erlend lui lâcha la main et se leva.

– Il est absolument hors de question que tu boives aujourd'hui.

– Hors de question… ?

– Seulement après.

– S'il y a quelque chose à fêter. Alors je me dis que peut-être, au cas où, je pourrais…

– Non, martela Krumme. Et on trouvera un ancien moulin quelque part. Comme ça, tu pourras utiliser ton papier peint.

– Je n'ai pas le courage d'y penser. Il reste encore combien d'heures ?

– Trois. Avant d'appeler un taxi.

– Tu crois que Jytte et Lizzi s'inquiètent autant que nous ?

– Non, elles sont ravies d'avance. Sois patient, petit mulot !

– Toi aussi !

Deux heures et demie plus tard, ils se trouvaient dans un taxi qui les menait à la clinique privée au 80 de la rue Frederikssundsvej, vu que ni l'un ni l'autre n'en pouvait plus d'attendre. Krumme avait pris sa main dans la sienne.

Erlend avait horreur de ne pas avoir bu une goutte, surtout un jour comme celui-ci. Il avait besoin de ce petit barrage que lui procurait l'alcool pour prévenir ses réactions hystériques. Il avait beaucoup trop lu sur Internet tout ce qui concernait les malformations et les complications. Ces derniers temps il avait commencé à s'informer sur l'accouchement proprement dit et n'en était pas moins paniqué. Il en avait aussi énormément discuté à Bornholm, des différentes manières d'accoucher, mais là au moins il n'était pas au régime sec, on servait du snaps dès le petit déjeuner, avant de partir à bicyclette, sans se presser, les paniers pleins de victuailles. Ça faisait des années qu'il n'était pas monté sur un vélo, mais il envisageait dorénavant de s'en acheter un et d'en offrir un à Krumme. Peut-être avec un siège pour enfant derrière... Il y avait de la place dans l'ascenseur pour les monter jusque dans l'entrée.

– À quoi penses-tu ? demanda Krumme.

– Aux vélos.

– Naturellement. Aux tricycles, alors ?

– Non, je n'en étais pas encore si loin. Merci pour la suggestion.

– On est arrivés.


Ils trouvèrent un banc et s'y installèrent pour attendre.

– Qu'est-ce qu'il fait chaud ! dit Erlend.

– Estime-toi heureux de ne pas avoir mon embonpoint !

– Tiens ! Sens mon bras ! Tu ne trouves pas que ma sueur a l'odeur de la peur ? Comme celle d'un animal !

– Mais arrête donc !


Jytte et Lizzi avaient pris rendez-vous l'une à la suite de l'autre, de telle sorte qu'ils puissent y aller tous ensemble. Erlend se cramponna à Krumme quand on les fit entrer dans une grande pièce claire avec une table d'auscultation et, sur un mur, des écrans et un matériel informatique sophistiqué. Jytte souriait, calme et confiante, et bavardait avec la sage-femme qui allait pratiquer l'échographie.

Elle s'allongea sur la table et se découvrit le ventre. Il était bronzé et on distinguait nettement une petite boule qu'Erlend avait eu le droit de toucher souvent pendant leur séjour à Bornholm, il avait le sentiment que c'était aussi la sienne mais il n'avait pas pipé mot quant au prénom d'Eleonora qu'il lui avait déjà donné.

Ils furent priés de s'asseoir chacun sur une chaise, tandis que la sage-femme leur expliquait quel écran ils devaient regarder.

— Vous allez donc avoir des images en deux dimensions, déclara la sage-femme. Vous pourrez aussi en avoir en 3D si vous le souhaitez.

— Volontiers, dit Erlend.

— En outre, je pourrai vous les envoyer par mail, si vous voulez les faire suivre à d'autres. Mais regardons d'abord... ! On va vérifier que tout est normal, que le placenta est bien en place, et on va calculer le terme de la grossesse.

— Et le sexe ? demanda Erlend.

— C'est possible aussi. Vous êtes le père ?

— En fait, on est père tous les deux, dit Krumme. On est tous les quatre impliqués.

La sage-femme enduisit le ventre de Jytte d'un gel bleu et commença à passer sur la peau tendue une chose dont Erlend, au cours de ses études poussées sur Internet, avait appris le nom : une sonde. De la main gauche, la sage-femme tournait divers boutons de l'appareil.

— Partant du premier jour des dernières règles, le fœtus doit avoir maintenant dix-huit semaines et mesurer vingt centimètres. Alors voyons... Voici une petite personne, oui...

— Où ça ? Où ça ? demanda Erlend.

— Là ! C'est sa tête que vous avez là. De profil, en fait. C'est un beau profil, dit la sage-femme en lui dédiant un rapide sourire.

Erlend contempla un petit visage aux yeux fermés, et sentit les larmes commencer à couler des siens.

– C'est un être humain, murmura-t-il. Un enfant. Un véritable enfant, vivant. Est-ce possible ?

– Absolument, répondit la sage-femme.

Lizzi pleurait aussi, tandis que Jytte riait aux éclats.

– On dirait ma mère ! dit-elle.

– Oui, Dieu merci, elle ne ressemble pas à la mienne, rétorqua Erlend.

Il se leva et déposa un baiser sur le front de Jytte.

– Elle ? dit la sage-femme tout en déplaçant la sonde. C'est plutôt un petit garçon.

– Un garçon ? UN GARÇON ? hurla Erlend. Mais… mais…

– Formidable ! s'exclama Jytte.

– Mais j'avais déjà trouvé le nom ! cria Erlend.

Il pensa aux placards du bureau, bourrés à craquer. Impossible de faire porter des vêtements de filles au fils d'un couple d'homos et d'un couple de lesbiennes !

– Eleonora, ajouta-t-il.

– C'était un joli nom, remarqua Krumme. Tu nous avais caché ça.

– Alors ce sera Leon, décida Jytte.

– Leon ? fit Erlend.

– Oui, ça correspond aux lettres du milieu, reprit Jytte.

Leon. Il laissa le nom lui rouler dans la tête pendant que la sage-femme continuait à montrer et à expliquer, mais maintenant il avait complètement déconnecté, il brûlait d'envie de se rincer le gosier au champagne, il aurait un fils. Un petit Leon qui s'assoirait derrière un vélo et qui plus tard aurait le sien.

– Votre grossesse arrivera à terme le 4 décembre, dit la sage-femme.

Il aurait trois semaines le soir de Noël. Le premier Noël de Leon, c'était incroyable. Et c'était ainsi que ça se passait continuellement dans le monde entier ? Les enfants étaient conçus, grandissaient, recevaient un nom avant même de sortir du sein de leur mère !

– Je suis si heureux ! s'écria-t-il. En fait, je n'ai jamais éprouvé de bonheur plus intense, et en parfait état de sobriété !

Il éclata de rire.

– Mais voilà sans doute le deuxième ventre de la petite famille, dit la sage-femme.

Krumme fut pris d'un tremblement, qui se propagea jusqu'en haut du bras d'Erlend, lorsque le ventre de Lizzi fut couvert de gel bleu et que la sage-femme se remit à manipuler ses boutons. Un silence total régnait dans la pièce, jusqu'à ce que la sage-femme déclare :

– Ça alors, vous avez vu… ? Il y en a deux.

– Deux quoi ? demanda Krumme.

– Enfants.

– Je vais tomber dans les pommes, dit Krumme. Tiens-moi bien, Erlend !

Erlend agrippa solidement ses épaules toutes douces.

– Je t'avais bien dit que j'étais plus grosse que toi, Jytte ! cria Lizzi.

Il s'écoula un petit moment pendant lequel ils retinrent tous leur souffle, puis la sage-femme rompit le silence :

– Tout a l'air normal, mais on est encore plus vigilants quand il s'agit de jumeaux. Le terme d'une grossesse simple est de quarante semaines, mais on compte à peu près trente-sept semaines pour une

319

grossesse gémellaire, autrement dit trois ou quatre semaines de moins. Voyons un peu…

Elle pianota sur un ordinateur avant de conclure :

– Le 13 novembre.

– Grand Dieu ! s'exclama Krumme. Et il n'y en a pas d'autres ? Trois, par exemple ? Pendant qu'on y est ?

– Mais le sexe ? demanda Erlend. Je veux dire… les sexes !

– Il faut que je regarde comment ils sont placés, répondit la sage-femme. Ce n'est pas toujours facile à voir, ils peuvent être serrés l'un contre l'autre, les jambes repliées.

– Les jambes repliées ? Ça m'étonnerait fort, avec un père comme Krumme ! dit Erlend.

– Tais-toi ! C'est sérieux ! le tança Krumme.

– Eh non, ce n'est pas le cas, dit la sage-femme en riant. Un petit instant…

Elle régla au mieux les boutons et bougea imperceptiblement la sonde.

– Une fille par ici, et… voyons… encore une !

– Deux filles ? murmura Krumme.

– Deux filles, confirma la sage-femme.

– Alors il y en a une qui pourra s'appeler… commença Erlend.

– Mais ça suffit avec cette histoire de prénoms ! dit Jytte.

– Ellen et Nora, lança Erlend.

– Peut-être bien, dit Lizzi. Ellen, Nora et Leon.

– Bon, on en discutera plus tard. Pour l'instant, il faut aller fêter ça, suggéra Krumme. On va avoir trois enfants !

– J'ai tout un tas de vêtements de filles dans le bureau, chez nous, dit Erlend. Heureusement qu'ils vont pouvoir servir, hein ?

— C'est vrai ? s'étonna Krumme.

— J'ai fait des folies sur le Net pour habiller Eleonora.

— Eh bien moi, je vais pouvoir échanger une des poussettes contre une spéciale jumeaux, confessa Krumme.

— Tu as acheté des poussettes ?! hurla Erlend.

— Oui, elles sont dans mon bureau, tu n'y viens presque jamais.

— Pas ces horribles machins avec lesquels on peut courir en forêt ?!

— Absolument pas ! Elles sont italiennes, de la même marque que celles qui véhiculent la petite famille Beckham.

— Je t'adore, dit Erlend en l'embrassant de façon appuyée sur la bouche. Et maintenant on s'en va faire la fête. On emporte les photos. Je vais les agrandir au format poster dès demain.

— Vous allez devoir boire pour quatre, soupira Lizzi.

— On va bien y arriver, fit Erlend. Et vous deux qui portez de vrais petits êtres, vous n'aurez droit qu'à de la limonade.

— On va être une famille de sept, remarqua Krumme. Vous y avez pensé ?

— On sait tous compter, dit Lizzi. Je crois que tu as besoin d'un snaps.

— Et d'un transport en chaise roulante, renchérit Krumme. Regarde mes genoux qui flageolent !

— Direction *La Tortue* ! décréta Erlend. On n'aura plus que l'ascenseur à prendre pour monter chez nous, je crois que ce sera parfait pour aujourd'hui.

Pendant que les autres attendaient, il trouva des toilettes, entra, verrouilla la porte derrière lui et écrivit un SMS à Neufeldt sur un rythme effréné : « Ne me contactez jamais plus ! Je vais avoir un fils qui s'appellera Leon. »

Elle coupa la moitié d'un boudin en dés, cassa un œuf cru dessus et ajouta un peu d'huile de colza. Celle-ci recouvrit l'œuf en formant comme des cloques brillantes.

– Tu vas la faire fuir, fit Christer.

Il se tenait soudain juste derrière elle.

– Elle se requinquera plus vite avec ça. Ça lui donnera un meilleur lait aussi, pour les chiots, s'empressa-t-elle de dire.

Il la prit par-derrière, l'embrassa dans le cou, ses bras étaient durs, la serraient, peau contre peau, il était torse nu par cette chaleur.

– Tu as une nouvelle piqûre de moustique, remarqua-t-il. Juste à la limite des cheveux, derrière ton oreille.

Il lui lécha sa piqûre, ce qui calma aussitôt la démangeaison.

– Il va falloir que j'appelle ma mère aujourd'hui, dit-elle en ramassant la gamelle en métal.

– Tu n'as pas besoin d'appeler qui que ce soit.

– Elle m'exaspère avec ses coups de fil sans arrêt. Le pire pour moi, c'est d'allumer chaque jour mon portable. Elle boit du cognac et elle m'appelle pour faire mon éducation.

– Je sais. Ne lui téléphone pas ! Elle est assez grande pour se débrouiller toute seule.

– Je dois aller nourrir Luna, dit-elle.

Elle se contorsionna mais il ne lâcha pas prise. Elle leva les yeux vers son visage, regarda sa bouche et, comme sur commande, il l'embrassa doucement, elle ferma les yeux, ne put s'empêcher de lui céder. Elle tendit la gamelle derrière elle, la lâcha sur la paillasse de la cuisine où elle tomba avec un bruit sec, et passa les deux bras autour de son cou, lui agrippa les cheveux, il pouvait l'allumer en quelques secondes seulement, elle n'avait qu'à arrêter de penser. Il lui ôta son T-shirt d'un geste vif, et elle baissa elle-même son short d'une main et finit de s'en débarrasser en battant des pieds. Il la souleva sur le plan de travail, quelque chose se renversa derrière elle, il descendit son propre jean jusqu'aux genoux et pénétra en elle tout en continuant à l'embrasser, elle passa la jambe autour de ses reins et il lui avait solidement pris les fesses, il l'amenait fougueusement contre lui en lui imposant un rythme régulier, ressortant complètement entre chaque coup de butoir. Il accéléra la cadence et écarta son visage, il rencontra son regard. Elle le soutint, ses yeux brillaient d'une mystérieuse lumière couleur miel, il les plissa presque entièrement avant de se vider en rugissant.

Il resta debout et reprit haleine, le front posé contre son épaule.

– C'est bien que tu sois venue, murmura-t-il.

– Venue ?

– Oui. Ici. Il y a du café partout sur la paillasse derrière toi.

– Du moment que ce n'est pas du boudin, dit-elle.

Il l'embrassa, il avait les lèvres salées, comme les siennes quand elle pleurait. Son baiser était dur, presque étranger. Et c'était bien, ça lui convenait. Elle ne voulait pas de sentiments. Les sentiments étaient vraiment la dernière chose qu'elle recherchait.


Elle téléphona à sa mère pendant qu'elle était au chenil. Luna aspira presque ce vrai régal qu'elle lui servit, tellement elle mangea vite. Les chiots endormis avaient l'air d'un gros tas de fourrure.

– C'est moi. Ça va ?

Évidemment que ça allait, ce n'était pas elle qui avait quelque chose de travers. Mais Torunn devait pourtant bien se rendre compte que ce n'était pas un comportement normal ? Elle devrait au moins donner une adresse, dire où elle se trouvait ?

– Quelque part dans la vallée de Maridal.

Quelque part ?

– Tu n'as pas à t'inquiéter pour moi. Je vends mon appartement, je vais le mettre en vente à la fin des vacances, et je revends ma part de la clinique. Je veux faire quelque chose de complètement différent.

Comme quoi ?

– Je ne sais pas encore. Peut-être que je vais me mettre à spéculer sur des actions.

Sa mère n'avait pas envie d'entendre ce genre de projets délirants. Et Margido avait appelé pour dire que la liquidation de la porcherie était en cours. Il voulait sans doute dire l'abattage des porcs, commenta-t-elle.

– Ah bon.

Elle contempla les chiots, fit l'impossible pour empêcher les paroles de sa mère de s'imprégner en elle, elles devaient simplement la traverser de part en part, ne pas évoquer une seule image. Un des chiots agita ses petites lèvres dans son sommeil, c'était apaisant de le regarder.

Et la ferme serait vendue, sa mère devait aussi lui dire ça de la part de Margido. Il faudrait qu'elle signe divers papiers par la suite. Est-ce qu'elle vivait avec un homme ?

– Oui.

Pas ce type qui lui courait après avant qu'elle ne parte à Trondheim ?

– Si.

Tiens donc ! Sans doute un paumé qui la poussait à vendre son appartement et sa part de la clinique, hein ? Qui n'en voulait qu'à son argent. D'ailleurs elle toucherait une partie de la vente de Neshov, il était sûrement aussi au courant.

– En fait il est multimillionnaire. Avec les actions, justement.

Et il habitait Maridal ?

– Tu sais, il va falloir que je te quitte maintenant. On se rappelle !

Elle ne devait pas non plus oublier toutes ses affaires qui étaient dans la cave, à Sandvika. On n'allait pas éternellement lui prêter cette cave supplémentaire rien que pour ça, il y avait des limites.

– Bien sûr ! À plus tard !


Christer était en train de faire un drainage autour d'un des bâtiments annexes. Elle resta debout à le regarder. Son dos hâlé, ses muscles qui travaillaient sous sa peau couleur noisette. Son corps lui semblait étranger, même s'ils faisaient l'amour tous les jours, voire plusieurs fois par jour. Il creusait la terre noire et humide, en se tapant de temps en temps sur la nuque. Le chenil attirait des myriades d'insectes. Soudain il s'appuya sur sa pelle et sortit son portable de sa poche. Elle ne l'avait pas entendu sonner, mais il le mettait généralement en mode vibreur et le gardait dans sa poche de devant ou celle de son pantalon, il ne le perdait jamais de vue. Il lut et écrivit un long message en réponse. Quand il eut fini, elle demanda :

– C'était qui ?

– Tu es là ? Oh, c'était seulement un... un copain.

– Ah bon.

– Oui ! Un copain, je te dis ! Qu'est-ce que tu vas imaginer ?

Il se retourna et lui lança un regard dur.

– Je n'en sais rien. Ils n'ont jamais de noms, tes copains. Tu veux que j'aille te chercher à boire ? proposa-t-elle.

– De l'eau. Beaucoup d'eau. Un pichet entier.

– Qu'est-ce qu'on va manger ce soir ? De quoi as-tu envie ?

– De toi. Pas de boudin avec un œuf cru en tout cas.

– Je crois qu'il y a un gigot au congélateur, dit-elle.

– Je crois aussi. Tu commences à retrouver ton bon sens, hein ? J'ai même l'impression que tu es jalouse !

– De qui est-ce que je serais jalouse ?

– Je ne sais pas, moi, rétorqua-t-il en enfonçant sa pelle dans la terre.

– Bon, je sors ce gigot. Mais il ne reste presque plus de vin.

– Il y en aura assez pour ce soir. J'irai en acheter demain. J'ai plusieurs autres courses à faire, d'ailleurs. Ma journée sera bien remplie.

– Je vais te chercher de l'eau.


Elle entra sans hâte dans le chalet en bois, jeta un coup d'œil autour d'elle, la lumière éblouissante du soleil s'engouffrait par les fenêtres. Elle était excédée par le soleil. La dernière fois qu'elle était venue ici, c'était l'hiver et ils pouvaient faire du feu dans la cheminée. Elle en éprouva soudain le manque, aspira à plonger son regard dans les flammes, à se libérer de ses pensées.

Elle laissa la main sous le robinet jusqu'à ce que l'eau soit glacée, la laissa couler autour de son poignet, rafraîchir le sang qui battait dans ses veines. Elle le regarda par la fenêtre. Il était encore en train de pianoter sur son portable, tout en souriant à l'écran. Le café éparpillé sur le plan de travail donnait l'impression d'un voile brun sur le pin clair, la boîte avait basculé sur le côté, mais elle n'eut pas le courage de ramasser les grains de café. Elle sentait les larmes s'accumuler comme une couette chaude au creux de son ventre, tentantes mais endiguées jusqu'à ce qu'il s'endorme le soir et qu'elle puisse pleurer toute seule pendant une heure de temps, et se retrouver purgée et exténuée. C'était devenu une sorte de rituel. S'endormir avec des larmes qui lui coulaient dans les oreilles et la chatouillaient, tandis qu'elle revoyait tout ce qu'elle avait quitté, entourée d'odeurs si puissantes qu'elle craignait qu'il ne se réveille.

Elle remplit d'eau une chope d'un demi-litre, l'extérieur du verre s'embua immédiatement. Elle la lui apporta dehors et il la but d'un seul trait, sans respirer, sa pomme d'Adam s'élevant et descendant. Il lui tendit la chope une fois vide, tout en haletant comme un chien.

– C'est bien que tu sois là, constata-t-il.
– Tu trouves ? demanda-t-elle.
Elle ressentit à quel point, au fond, elle était lasse.
– Héritière chérie !
– Ne m'appelle pas comme ça ! dit-elle.

Le seuil entre la buanderie et la porcherie était trop bas pour s'y asseoir, Margido s'y affala néanmoins. Le bâtiment était vide. Comme autrefois durant l'été, au temps où ils élevaient des vaches laitières. Mais désormais il n'y avait plus de vaches dans les prés, qui rentreraient tranquillement pour la traite du soir.

C'était désert dehors comme dedans.

Il se souvenait bien d'elles. De leur large ventre, de leurs naseaux roses et humides, du bruit qu'elles faisaient en ruminant, du goût du lait fraîchement trait, du lait à la température de leur corps, qu'on buvait le soir.

Il resta assis à contempler la pièce en tant que pièce, et non comme un lieu d'élevage, de vie et d'avenir. Elle était sale et en mauvais état. Mais ce qui respirait et vivait dans cette pièce avait attiré Tor ici matin et soir, et avant lui le grand-père Tallak, et auparavant Terje Neshov, et avant encore Tormod Neshov, dont le vieux portait le prénom.

Les mouches bourdonnaient, à la recherche des bêtes sur lesquelles elles avaient l'habitude de se promener, de fouiner dans leurs soies, de boire à leur groin. Il écouta sa propre respiration. Tout ce qui restait à la ferme maintenant, c'était les cercueils. Et lui-même, chaque fois qu'il venait par ici. Il allait se renseigner pour savoir s'il pouvait récupérer son ancien entrepôt à Fossegrenda.

Le vieux avait enfin obtenu une place à la maison de retraite de Bynes, à Brâmyra, comme il en avait rêvé. Jamais Margido n'avait vu quelqu'un transformé de la sorte. Il rayonnait. Bien rasé, pimpant, un dentier propre, il était installé dans sa chambre avec des livres, la télé et la radio. Il prenait tous ses repas avec les autres, et il s'avérait qu'il en connaissait beaucoup.

Il se sentait rassuré, on prenait soin de lui. Au milieu de toute cette grisaille, qui aurait cru que la lueur d'espoir viendrait du vieux ? Il lui avait rendu visite trois fois depuis son entrée à la maison de retraite, dix jours plus tôt, et chaque fois il était reparti fort d'une bonne impression. Ils ne parlaient pas de Torunn, il évitait d'aborder le sujet, il préférait lui demander ce qu'on lui servait à table, comment s'appelait le personnel et comment il était traité.

Le vieux avait aussi commencé à sourire d'une tout autre façon, un sourire qui arrivait jusqu'aux yeux et faisait frémir ses joues presque comme celles d'un enfant.

Il se leva à grand-peine, se mit à geindre dès qu'il eut mal aux genoux après cette position inconfortable. Il s'en fut lentement, referma la porte de la porcherie, il devrait pratiquer une activité physique, faire quelque chose pour ce ventre, supprimer les tartines de fromage et se mettre aux salades. Passer moins de temps chez lui dans son Stressless. Remplacer les siestes par des promenades.

Il pénétra dans le dépôt, prit une couverture, un oreiller, un mouchoir et une chemise mortuaire, et poussa un cercueil en chêne sur la rampe. C'était un cercueil de luxe, destiné à l'un des plus prestigieux représentants de la vie économique locale, qui était décédé dans un accident de bateau. Il était lourd, et il eut beaucoup de mal à le charger à l'arrière de la Caprice. Il laissa le hayon ouvert pour aérer un peu.

Il traversa la cour. Vida l'eau de pluie des vases, qu'il rentra dans la cuisine. Là il les nettoya soigneusement, avec une brosse et du liquide vaisselle, et les posa à l'envers sur la paillasse. Il ne s'occuperait pas du contenu de toute la maison avant que la ferme ne soit vendue, les deux dames qui le secondaient avaient promis de l'aider. Peder Bovin venait de s'acheter un chalet à Oppdal et voulait bien voir s'il y avait des meubles qui pourraient lui servir. Ils se débarrasseraient du reste. De toute façon il fallait entièrement rénover la maison, si bien qu'un grand nettoyage ne s'imposait pas.

Le téléphone sonna dans le salon. Torunn, pensa-t-il.

C'était la société de sondage Gallup qui menait une enquête sur les habitudes de voyage.

– Désolé, mais je n'ai pas le temps, dit-il en soupirant. D'ailleurs, vous pouvez rayer ce numéro de votre liste, plus personne n'habite ici.

Il raccrocha en songeant : « Il faut que je pense à appeler Telenor pour résilier l'abonnement téléphonique. »

Quand il redescendit l'allée au volant de sa voiture, il eut l'impression que quelqu'un était à la fenêtre et le regardait partir. Il ralentit et se retourna, scruta les carreaux vides, puis il appuya doucement sur l'accélérateur et s'engagea sur la grand-route en direction de Spongdal.

n° 4367 – 8, 20 euros

Depuis le drame qui rompt son enfance en 1953, Lewis grandit en exil. Brimé par le poids du silence et la froideur d'un père autoritaire, il se rétracte dans sa peine, tandis que les habitants conformistes de Waterford chuchotent. Personne ne souhaite faire de place au proscrit. Jusqu'à ce que la violence éclate, foudroyante, irrépressible et douloureusement libératrice.

« Un récit d'une grande délicatesse. »
**Pascale Frey,** *Elle*

10/18, une marque d'Univers Poche,
est un éditeur qui s'engage pour
la préservation de son environnement
et qui utilise du papier fabriqué à partir
de bois provenant de forêts gérées
de manière responsable.

*Impression réalisée par*

La Flèche (Sarthe), 3001062
Dépôt légal : janvier 2012
Suite du premier tirage : juillet 2013
X05543/05

*Imprimé en France*